二十五史藝文經籍志

考補萃編

王承略　劉心明　主編

第五卷

前漢書藝文志注
〔清〕劉光蕡　撰
陳錦春　整理

漢書藝文志約說
陳朝爵　撰
尹承　蔡喆　整理

漢志藝文略
孫德謙　撰
張雲　整理

漢書藝文志校補存遺
沈祕民　撰
許建立　整理

漢書藝文志箋
許本裕　撰
張雲　整理

漢書藝文志諸子略考釋
梁啓超　撰
尹承　蔡喆　整理

漢書藝文志方技補注
張驥　撰
尹承　整理

清華大學出版社　北京

圖書在版編目（CIP）數據

二十五史藝文經籍志考補萃編．第 5 卷／王承略，劉心明主編．—北京：清華大學
出版社，2012.1
ISBN 978-7-302-27236-6

Ⅰ．①二…　Ⅱ．①王…②劉…　Ⅲ．①中國历史：古代史－紀傳體②二十五史－研究
Ⅳ．①K204.1

中國版本圖書館 CIP 數據核字（2011）第 225579 號

責任編輯：馬慶洲
責任校對：宋玉蓮
責任印製：王秀菊
出版發行：清華大學出版社　　　　　　地　　址：北京清華大學學研大厦 A 座
　　　　　http：//www.tup.com.cn　　郵　　編：100084
　　　　　社　總　機：010-62770175　郵　　購：010-62786544
　　　　　投稿與讀者服務：010-62776969，c-service@tup.tsinghua.edu.cn
　　　　　質　量　反　饋：010-62772015，zhiliang@tup.tsinghua.edu.cn
印　刷　者：清華大學印刷廠
裝　訂　者：三河市金元印裝有限公司
經　　銷：全國新華書店
開　　本：148×210　印　張：11.875　字　數：296 千字
版　　次：2012 年 1 月第 1 版　　印　　次：2012 年 1 月第 1 次印刷
印　　數：1～3 000
定　　價：38.00 元

產品編號：040804-01

《二十五史藝文經籍志考補萃編》編纂委員會

目　　録

前漢書藝文志注

［清］劉光蕡 撰

陳錦春 整理

底本：1921 年思過齋刻《煙霞草堂遺書》本
校本：1955 年中華書局影印《二十五史補編》本

前漢書藝文志注

咸陽劉光蕡古愚

前漢書藝文志

藝文以載道也。古聖王以道經世，道大明於天下，則藝文，其陳迹也，可不必重。自周公後，六百餘歲無聖王，大道散佚不明。孔子生而不得位，不能行其道於天下，以師任道統之傳，不得不以簡策爲傳道之資。此孔子所以刪述，而六經所以垂世如日月也。其他載籍，皆以羽翼之，經籍遂爲綱紀，斯世最要之端。班史以爲史志之一，其見卓矣。

昔仲尼没而微言絕，七十子喪而大義乖。經籍之重，自孔子始，故從孔子説起也。然不自孔子生説起，而從孔子没説起，爲《漢書·藝文》作緣起，見此《志》叙藝文有別擇之意，非漫無去取而録之也。通篇之綱，志藝文即是志孔子之道。孔子是藝文之祖，七十子其宗也。大義微言，藝文之蘊。乖絕，則傳記、諸子宜兼存，不可偏廢也。**故《春秋》分爲五，《詩》分爲四，《易》有數家之傳。**大道乖絕，第言《春秋》、《詩》、《易》之分，不備舉六藝者，夫子經世之微言大義，莫備於《春秋》；《詩》則大道之散見，爲學者求道所從入手處；《易》則大道之會歸，爲學問造極之域也。首言《春秋》、《詩》、《易》三經，較《書》、《禮》、《樂》爲完全也。**戰國從衡，真偽分爭。**諸學均出孔子。**諸子之言，紛然殽亂。至秦患之，乃燔滅文章，以愚黔首。**諸家之學，其旨符於六經者爲真，異者爲偽。諸子皆起於戰國，不惟神農、黃帝、力牧、伊尹、太公各書爲戰國之士所託，即管、晏之書，亦戰國爲管、晏之學者所託也。秦無著書之人，秦禁學也。然則戰國諸子，紛然殽亂，猶爲民智日開。有王者作，爲治甚易。**漢興，改秦之敗，大收篇籍，廣開獻書之路。迄孝武世，書缺簡脱，禮壞樂崩，**此處補全六藝，隱見漢無政事，禮樂不興，仍然大道不明之世也，而寓意於叙六藝中，使人不覺。提明六經，以六經爲主也。**聖上喟然而稱曰："朕甚閔焉。"**承上"缺"、"脱"、"崩"、"壞"，直接此四字，不重叙上文，此古人簡練之法。**於是建藏書之策，置寫書之官，下**

及諸子傳説，皆充秘府。知收書籍而無別擇，聖道所以不明也。至成帝時，以書頗散亡，此"書"字泛説。使謁者陳農求遺書於天下，詔光禄大夫劉向校經傳、諸子、詩賦，步兵校尉任宏校兵書，太史令尹咸校數術，侍醫李柱國校方技。每一書已，向輒條其篇目，撮其指意，録而奏之。會向卒，哀帝復使向子侍中奉車都尉歆卒父業。歆於是總羣書而奏其《七略》，故有《輯略》，有《六藝略》，有《諸子略》，有《詩賦略》，有《兵書略》，有《數術略》，有《方技略》。今删其要，以備篇籍。《七略》均子政説，特有歆所變更。子政以儒、道、陰陽、法、名、墨、縱横、雜家、農家、小説爲十家，而別詩賦家，不在諸子之列，後人遂以子政所序爲九流，此説非也。兵、數術及醫均宜爲家，而醫尤要。子政不列十家者，非子政所校也。劉歆既卒父業而總爲《七略》，即當收兵書、數術、方技於諸子之中。乃因其父分校之舊録爲《七略》，是於子政所校，未嘗復用心考核也，而惟以字爲小學附《孝經》後，變亂父書。以聲音點畫之學，上參西漢博士傳經之席，忘親非聖，真千古之罪人矣。近人有《僞經考》，謂古文之學創自劉歆，六藝中所列古文，皆歆竄入其父書中者。子政所校據古今文，不列古文爲經也。其説甚是。又《費氏易》、《毛詩傳》皆歆僞作，亦極有見。蓋古今文之異，只在字形。子政習《穀梁春秋》、《魯詩》，不應取不立博士之《毛詩》、《左氏》。《費氏易》行於民間，不應四家博士所傳之經反脱"無咎"、"悔亡"，而《費氏》與古文獨同，則歆之作僞，以誣其父也明矣。道爲聖人之心，經爲聖人之文。漢初，傳經即傳道也。讀此《志》，須以道爲主。六經、《論語》、《孝經》爲孔子之文，即是孔子之道。此《志》叙於各家之先，謂孔子之文載天下萬世之道，不得以儒家限也。經籍先叙六經，六經孔子所手定，道以孔子爲宗也。六藝首《易》，以《易》爲道之源也。次《書》，經世之大綱。次《詩》，經世之細目。次《禮》、次《樂》，經世之具。而《春秋》，經世之用也。此東漢儒者之序。若西漢，則先《詩》、《書》、《禮》、《樂》，而次《易》象、《春秋》，蓋以《易》象、《春秋》爲道之體，而《詩》、《書》、《禮》、《樂》則由體以達用之具也。西漢所叙爲長。《詩》爲《大學》之格致，誠、正、修、齊，《書》爲治、平，《禮》其章程，《樂》爲精神，《易》則明德，《春秋》則親民也。

易經十二篇　施　孟　梁邱三家

易傳周氏二篇原注：字王孫也。

服氏二篇原注：齊人，號服光。

楊氏二篇原注：名何，字叔元，菑川人。

蔡公二篇原注：衛人，事周王孫。

韓氏二篇原注：名嬰。

王氏二篇原注：名同。

丁氏八篇原注：名寬，字子襄，梁人也。

古五子十八篇原注：自甲子至壬子，說《易》陰陽。

淮南道訓二篇原注：淮南王安聘明《易》者九人，號九師說。

古雜八十篇　雜災異三十五篇　神輸五篇　圖一

孟氏京房十一篇　災異孟氏京房六十六篇　五鹿充宗略說三篇　京氏段嘉十二篇原注：師古曰：“嘉即京房所從受《易》者也，見《儒林傳》及劉向《別錄》。”

章句　施　孟　梁邱氏各二篇

凡易十三家，二百九十四篇。

《易》曰：“宓戲氏《易》之始。仰觀象於天，俯觀法於地，觀鳥獸之文，與地之宜，近取諸身，遠取諸物，於是始作八卦，以通神明之德，以類萬物之情。”至於殷、周之際，紂在上位，逆天暴物，文王以諸侯順命而行道，天人之占，可得而効。於是重《易》六爻，作上、下篇。據此，則爻詞亦文王作。孔氏爲之《彖》、《象》、《繫辭》、《文言》、《序卦》之屬十篇。故曰《易》道深矣，近人有謂《易經》全爲孔子所作，予頗韙其說。人更三聖，世曆三古。叙《易經》文不及周公，則爻、象詞非周公作明矣。及秦燔書，而《易》爲筮卜之事，傳者不絕。漢興，田何傳之。訖於宣元，有施、孟、梁邱、京氏列於學官，而民間有費、高二家之說。劉向以中《古文易經》校施、孟、梁邱經，或脫去“無咎”、“悔亡”，唯《費氏經》與古文同。《易》既爲卜筮之事，秦不之禁，傳者不絕，何得施、孟、梁邱之經反有脫佚，而行於民間之費氏獨與古文同？則古文之僞明矣，古文固據民間之本僞之也。費、高傳於民間，竊意如今之坊本，無精深之義。

尚書古文經四十六卷原注：爲五十七篇。

經二十九卷原注：大、小夏侯二家。《歐陽經》三十二卷。

傳四十一篇

歐陽章句三十一卷

大、小夏侯章句各二十九卷

大、小夏侯解故二十九篇

歐陽説義二篇

劉向　五行傳記十一卷

許商　五行傳記一篇

周書七十一篇<small>原注：周史記。</small>

議奏四十二篇<small>原注：宣帝時石渠論。</small>

凡書九家，四百一十二篇。<small>原注：入劉向《稽疑》一篇。</small>

《易》曰："河出圖，雒出書，<small>河圖、雒書爲《書》所起，蓋據字形言。《古文尚書》異於今文，亦是字形。</small>聖人則之。"故《書》之所起遠矣。至孔子纂焉，上斷於堯，下訖於秦，凡百篇，而爲之序，言其作意。秦燔書禁學，濟南伏生獨壁藏之。<small>近人謂自焚書壁藏，至天下兵起，相隔數年，《書》不能失，二十八篇即夫子所手定，此似可信。</small>漢興亡失，<small>此事可疑。始皇三十四年焚書，三十七年崩。二世立三年，秦亡。又五年，天下定。於漢伏生自藏之，自啓之，何至遺失？且失亡即俱失亡，何獨得二十八篇？</small>求得二十九篇，以教齊、魯之間。訖孝宣世，有歐陽、大、小夏侯氏立於學官。《古文尚書》者，出孔子壁中。<small>《古文尚書》之僞，今已辨明。今所傳之僞古文，乃東晉梅頤所造，更不足道。</small>武帝末，魯共王壞孔子宅，欲以廣其宮，而得《古文尚書》及《禮記》、《論語》、《孝經》，<small>《史記》不叙此事，近人謂《古文尚書》僞作。此處所叙，皆劉歆作僞。《尚書》、《論語》、《孝經》同藏壁中，何《論語》獨無亡失？</small>凡數十篇，皆古字也。<small>字形今古異，篇章辭句皆同。</small>共王往入其宅，聞鼓琴瑟鐘磬之音，於是懼，乃止不壞。孔安國者，孔子後也。悉得其書，以考二十九篇，得多十六篇。安國獻之，遭巫蠱事，<small>安國卒於巫蠱事前。</small>未列於學官。劉向以中古文校歐陽、大、小夏侯三家經文，《酒誥》脱簡一，《召誥》脱簡二。以中古文校三家經文，異者僅脫簡三，文字異者七百有餘，脫字數十耳，可知古、今文無不同也。《書》經文約二萬餘千字，以簡二十五字計之，須簡一千。一千簡中，僅脫其三，必非經秦火亡失。**率簡二十五字者，脫亦二十五字。簡二十二字者，脫亦二十二字。文字異者七百有餘，脫字數十。《書》者，古之號令。號令於衆，其言不立具，則聽受施行者弗曉。古文應讀爾雅，故解古今語而可知也。**言立具者，其字形前定，通行一世。言出而所用之字皆前定已具，故聽受施行者皆能曉然也。《書》之論古今文者，以其字形有便當時不便當時之異，非他有異也。預定字體，即王者同文之政。論《書》爲號令，是説虞、夏、商、周之《書》，非孔子刪定之《書》。孔子刪定之《書》，則據四代爲治之號令，以定萬世爲治之大綱。《書》雖四代，其意直從開闢之初，以及萬世之後治法，胥統於其中。如此著想，方能見聖人刪《書》用意之所在。

詩經二十八卷　魯　齊　韓三家 後叙錄有齊轅固，無后蒼，疑應説誤。

魯故二十五卷

魯説二十八卷

齊后氏故二十卷

齊孫氏故二十七卷

齊后氏傳三十九卷

齊孫氏傳二十八卷

齊雜記十八卷

韓故三十六卷

韓內傳四卷

韓外傳六卷

韓説四十一卷

毛詩二十九卷

毛詩故訓傳三十卷

凡詩六家，四百一十六卷。

《書》曰：“詩言志，歌詠言。”故哀樂之心感，而歌詠之聲發，誦其言謂之詩，詠其聲謂之歌。此解以人誦詩爲詩，與常解異。**故古有**

采詩之官，王者所以觀風俗，知得失，自考正也。可知《詩》三百篇皆是王者之政，故《詩》亡爲王者之迹熄也。孔子純取周詩，上采殷，下取魯，《詩》亡即是風亡，民情不上達即無王者。凡三百五篇。遭秦而全者，以其諷誦，不獨在竹帛故也。《詩》獨謂之諷誦，可知《書》、《禮》、《易》象、《春秋》皆在於竹帛，學者講論，不強記其詞也。近人謂今之閱報章即古采詩遺意，此見甚精。漢興，魯申公爲《詩》訓故，而齊轅固、燕韓生皆爲之傳。或取《春秋》，采雜説，咸非其本義。此説非也。《詩》無訓詁，《孟子》以意逆志、尚友論也，皆三家説《詩》法。《毛傳》盛行，《詩》流爲訓詁，興、觀、羣、怨之旨隱矣。與不得已，魯最爲近之。此倒句也。不得已而取後儒之説，與其用齊、韓，不如用魯最近也。子政世習《魯詩》，故右《魯詩》。三家皆列於學官。又有毛公之學，自謂子夏所傳，而河間獻王好之，未得立。自謂，則"有爲神農之言者"之類矣。然則毛公之《詩傳》，亦後世《子貢詩傳》之類矣。

禮古經五十六卷　經七十篇原注:后氏、戴氏。劉敞曰:"此'七十'與後'七十'皆當作'十七'。"計其篇數則然。

記百三十一篇原注:七十子後學者所記也。

明堂陰陽三十三篇原注:古明堂之遺事。

王史氏二十一篇原注:七十子後學者。

曲臺后倉九篇

中庸説二篇

明堂陰陽説五篇

周官經六篇原注:王莽時，劉歆置博士。

周官傳四篇

軍禮司馬法百五十五篇

古封禪羣祀二十二篇

封禪議對十九篇原注:武帝時也。

漢封禪羣祀三十六篇

議奏三十八篇原注:石渠。

凡《禮》十三家，五百五十五篇。原注：入《司馬法》一家，百五十五篇。

《易》曰：“有夫婦、父子、君臣、上下，禮義有所錯。”禮義錯於人倫，方有世界。以此言禮之用，能見禮之大。而帝王質文，三代世有損益。至周，曲爲之防，事爲之制，故曰：“禮經三百，威儀三千。”及周之衰，幽、屬時。諸侯將踰法度，惡其害己，皆滅去其籍。自孔子時而不具，至秦大壞。漢興，魯高堂生傳《士禮》十七篇。訖孝宣世，后倉最明。戴德、戴聖、慶普皆其弟子，三家立於學官。《禮古經》者，另提《古文禮經》。出於魯淹中。及孔氏學七十篇文相似，①多三十九篇。及《明堂陰陽》、《王史氏記》所見，多天子、諸侯、卿大夫之制。雖不能備，猶瘉倉等推《士禮》而致於天子之說。此說非也。《儀禮》有聘、覲、燕、饗，即諸侯卿大夫之事。少牢饋食，亦爲大夫之祭。冠、婚，則天子之元子，亦士儀文，決不異於士，而喪禮貴賤皆一。《儀禮》十七篇，有何不備？而待於推其不備者，無秦以後尊君抑臣之儀文耳。天子之尊，自秦始。然則今《戴記》中，其間有天子尊嚴如帝天之禮，皆倉等所推，附於叔孫通之朝儀而爲之，非古禮如是也。封建之世，天子一位，蓋多虛懸。三代之衰，政不行於天下，即無王者。無王者，即無天子。是指王者之職分，代天以子天下之民，即以天爲父而爲之子，非尊王者如天也。王者以民爲天，爲天之子，則“天子”非尊貴之名。由《士禮》推之，正合本義。聖人不預定天子之禮，秦以後始有常尊也。十七篇中有覲禮，天子禮也。聘禮、燕禮、食禮、大射、少牢，諸侯、大夫禮也，其餘均可由士推行。竊謂十七篇孔子手定，其缺略則春秋後所缺。

樂記二十三篇

王禹記二十四篇

雅歌詩四篇

雅琴趙氏七篇原注：名定，勃海人。宣帝時丞相魏相所奏。

雅琴師氏八篇原注：名中，東海人，傳言師曠後。

雅琴龍氏九十九篇原注：名德，梁人。

---

　　①　“學七十”，王先謙《漢書補注》本、武英殿本、百衲本《漢書》並同，中華書局點校本據劉敞與楊樹達說改作“與十七”。

凡樂六家，百六十五篇。原注：出淮南、劉向等《琴頌》七篇。

《易》曰："先王作樂崇德，殷薦之上帝，以享祖考。"故自黃帝下至三代，樂各有名。孔子曰："安上治民，莫善於禮。移風易俗，莫善於樂。"此爲樂之本源，即是學校之樂。二者相與並行。周衰俱壞，樂尤微眇，以音律爲節，不以爲造士之用，而惟求之音律，此所以尤爲微眇。又爲鄭、衞所亂，故無遺法。鄭、衞之樂，即倡優所爲之樂。漢興，制氏以雅樂聲律，世爲樂官，頗能紀其鏗鏘鼓舞，樂全在鏗鏘鼓舞。而不能言其義。以音律爲樂，故能紀鏗鏘鼓舞，而不能言其義，先王造士之意早亡，戰國廢學，秦又禁學也。然於鏗鏘鼓舞求義，何能得義？義不在鏗鏘鼓舞中也。六國之君，魏文侯最爲好古，孝文時得其樂人竇公，獻其書，乃《周官・大宗伯》之《大司樂》章也。《大司樂》首言"教國了"，則教國了，樂之本義也。以學求樂，古樂不難知也。武帝時，河間獻王好儒，與毛生等共采《周官》及諸子言樂事者，以作《樂記》，獻八佾之舞，與制氏不相遠。其內史臣王定傳之，以授常山王禹。禹成帝時爲謁者，數言其義，獻二十四卷《記》。劉向校書，得《樂記》二十三篇，與禹不同，其道浸以益微。漢求經籍，仍未講明先王造士之法，故樂之義不明，而道益微。益微，即流爲倡優也。

春秋古經十二篇　經十一卷原注：公羊、穀梁二家。

左氏傳三十卷原注：左邱明，魯太史。

公羊傳十一卷原注：公羊子，齊人。

穀梁傳十一卷原注：穀梁子，魯人。

鄒氏傳十一卷

夾氏傳十一卷原注：有録無書。

左氏微二篇

鐸氏微三篇原注：楚太傅鐸椒也。

張氏微十篇

虞氏微傳二篇原注：趙相虞卿。

公羊外傳五十篇

穀梁外傳二十篇

公羊章句三十八篇

穀梁章句三十三篇

公羊雜記八十三篇

公羊顏氏記十一篇

公羊董仲舒治獄十六篇

議奏三十九篇原注：石渠論。

國語二十一篇原注：左邱明著。

新國語五十四篇原注：劉向分《國語》。

世本十五篇原注：古史官記黃帝以來訖春秋時諸侯大夫。

戰國策三十三篇原注：記春秋後。

奏事二十篇原注：秦時大臣奏事，及刻石名山文也。

楚漢春秋九篇原注：陸賈所記。

太史公百三十篇原注：十篇有録無書。

馮商所續太史公七篇

太古以來年紀二篇

漢著記百九十卷

漢大年紀五篇

凡春秋二十三家，九百四十八篇。原注：省《太史公》四篇。

古之王者，世有史官，《春秋》之本爲史。君舉必書，所以慎言行，此史之益。昭法式也。左史記言，右史記事，事爲《春秋》，言爲《尚書》，帝王靡不同之。孔子以前，《書》與《春秋》爲一。周室既微，載籍殘缺，仲尼思存前聖之業，孔子刪《書》，作《春秋》，則《書》言治之大綱，與《禮》言治之細目相爲體用。而《春秋》言人事，與《易》言天道相爲表裏矣。乃稱曰："夏禮吾能言之，杞不足徵也。殷禮吾能言之，宋不足徵也。文獻不足故也，足則吾能徵之矣。"上文言《書》與《春秋》並提，而此以《書》與禮伴說。杞、宋不足徵夏、殷之禮，《春秋》無夏、殷事，見孔子所修之《春秋》，不可以古記事記言之法求也。**以魯周公之國，禮文備物，史官有法，故與左邱明觀其史記，據行事，仍人道，**劉歆僞經大意在謂《春秋》據事直書，抹殺夫子，竊取之義，此處必多，文致竄改。竊反復迴誦，①覺歆作僞之迹顯然在目。"與左邱明觀其史記"句當删，"與左邱明"四字下"邱明"二句當删去此十七字，餘當爲子政原文，而詞筆茂美，較出他叙録之上。**因興以立功，敗以成罰，假日月以定曆數，籍朝聘以正禮樂。有所褒諱貶損，不可書見，口授弟子。弟子退而異言，邱明恐弟子各安其意，以失其真，故論本事而作傳，**語皆祖左氏，抑公、穀，劉歆之詞也。子政奉命爲穀梁之學，必不以口説爲非。**明夫子不以空言説經也。**此説則是。**《春秋》所貶損大人當世君臣，有威權勢力，其事實皆形於傳，是以隱其書而不宣，所以免時難也。**事實可宣，孔子所取之義不可宣。**及末世口説流行，**重事實，抑口説，則有《春秋》之事，而無《春秋》之義矣。口説原不必盡符聖人本義，然學者由此推求聖人作《春秋》本意，必猶有存者。若如《左傳》第傳齊桓、晉文之事，而聖人所取之義千古常晦矣。**故有公羊、穀梁、鄒、夾之傳。四家之中，公羊、穀梁立於學官，鄒氏無師，夾氏未有書。**此下當有叙公羊、穀梁傳授源流。公羊、穀梁，此二姓止傳《春秋》一見，他更無聞。《四庫全書提要》謂二《傳》皆姜姓，以二字合音爲姜也。近人謂皆"卜商"二字之隱，似爲得之。又謂《左傳》劉歆取《國語》爲之，世並無左丘明其人。《論語》"左邱明恥之"，亦劉歆僞竄。竊意"左史記言"，《國語》即記言之書，《國語》本左史之法而爲書故曰左史，謂此各國之語乃古左史之職所爲也。夫子得七十二國寶書，以爲《春秋》。既成後，必取其書之可存者存之。後人因名曰《左史國語》，或因夫子據以作《春秋》，因係聖諱以爲名。後乃訛"史"爲"氏姓"之"氏"，而"左邱"遂爲人姓名，《史記》所謂"左邱失明，厥有《國語》"也。不然，《史記》謂左邱失明，非名明也，何得作《左傳》者反名"邱明"？其僞顯然，則《論語》"左邱明恥之"，當是"左史恥之"。蓋巧言令色足恭，匿怨友人，此等人言論皆左史法所深恥。孔子作《春秋》悉本古史之法，故與之同也。孟子叙道統相承，兩舉《春秋》，是孔子所以承堯、舜、禹、湯、文、武、周公之統者，全在《春秋》。果有邱明其人，與夫子同作，夫子當如何稱許？孟子當如

---

① "迴"，原作"迴"，據《二十五史補編》本改。

何推重？今俱不聞。《公羊》、《穀梁》俱隱姓名，而《左氏》不隱，書反不傳於漢初，其偽明矣。此叙以《左氏》爲《春秋》正傳，而《公》、《穀》爲後出之傳。先出不聞《左氏》，及至劉歆，《左氏》始出。欲立博士，師丹不肯，則歆以前世無《左氏》也。劉向先習《公羊》，宣帝以衛太子好《穀梁》，命改習《穀梁》。歆違棄世守之《公》、《穀》，而以《左氏》駕於其上，不忠不孝，罪無可逭。而此段叙述，與《易》、《詩》、《書》、《禮》、《樂》均不類，不叙傳授之人，不叙經所從出，不叙漢初家法，其以《春秋》爲當世所罪而諱之與？抑劉歆僞傳《左氏》，無師承傳授，故並二家傳授源流去之，以相亂耶？向習《公羊》，奉詔改習《穀梁》，此其傳授之顯然無可諱者，而亦去之，則非向不叙錄，而爲歆去之也明矣。

論語古二十一篇原注：出孔子壁中，兩《子張》。

齊二十二篇原注：多《問王》、《知道》。

魯二十篇　傳十九篇

齊説二十九篇

魯夏侯説二十一篇

魯安昌侯説二十一篇

魯王駿説二十篇

燕傳説三卷

議奏十八篇原注：石渠論。

《議奏》當與孝經類《五經雜議》同爲一類。議奏是議而奏之，當爲議五經之大義，故奏而待決於上。雜議則儀文之小者，故不奏決，而入之孝經類，爲訓蒙書也。

孔子家語二十七卷

孔子三朝七篇

孔子徒人圖法二卷

凡論語十二家，二百二十九篇。

《論語》者，孔子應答弟子、時人，及弟子相與言而接聞於夫子之語也。當時弟子各有所記，夫子既卒，門人相與輯而論篡，以上總。**故謂之《論語》。**《論語》於六經，如《禮記》之於《禮》，《韓詩外傳》之於《詩》，不主一經，因人因事而發，故淺深互見，精粗不同。是教人通六經之法語巽言，非六經之蘊遂盡於《論語》也。自程、朱道學家專重語錄，故進《論語》而後六經，是以弟子所記者駕於聖人手訂之書之上，非聖人以六經傳道之意，亦非漢儒以《論語》附六經後之意矣。**漢興，有齊魯之説**。分兩支。**傳《齊論》者，**一傳。**昌邑中尉王吉、少府宋畸、御史大夫貢禹、尚書令五鹿充宗、膠東庸生，唯王陽名家。傳《魯論語》者，**一傳。**常山都尉龔奮、長信少府夏侯勝、丞相韋賢、魯扶卿、前將軍蕭望之、安昌侯張禹，皆名家。張氏最後，而行於世**。《論語》爲聖門講學之書。《論語》如語録，出於門弟子所記。六經則夫子所手定，經天緯地之文，大道所寄也。

孝經古孔氏一篇原注：二十二章。

孝經一篇原注：十八章。長孫氏、江氏、后氏、翼氏四家。

長孫氏説二篇

江氏説一篇

翼氏説一篇

后氏説一篇

雜傳四篇

安昌侯説一篇

五經雜議十八篇原注：石渠論。

爾雅三卷二十篇

小雅一篇原注：宋祁曰：“‘小’字下，邵本有‘爾’字。”

古今字一卷

弟子職一篇《弟子職》在《管子》書中，可知霸術入手，亦從鄉間之小學做起。王政之迹蕩然無存，自戰國始也。

説三篇

凡孝經十一家，五十九篇。

《孝經》者，孔子爲曾子陳孝道也。“**夫孝，天之經，地之義，民之行也。**”通貫天、地、人。**舉大者言，**謂不舉地義、民行，而曰天之經也，此可見《孝經》獨名爲經之義。**故曰《孝經》**。總。《論語》，六經之通論也。石渠論入之《論語》，即此意。《孝經》，六經之宗旨也。夫子之學，以仁爲歸。孝爲爲仁之本，即一貫之一。知《孝經》爲提出六經本原單傳直指，則《孝經》語皆精切不沈悶矣。

漢興，長孫氏、博士江翁、少府后倉、諫大夫翼奉、安昌侯張禹傳之，一傳，無分支。各自名家。經文皆同，唯孔氏壁中古文爲異。惟古文爲異，異亦惟在字讀。"父母生之，續莫大焉"，"故親生之膝下"，諸家説不安處，古文字讀皆異。諸家説有不安處，臣瓚解爲"諸家之説各不安處之也"。案此解未妥。諸家，即長孫氏至張禹各家也。説"父母生之"此數句各有不安處也，惟古文此處字讀皆異，則説無不能安也。此亦劉歆主張古文處。然則漢時古今文字句異者僅此處，他皆同也。今有《閨門》章之《孝經》，爲劉歆僞作明矣。《孝經》、《論語》均類於六經後，六經爲大道之全體，《論語》言其作用，《孝經》探其本原也。孝經類有《爾雅》、《小雅》、《古今字》、《弟子職》各書，則古今訓蒙各書悉統於《孝經》。《孝經》以端其本，識字、習算以習其藝，洒掃、應對、進退以貞其行，據此可以推明古小學之法。

史籀十五篇原注：周宣王太史作大篆十五篇，建武時亡六篇矣。

八體六技

蒼頡一篇原注：上七章，秦丞相李斯作。《爰曆》六章，車府令趙高作。《博學》七章，太史令胡母敬作。

凡將一篇原注：司馬相如作。

急就一篇原注：元帝時黃門令史游作。

元尚一篇原注：成帝時將作大將李長作。

訓纂一篇原注：揚雄作。

別字十三篇

蒼頡傳一篇

揚雄　蒼頡訓纂一篇

杜林　蒼頡訓纂一篇

杜林　蒼頡故一篇

凡小學十家，四十五篇。原注：入揚雄、杜林二家三篇。

《易》曰："上古結繩以治，後世聖人易之以書契，百官以治，萬民以察，蓋取諸《夬》。""夬，揚于王庭"，言其宣揚於王者朝廷，其用最大也。字所由起。古者八歲入小學，故《周官》保氏掌養國子，教之六書　謂象形、象事、象意、象聲、轉注、假借，造字之本也。_{造字之法。}漢興，蕭何草律，亦著其法，曰："太史試學童，能諷書九千字以上，乃得爲史。又以六體試之，課最者以爲尚書御史史書令史。吏民上書，字或不正，輒舉劾。"六體者，_{字之分。}古文、奇字、篆書、隸書、繆篆、蟲書，皆所以通知古今文字，摹印章，書幡信也。古制，書必同文，不知則闕，問諸故老。至於衰世，是非無正，人用其私，故孔子曰："吾猶及史之闕文也，今亡矣夫。"蓋傷其寖不正。_{字所由變。}《史籀篇》者，周時史官教學童書也，_{籀文即大篆。}與孔氏壁中古文異體。《蒼頡》七章者，秦丞相李斯所作也；《爰曆》六章者，車府令趙高所作也；《博學》七章者，太史令胡母敬所作也。文字多取《史籀篇》，而篆體復頗異，所謂秦篆_{小篆。}者也。是時始建隸書矣，起於官獄多事，苟趨省易，施之於徒隸也。漢興，閭里書師合《蒼頡》、《爰曆》、《博學》三篇，_{漢惟行秦篆，即小篆，今《說文》是也。}斷六十字以爲一章，凡五十五章，並爲《蒼頡篇》。武帝時司馬相如作《凡將篇》，無復字。元帝時黃門令史游作《急就篇》，成帝時將作大匠李長_{原注：宋祁曰："'李長'下當有'作'字。"}《元尚篇》，皆《蒼頡》中正字也。《凡將》則頗有出矣。至元始中，徵天下通小學者以百數，各令記字於庭中。揚雄取其有用者以作《訓纂篇》，順續《蒼頡》，又易《蒼頡》中重復之字，凡八十九章。臣_{此"臣"字當是歆以父向《別錄》爲《輯略》中語，班未及改者。不然，班爲《漢書》，非奉詔爲之，何忽稱"臣"？}復續揚雄作十三章，_{當即錄中《別字》十三篇。}凡一百三章，無復字，六藝羣書所載略備矣。《蒼頡》多古字，俗師失其讀。宣帝時，徵齊人能正讀者，張敞從受之，傳至外孫之子杜林，爲作訓故，並列焉。_{以字爲小學，列於六藝後，此見頗是。然小學不僅識字，今專以字爲小學，則孝弟、謹信之行不講，洒掃、進退之儀不修，而專尚文詞，失蒙以養正之聖功，自元、成時始。細玩前後，此類非劉子政所錄，}

乃歆竄入其父書中者。前孝經類已有《古今字》一卷，在《爾雅》三卷、《小爾雅》一篇後、《弟子職》一篇、《説》三卷前。《爾雅》、《小爾雅》爲字之故訓，《古今字》必爲字之形聲，《弟子職》則洒掃、應對、進退之節也，而皆附之《孝經》。《孝經》，出入孝弟，愛衆親仁也。《弟子職》，謹信也。《爾雅》、《小爾雅》、《古今字》，餘力學文也，則知古小學内外交修，本末兼備，西漢時猶未亡也。劉歆創爲古文、奇字，欲駕於十四博士所傳經學之上，變亂父、師之説，特別立文字一類，而不知其父列《古今字》於孝經類，即爲小學，而無容復贅也。此叙各字均以篇計，而《古今字》則以卷計。以《爾雅》三卷二十篇推之，《古今字》一卷能該《史籒》九篇及李斯、趙高、胡母敬、司馬相如、李長、史游、揚雄等作。蓋曰《古今字》，則統古籒、篆、隸之形，胥備其中，則此篇所收，皆於前爲複也。歆欲表章古文之學，背父、師，以疑誤後世，真經中之蠹賊矣。此篇叙録與前後均不類，六經、論語、孝經類皆述其學之所自始，經之所由傳。其篇章則列於目中，而叙録不見。今既見於目中，又重見於叙録，其僞顯然。孔子述六經，六經存，文字自附六經而存，故別無訂正文字之書。蓋六經之理，萬世無可變者也。文字之形聲，苟足以達辭行遠而傳後，無妨於變者也。以文字爲小學，附六經後，此未爲失，然當統之《孝經》。孝經類有《古今字》一卷，此當爲子政原本。《爾雅》是字之訓詁，《古今字》當即字之形聲。孝經類既入《古今字》，又何必別《史籒》以下十家爲小學？又《五經雜議》當即論五經之名物器制，《弟子職》則小學洒掃、進退之節，少事長之文也，則射御算術均宜與文字同列，而歆不能。蓋歆獨好古文，於夫子傳經大義毫無所見。即其父書，亦未虚心研究。知文字爲小學，別立一門，而不顧小學之不獨文字，其父已列文字於《孝經》也。此篇當純爲劉歆所僞，故詞筆較各類爲冗。

凡六藝一百三家，三千一百二十三篇。原注：入三家，一百五十九篇。出重十一篇。

六藝之文，《樂》以和神，仁之表也；《詩》以正言，義之用也；《禮》以明體，明者著見，故無訓也；《書》以廣聽，知之術也；《春秋》以斷事，信之符也。論《詩》、《書》、《禮》、《樂》、《春秋》，不如太史公之精，疑歆有變亂。**五者蓋五常之道，相須而備，而《易》爲之原，故曰：“《易》不可見，則乾坤或幾乎息矣。”**《詩》、《書》、《禮》、《樂》之用，如春夏秋冬。《易》、《春秋》如天地。天地以四時爲用，故《詩》、《書》、《禮》、《樂》之用較《易》象、《春秋》爲多。《春秋》爲信。信，土也。寄旺於四時，而季夏爲本位，故韓宣子謂《春秋》爲《周禮》仁、義、智、信，皆有義無形質，以義爲形質，故曰“禮以明體”，即形質也。如仁民之仁，其本在心，無形質可見。達此心於民，必以《周官》之法度，即禮也。義、智、信皆然。**言與天地爲終始也。至於五學，世有變**

改，猶五行之更用事焉。**古之學者耕且養，二年而通一藝，存其大體**，大體，即經文之大指。**玩經文而已**，上言王者用經爲治，經以經世，乃六經之本義。此言學人通經之法，以六經傳道來世，經之又一義也。此法最宜講求，最切今日之弊。**是故用日少而畜德多，三十而五經立也。後世經傳既已乖離**，不傳經本旨即爲乖離。**博學者又不思多聞闕疑之義，而務碎義逃難**，此訓詁家說經之弊，以訓詁傳經，弊必至於專講文字之聲音點畫。**便辭巧說，破壞形體。**今日詁訓考據之弊亦是如此。**說五字之文，**①**至於二三萬言。後進彌以馳逐，故幼童而守一藝，白首而後能言；安其所習，毀所不見，終以自蔽。**經學不能作事，何貴窮經？記誦詞章、訓詁考據，皆不得爲經學。**此學者之大患也。**總結。**序六藝爲九種。**訓詁之弊即已如此，加以記誦詞章，宜六經之空存於世，而孔子之道無一人能知也。六藝是聖道之質幹，《論語》其講論之迹，《孝經》其入手處。大道以孔子爲宗，以後各家皆其羽翼，爲六經中之一端，非與六經違背爲異端也。自儒至小說十家，及兵書、數術、方技，皆王者治天下所不能廢，則皆六經所能包括，而爲吾孔子之道。太史公叙六家要指，以道家爲歸，以孔子爲道也。此叙藝以儒家爲首，以孔子爲儒家也。其實孔子之道具於六經，儒家傳其法，道家傳其心。傳心是尊德性，傳法是道問學，二者是合内外之道，不容偏廢。以各家取類六經，道家如《易》象，儒家如《春秋》也。

晏子八篇原注：名嬰，謚平仲，相齊景公，孔子稱善與人交，有列傳。

子思二十三篇原注：名伋，孔子孫，爲魯繆公師。

曾子十八篇原注：名參，孔子弟子。

漆雕子十三篇原注：孔子弟子漆雕啓後。

宓子十六篇原注：名不齊，字子賤，孔子弟子。

景子三篇原注：說宓子語，似其弟子。

世子二十一篇原注：名碩，陳人也，七十子之弟子。

魏文侯六篇

---

① "字"，原作"經"，據《二十五史補編》本改。

李克七篇_{原注}：子夏弟子，爲魏文侯相。

公孫尼子二十八篇_{原注}：七十子之弟子。

孟子十一篇_{原注}：名軻，鄒人，子思弟子，有列傳。

孫卿子三十三篇_{原注}：名況，趙人，爲齊稷下祭酒，有列傳。

芈子十八篇_{原注}：名嬰，齊人，七十子之後。

內業十五篇_{原注}：不知作書者。

周史六弢六篇_{原注}：惠、襄之間，或曰顯王時，或曰孔子問焉。

周政六篇_{原注}：周時法度政教。

周法九篇_{原注}：法天地，立百官。

河間周制十八篇_{原注}：似河間獻王所述也。

讕言十篇_{原注}：不知作者，陳人君法度。

功議四篇_{原注}：不知作者，論功德事。

甯越一篇_{原注}：中牟人，爲周威王師。

王孫子一篇_{原注}：一曰《巧心》。

公孫固一篇_{原注}：十八章。齊閔王失國，問之，固因爲陳古今成敗也。

李氏春秋二篇

羊子四篇_{原注}：百章。故秦博士。

董子一篇_{原注}：名無心，難墨子。

侯子一篇

徐子四十二篇_{原注}：宋外黃人。

魯仲連子十四篇_{原注}：有列傳。

平原君七篇_{原注}：朱建也。

虞氏春秋十五篇_{原注}：虞卿也。

高祖傳十三篇_{原注}：高祖與大臣述古語及詔策也。

陸賈二十三篇

劉敬三篇

孝文傳十一篇_{原注}：文帝所稱及詔策。

賈山八篇

太常蓼侯孔臧十篇_{原注}：父聚，高祖時以功臣封，臧嗣爵。

賈誼五十八篇

河間獻王對上下三雍宮三篇

董仲舒百二十三篇

兒寬九篇

公孫弘十篇

終軍八篇

吾邱壽王六篇

虞邱説一篇_{原注}：難孫卿也。

莊助四篇

臣彭四篇

鉤盾兄從李步昌八篇_{原注}：宣帝時數言事。宋祁曰："兄當作冗。"

儒家言十八篇_{原注}：不知作者。

桓寬　鹽鐵論六十篇

劉向所序六十七篇_{原注}：《新序》、《説苑》、《世説》、《列女傳頌圖》也。

揚雄所序三十八篇_{原注}：《太玄》十九，《法言》十三，《樂》四，《箴》二。

右儒五十三家，八百三十六篇。_{原注}：入揚雄一家，三十八篇。

儒家者流，蓋出於司徒之官，_{學皆出於官，此見甚卓。知古之官皆師，古之}
_{官府即學校，士無所學，非所用之患矣。九流皆出於官，則聖人爲政，九流必皆收用。}
助人君順陰陽、明教化者也。游文於六經之中，留意於仁義
之際。祖述堯、舜，憲章文、武，宗事仲尼，以重其言，於道最
爲高。孔子曰："如有所譽，其有所試。"唐虞之隆，殷周之盛，
仲尼之業，已試之效者也。然惑者既失精微，而辟者又隨時
抑揚，違離道本，苟以譁衆取寵，後進循之，是以五經乖析，儒
學寖衰，此辟儒之患。_{孔子承堯、舜、禹、湯、文、武、周公之統，而爲道宗，則}
_{孔子之道，君道也。今儒家出於司徒之官，則得君道之一端，而非孔子爲儒家也。九}

流十家，如聖門四科。德行即道家也，言語、政事、文學皆儒家也。蓋以道問學人者爲儒家，而以尊德性人者爲道家。其他皆爲道之一體。即儒、道兩家而論，道爲人君南面之術，儒乃司徒之官，則道宜於儒家之前，子政與太史公所見同也。今列儒家於道家之前，當時漢末學術晦於詞章訓詁，劉歆變亂父書，孟堅不察而從之也。泥於文字以爲道，不知求之心性即失精微，違道本也，故此惑者爲惑於文字，若辟則爲邪僻。蓋求富貴利達鄉愿之流，故苟以譁衆取寵也。爲大道患者，莫烈於辟儒，李斯、孔光、張禹是也。同流合污，容悅其君，以取富貴。由春秋至今，孔子之道不明，非楊墨、佛老之害，而鄉愿竊儒之名之害者。子政以孔子所訂之六經叙於前，《論語》、《孝經》、《家語》繼之，而以九流附於後，是以孔子儕於黄帝、堯、舜、禹、湯、文、武之間，即漢儒素王之説也。六經如君，九流如百官。六經大體，儒、道兩家爲近。其爲政，道家正君德，儒家盡君道。其爲學，道家重性，儒家重學。其在孔門，道家如德行科，儒家即政事、言語、文學。子政叙九流全倣史公，此處必以道家爲先，儒次之。太史公論六家要指之道家、儒家，不以孔子爲儒也。班氏以孔子爲儒，此處必改子政原本，進儒家於道家之前。何以知之？以其叙儒家爲出於司徒，而道家爲人君南面之術，知子政原本道家列前也。知九流皆吾道之支流，則不爭儒、道兩家之先後。

伊尹五十一篇原注：湯相。

太公二百三十七篇原注：吕望爲周師尚父，本有道者。或有近世又以爲太公術者所增加也。

謀八十一篇言七十一篇兵八十五篇

辛甲二十九篇原注：紂臣，七十五諫而去，周封之。

鬻子二十二篇原注：名熊，爲周師，自文王以下問焉，周封爲楚祖。

筦子八十六篇原注：名夷吾，相齊桓公，九合諸侯，不以兵車也，有列傳。

老子鄰氏經傳四篇原注：姓李，名耳。鄰氏傳其學。

老子傅氏經説三十七篇原注：述老子學。

老子徐氏經説六篇原注：字少季，臨淮人，傳《老子》。

劉向　説老子四篇

文子九篇原注：老子弟子，與孔子並時，而稱周平王問，似依託者也。

蜎子十三篇原注：名淵，楚人，老子弟子。

關尹子九篇原注：名喜，爲關吏。老子過關，喜去吏而從之。

莊子五十二篇原注：名周，宋人。

列子八篇_{原注}：名圉寇，先莊子，莊子稱之。

老成子十八篇

長盧子九篇_{原注}：楚人。

王狄子一篇

公子牟四篇_{原注}：魏之公子也，先莊子，莊子稱之。

田子二十五篇_{原注}：名駢，齊人。游稷下，號天口駢。

老萊子十六篇_{原注}：楚人，與孔子同時。

黔婁子四篇_{原注}：齊隱士，守道不詘，威王下之。

宮孫子二篇

鶡冠子一篇_{原注}：楚人，居深山，以鶡爲冠。

周訓十四篇

黃帝四經四篇

黃帝銘六篇

黃帝君臣十篇_{原注}：起六國時，與《老子》相似也。

雜黃帝五十八篇_{原注}：六國時賢者所作。

力牧二十二篇_{原注}：六國時所作，託之力牧。力牧，黃帝相。

孫子十六篇_{原注}：六國時。

捷子二篇_{原注}：齊人，武帝時説。

曹羽二篇_{原注}：楚人，武帝時説於齊王。

郎中嬰齊十二篇_{原注}：武帝時。

臣君子二篇_{原注}：蜀人。

鄭長者一篇_{原注}：六國時。先韓子，韓子稱之。

楚子三篇

道家言二篇_{原注}：近世，不知作者。

右道三十七家，九百九十三篇。

　　道家者流，此處所論道，不如史公之精，蓋班氏所見之道家也。**蓋出於史官**，曆記成敗存亡禍福古今之道，然後知秉要執本，清虛以自守，卑弱以自持，此君人南面之術也。合於堯之克讓，《易》之嗛嗛，一謙而四益，此其所長也。及放者爲之，則欲絕去禮學，兼棄仁義，曰獨任清虛，可以爲治。儒家出於司徒之官，綱紀人倫之文也，即《論語·八佾篇》之禮樂也。道家出於史官，主持世道之心也，即《里仁篇》之仁也。位不居於億兆人之上，不能令天下而使之從。心不伏於億兆人之下，不能持天下而使之固。清虛者，無富天下之心，然後可以富有四海。卑弱者，無貴天下之心，然後可以貴爲天子，舜有四海而不與之謂也。特舉堯之克讓，堯不以天下爲富貴而私其子孫，堯之仁所以如天也。後世君道之失，其端均在此。不以天下爲私業，其制治之法必協。天下人心之公，而無一不出於天理，此王道也。若霸術，則以天下爲富而把持之，不清虛而貪肆，不卑弱而驕橫，後世君道之失，未有不由此者也。謏衆取寵，儒家之失。後世富貴利達之俗，學在人主，不惟庸君如是，即英明者亦莫不如是。獨任清虛爲治，後世人君無用之者，惟漢文略近之。三代後令主，當推漢文爲第一，則孔子之道，必合道家、儒家爲一，方爲合內外之道。而二帝三王之治，以傳心爲要，則道尤爲治之本也。清虛必不謏衆，卑弱必不取寵，故儒而兼道，必不失之辟。游文六藝，留意仁義，必不獨任清虛，故道而兼儒，必不失之放。必合儒、道兩家，方爲孔子集大成堯、舜以來相傳之大道。後世尊儒，擯道家爲異端，訓詁詞章，久痼其聰明，未嘗得聞大道之要也。聖人之道爲一貫，一貫者，體一而用殊也。道家知體之一，而輕萬殊之用，弊必至於廢學而昧時。《論語》首章言學、言時，救道家之失也。儒家知用之萬而昧一本之體，弊必至於務外而不仁。次章言孝弟爲仁，三章巧言鮮仁，救儒家之失也。

宋司星子韋三篇原注：景公之史。

公檮生終始十四篇原注：傳鄒奭《始終》書。

公孫發二十二篇原注：六國時。

鄒子四十九篇原注：名衍，齊人，爲燕昭王師，居稷下，號談天衍。

鄒子終始五十六篇

乘丘子五篇原注：六國時。

杜文公五篇原注：六國時。

黃帝泰素二十篇原注：六國時韓諸公子所作。

南公三十一篇原注：六國時。

容成子十四篇

張蒼十六篇原注：丞相北平侯。

鄒奭子十二篇原注：齊人，號曰雕龍奭。

閭丘子十三篇原注：名快，魏人，在南公前。

馮促十三篇原注：鄭人。

將鉅子五篇原注：六國時。先南公，南公稱之。

五曹官制五篇原注：漢制，似賈誼所條。

周伯十一篇原注：齊人，六國時。

衛侯官十二篇原注：近世，不知作者。

于長天下忠臣九篇原注：平陰人，近世。

公孫渾邪十五篇原注：平曲侯。

雜陰陽三十八篇原注：不知作者。

右陰陽二十一家，三百六十九篇。

陰陽家者流，蓋出於羲和之官，敬順昊天，曆象日月星辰，敬授民時，此其所長也。及拘者爲之，則牽於禁忌，泥於小數，舍人事而任鬼神。道之大原出於天，故法天爲政，必在有形之迹。《堯典》首言曆象，命舜以位，亦曰“天之曆數在爾躬”。陰陽者，天之迹也。此類陰陽家必法天爲治之言，故有《五曹官制》、《衛侯官制》、《于長天下忠臣》，而《公檮生終始》、《鄒子終始》，必爲陰陽五行終始之説，則皆如今《月令》、《五帝德》之類。古之言天者必著，蒼蒼莽莽爲天。於蒼蒼、莽莽中求其可據，不得不及寒暑之迹。久而更求其上，則及造化之原，所以主持陰陽者，所謂道也，道家之説是也。道家之説易遁於虚，則進而徵諸實，乃以民爲天，孔孟之説是也。陰陽家最先，道家次之，儒家又次，此中國大道從出之先後也。古初道紀於遠，至顓頊始專紀人事，故陰陽家之失爲舍人事而任鬼神。

李子三十二篇原注：名悝，相魏文侯，富國強兵。

商君二十九篇原注：名鞅，姬姓，衞後也，相秦孝公，有列傳。

申子六篇原注：名不害，京人。相韓昭侯，終其身諸侯不敢侵韓。

處子九篇

慎子四十二篇原注：名到，先申韓，申韓稱之。

韓子五十五篇原注：名非，韓諸公子。使秦，李斯害而殺之。

游棣子一篇

鼂錯三十一篇

燕十事十篇_{原注：不知作者。}

法家言二篇_{原注：不知作者。}

右法十家，二百一十七篇。

　　法家者流，蓋出於理官，信賞必罰，以輔禮制。《易》曰："先王
以明罰飭法。"此其所長也。及刻者爲之，則無教化，去仁愛，
專任刑法而欲以致治，至於殘害至親，傷恩薄厚。法家宜在名家
之後，法出於刑名，出於禮也。禮失而後入於刑，有名而後法生焉。法不能先名，自
然之序也。

鄧析二篇_{原注：鄭人，與子産並時。}

尹文子一篇_{原注：説齊宣王。先公孫龍。}

公孫龍子十四篇_{原注：趙人。}

成公生五篇_{原注：與黄公等同時。}

惠子一篇_{原注：名施，與莊子並時。}

黄公四篇_{原注：名疵，爲秦博士。作歌詩，在秦時歌詩中。}

毛公九篇_{原注：趙人，與公孫龍等並游平原君趙勝家。}

右名七家，三十六篇。

　　名家者流，蓋出於禮官。古者名位不同，禮亦異數。孔子曰：
"必也正名乎！名不正，則言不順。言不順，則事不成。"此其
所長也。及譥者爲之，則苟鉤鈲析亂而已。^① 即堅白異同之弊，言其
瑣碎。

尹佚二篇_{原注：周臣，在成、康時也。}

田俅子三篇_{原注：先韓子。}

我子一篇

---

① "鈲"，武英殿本與百衲本《漢書》同，中華書局點校本據李慈銘説改作"�"。

隨巢子六篇原注：墨翟弟子。

胡非子三篇原注：墨翟弟子。

墨子七十一篇原注：名翟，爲宋大夫，在孔子後。

右墨六家，八十六篇。

墨家者流，蓋出於清廟之守。茅屋采椽，是以貴儉；養三老五更，是以兼愛；選士大射，是以上賢；宗祀嚴父，是以右鬼；順四時而行，是以非命；以孝視天下，是以上同，此其所長也。及蔽者爲之，見儉之利，因以非禮；推兼愛之意，而不知別親疏。墨家言出清廟之守，不引證六經及孔子語，蓋墨子與孔子同時並立，各創教法。墨子祖述夏禹，蓋意主守舊，復禹制以矯當時之弊。孔子爲萬世計，知唐虞三代之法不能盡因而無所損益，故定爲六經，躬爲刪定，以爲萬世治制之準，不如墨子僅據古明堂之法推求而演説也。清廟，即明堂。以布政言爲明堂，以宗祀言爲清廟。墨子所長，無一不與孔子同，蓋即三代相因之禮也。孟子所拒，則墨子之弊者，與儒之辟道之放正同。以孝爲王道之本，孔子之説正是。此孝可驗人性之善，則人性本同，故上同也。

蘇子三十一篇原注：名秦，有列傳。

張子十篇原注：名儀，有列傳。

龐煖二篇原注：爲燕將。

闕子一篇

國筮子十七篇

秦零陵令信一篇原注：難秦相李斯。

蒯子五篇原注：名通。

鄒陽七篇

主父偃二十八篇

徐樂一篇

莊安一篇

待詔金馬聊蒼三篇原注：趙人，武帝時。

右從橫十二家，百七篇。

從橫家者流,蓋出於行人之官。孔子曰:"誦《詩》三百,使於四方,不能顓對,雖多,亦奚以爲?"又曰:"使乎,使乎!"言其當權事制宜,受命而不受辭,此其所長也。及邪人爲之,則上詐諼而棄其信。從橫家,即聖人言語科。權事制宜,受命不受辭,惟權制宜,故止能受命,不受辭。不能受辭,辭爲自制,故爲顓對。《論語》授政與專對並言,此不及授政,而注乃釋不達政,不釋專對,蓋必達於兩國之政,方能自制詞以對也,則此專對指制詞,非指通各國語言。然不通各國語言,決不能通各國政事而自制辭,故用賓介傳語獨對之義亦在其中。或謂使人能解其國語言,即可不用賓介與主國之君對語。曰仍用賓介傳語,蓋使人與主君問答,事關兩國交誼。臨時制辭,必須詳慎,藉此傳語之際,可以預思答法,故古禮用賓介傳語,不必兩國之語言不相通也。

孔甲盤盂二十六篇原注:黃帝之史,或曰夏帝孔甲,似皆非。

大禹三十七篇原注:傳言禹所作,其文似後世語。

伍子胥八篇原注:名員,春秋時爲吳將,忠直遇讒死。

子晚子三十五篇原注:齊人,好議兵,與《司馬法》相似。

由余三篇原注:戎人,秦穆公聘以爲大夫。

尉繚子二十九篇原注:六國時。

尸子二十篇原注:名佼,魯人,秦相商君師之。鞅死,佼逃入蜀。

呂氏春秋二十六篇原注:秦相呂不韋輯智略士作。

淮南內二十一篇原注:王安。

淮南外三十三篇

東方朔二十篇

伯象先生一篇

荆軻論五篇原注:軻爲燕刺秦王,不成而死,司馬相如等論之。

吳子一篇

公孫尼一篇

博士臣賢對一篇原注:漢世,難韓子、商君。

臣說三篇原注:武帝時所作賦。

解子簿書三十五篇

推雜書八十七篇

雜家言一篇_{原注：王伯，不知作者。}

右雜二十家，四百三篇。_{原注：入兵法。}

雜家者流，蓋出於議官。兼儒、墨，合名、法，知國體之有此，見王治之無不貫，此其所長也。及盪者爲之，則漫羨而無所歸心。雜家出於議官，官有議官，即有議官之署，則今西國議院，古有其制矣。在古則爲外朝，帝典之師錫，《洪範》之謀及庶人，《周禮》之詢衆庶，白虎之議及博士議郎是也。雜家類儒，墨家類道。雜家多及典制，墨家專言古道。故儒家之與道，猶雜家之與墨。

神農二十篇_{原注：六國時諸子疾時急於農業，道耕農事託之神農。}

野老十七篇_{原注：六國時，在齊、楚間。}

宰氏十七篇_{原注：不知何世。}

董安國十六篇_{原注：漢代內史，不知何帝時。}

尹都尉十四篇_{原注：不知何世。宋祁曰："尹，一作郡。"}

趙氏五篇_{原注：不知何世。}

氾勝之十八篇_{原注：武帝時爲議郎。}

王氏六篇_{原注：不知何世。}

蔡癸一篇_{原注：宣帝時，以言便宜，至弘農太守。}

右農九家，百一十四篇。

農家者流，蓋出於農稷之官。播百穀，勸耕桑，以足衣食，故八政一曰食，二曰貨。孔子曰："所重民食。"此其所長也。及鄙者爲之，以爲無所事聖王，欲使君臣並耕，誖上下之序。民以食爲天。孟子陳王道，田里樹畜事三見。中國王政，固自古重農也。後世以農爲細民之業，矯激者遂欲去君子，爲並耕之説，則決不能行。孔子所以自謂不如老農，而孟子闢並耕之説也。

伊尹説二十七篇_{原注：其語淺薄似依託也。}

鬻子説十九篇_{原注：後世所加。}

周考七十六篇_{原注：考周事也。}

青史子五十七篇原注：古史官記事也。

師曠六篇原注：見《春秋》，其言淺薄，本與此同，似因託也。

務成子十一篇原注：稱堯問，非古語。

宋子十八篇原注：孫卿道宋子其言黄老意。

天乙三篇原注：天乙謂湯，其言非殷時，皆依託也。

黄帝説四十篇原注：迂誕依託。

封禪方説十八篇原注：武帝時。

待詔臣饒心術二十五篇原注：武帝時。

待詔臣安成未央術一篇

臣壽周紀七篇原注：項國圉人，宣帝時。

虞初周説九百四十三篇原注：河南人，武帝時以方士侍郎，號黄車使者。

百家百三十九卷

　右小説十五家，千三百八十篇。

　小説家者流，蓋出於稗官。街談巷語，道聽塗説者之所造也。孔子曰：“雖小道，必有可觀者焉，致遠恐泥，是以君子弗爲也。”然亦弗滅也。閭里小知者之所及，亦使綴而不忘。如或一言可采，此亦芻蕘狂夫之議也。芻蕘狂夫之議存而不廢，先王陳詩觀民風之義也。此可知先王時無不達之民情，而庶人不議，以政治民情，民自無可議，非禁民之議也。

　凡諸子百八十九家，四千三百二十四篇。原注：出蹵𪔛一家，二十五篇。諸子十家，其可觀者九家而已。皆起於王道既微，諸侯力政，時君世主，好惡殊方，是以九家之術蠭起並作，各引一端，崇其所善，以此馳説，取合諸侯。其言雖殊，辟猶水火，相滅亦相生也。仁之與義，敬之與和，相反而皆相成也。《易》曰：“天下同歸而殊塗，一致而百慮。”今異家者各推所長，窮知究慮，以明其指，雖有蔽短，合其要歸，亦六經之支與流裔。使其人遭明王聖主，得其所折中，皆股肱之材已。王道不能廢各官，即六經不能廢九流之書。仲尼有言：“禮失而求諸野。”方今去聖久遠，道術缺廢，無所更索，彼九家者，不猶瘉於野乎？若能修六藝之術，而觀此九家之言，舍短取長，則可以通萬方之略矣。九家均出於各官，則六經如君，所以驅使九家，而九家爲六經之用也。後世乃以六經之道專歸儒家而屏棄各家，致令孔子之學陷於訓詁詞章，空疏無用，不能與異教爭，則陋儒之過也。不列詞賦於九家內，劉子政固不以詞章爲道之事也。今世以制舉業爲孔子之道，失之遠矣。可以通萬方之略，今之西學，均吾九流所有。

屈原賦二十五篇原注：楚懷王大夫，有列傳。

唐勒賦四篇原注：楚人。

宋玉賦十六篇原注：楚人，與唐勒並時，在屈原後也。

趙幽王賦一篇

莊夫子賦二十四篇原注：名忌，吳人。

賈誼賦七篇

枚乘賦九篇

司馬相如賦二十九篇

淮南王賦八十二篇

淮南王羣臣賦四十四篇

太常蓼侯孔臧賦二十篇

陽丘侯劉隁賦十九篇

吾丘壽王賦十五篇

蔡甲賦一篇

上所自造賦二篇

兒寬賦二篇

光祿大夫張子僑賦三篇原注：與王褒同時也。

陽城侯劉德賦九篇

劉向賦三十三篇

王褒賦十六篇

右賦二十家，三百六十一篇。

陸賈賦三篇

枚皋賦百二十篇

朱建賦二篇

常侍郎莊忽奇賦十一篇①原注：枚皋同時。

嚴助賦三十五篇

朱買臣賦三篇

宗正劉辟彊賦八篇

司馬遷賦八篇

郎中臣嬰齊賦十篇

臣説賦九篇

臣吾賦十八篇

遼東太守蘇季賦一篇

蕭望之賦四篇

河內太守徐明賦三篇原注：字長君，東海人，元、成世歷五郡太守，有能名。

給事黃門侍郎李息賦九篇

淮陽憲王賦二篇

揚雄賦十二篇

待詔馮商賦九篇

博士弟子杜參賦二篇

車郎張豐賦三篇原注：張子僑子。

驃騎將軍朱宇賦三篇

右賦二十一家，二百七十四篇。原注：入揚雄八篇。

孫卿賦十篇

秦時雜賦九篇

李思孝景皇帝頌十五篇

廣川惠王越賦五篇

長沙王羣臣賦三篇

───────────

①　“忽”，原作“葱”，據《二十五史補編》本改。

魏内史賦二篇

東腕令延年賦七篇

衛士令李忠賦二篇

張偃賦二篇

賈充賦四篇

張仁賦六篇

秦充賦二篇

李步昌賦二篇

侍郎謝多賦十篇

平陽公主舍人周長孺賦二篇

雒陽錡華賦九篇

眭弘賦一篇

別栩陽賦五篇

臣昌市賦六篇

臣義賦二篇

黄門書者假史王商賦十三篇

侍中徐博賦四篇

黄門書者王廣吕嘉賦五篇

漢中都尉丞華龍賦二篇

左馮翊史路恭賦八篇

右賦二十五家，百三十六篇。

客主賦十八篇

雜行出及頌德賦二十四篇

雜四夷及兵賦二十篇

雜中賢失意賦十二篇

雜思慕悲哀死賦十六篇

雜鼓琴劍戲賦十三篇

雜山陵水泡雲氣雨旱賦十六篇

雜禽獸六畜昆蟲賦十八篇

雜器械草木賦三十三篇

大雜賦三十四篇

成相雜辭十一篇

隱書十八篇

右雜賦十二家，二百三十三篇。

高祖歌詩二篇

泰一雜甘泉壽宮歌詩十四篇

宗廟歌詩五篇

漢興以來兵所誅滅歌詩十四篇

出行巡狩及游歌詩十篇

臨江王及愁思節士歌詩四篇

李夫人及幸貴人歌詩三篇

詔賜中山靖王子噲及孺子妾冰未央材人歌詩四篇

吳楚汝南歌詩十五篇

燕代謳雁門雲中隴西歌詩九篇

邯鄲河間歌詩四篇

齊鄭歌詩四篇

淮南歌詩四篇

左馮翊秦歌詩三篇

京兆尹秦歌詩五篇

河東蒲反歌詩一篇

黃門倡車忠等歌詩十五篇

雜各有主名歌詩十篇

雜歌詩九篇

雒陽歌詩四篇

河南周歌詩七篇

河南周歌聲曲折七篇

周謠歌詩七十五篇

周謠歌詩聲曲折七十五篇

諸神歌詩三篇

送迎靈頌歌詩三篇

周歌詩二篇

南郡歌詩五篇

右歌詩二十八家,三百一十四篇。

凡詩賦百六家,千三百一十八篇。原注:入揚雄八篇。

傳曰:"不歌而誦謂之賦。登高能賦,可以爲大夫。"言感物造耑,材知深美,可以圖事,故可以爲列大夫也。古者諸侯卿大夫交接鄰國,以微言相感,當揖讓之時,必稱《詩》以諭其志,蓋以別賢不肖而觀盛衰焉,故孔子曰"不學《詩》,無以言"也。春秋之後,周道寖壞,聘問歌詠不行於列國,學《詩》之士逸在布衣,而賢人失志之賦作矣。大儒孫卿及楚臣屈原離讒憂國,皆作賦以風,咸有惻隱古詩之義。其後宋玉、唐勒,漢興枚乘、司馬相如,下及揚子雲,競爲侈麗閎衍之詞,没其風諭之義。是以揚子悔之,曰:"詩人之賦麗以則,辭人之賦麗以淫。如孔氏之門人用賦也,則賈誼登堂,相如入室矣,如其不用何!"可知孔道若行,必不以詞章取士。自孝武立樂府而采歌謠,於是有代、趙之謳,秦、楚之風,皆感於哀樂,緣事而發,亦可以觀風俗,知薄厚云。是歌謠勝於賦,可知詩文無關於人心、風俗、政教者,皆可不作。序詩賦爲五種。諸子猶爲六經餘裔,詩則孔氏之門人所不用,蓋如今制藝之類。大道晦於詞章,詞賦於諸子無涉。諸子意見之偏,詩賦則俗儒之華也。

吳孫子兵法八十二篇原注:圖九卷。

齊孫子八十九篇原注:圖四卷。

公孫鞅二十七篇

吳起四十八篇_{原注：有列傳。}

范蠡二篇_{原注：越王句踐臣也。}

大夫種二篇_{原注：與范蠡俱事句踐。}

季子十篇

娷一篇

兵春秋三篇

龐煖三篇

兒良一篇

廣武君一篇_{原注：李左車。}

韓信三篇

　　右兵權謀十三家，二百五十九篇。_{原注：省伊尹、太公、管子、孫卿子、鶡冠子、蘇子、蒯通、陸賈、淮南王二百五十九種，出《司馬法》入禮也。劉奉世曰：“種，當作‘重’。‘九’下又脫一‘篇’字。注‘二百五十九’恐合作‘五百二十一’，篇數已在前。”}

　　權謀者，以正守國，以奇用兵，先計而後戰，_{兵法之總。}**兼形勢，包陰陽，用技巧者也。**_{兵分四家，以權謀爲體，形勢、陰陽、技巧皆其用。權謀兼治國在內，孟子所謂人和，荀子所謂附民也。形勢有地利，故曰兼；陰陽即天時，故曰包；技巧則兵之本事也，故曰用。}

楚兵法七篇_{原注：圖四卷。}

蚩尤二篇_{原注：見《呂刑》。}

孫軫五篇_{原注：圖三卷。}

繇叙二篇

王孫十六篇_{原注：圖五卷。}

尉繚三十一篇

魏公子二十一篇_{原注：圖十卷。名無忌，有列傳。}

景子十三篇

李良三篇

丁子一篇

項王一篇_{原注：名籍。}

右兵形勢十一家，九十二篇，圖十八卷。

　　形勢者，靁動風舉，後發而先至，離合背鄉，變化無常，以輕疾
　　制敵者也。_{權謀是兵之本，形勢是兵之用。}

太壹兵法一篇

天一兵法三十五篇

神農兵法一篇

黃帝十六篇_{原注：圖三卷。}

封胡五篇_{原注：黃帝臣，依託也。}

風后十三篇_{原注：圖二卷。黃帝臣，依託也。}

力牧十五篇_{原注：黃帝臣，依託也。}

鵖治子一篇_{原注：圖一卷。}

鬼容區三篇_{原注：圖一卷。黃帝臣，依託。}

地典六篇

孟子一篇

東父三十一篇

師曠八篇_{原注：晉平公臣。}

萇弘十五篇_{原注：周史。}

別成子望軍氣六篇_{原注：圖三卷。}

辟兵威勝方七十篇

右陰陽十六家，二百四十九篇，圖十卷。

　　陰陽者，順序而發，推刑德，隨斗擊，因五勝，假鬼神而爲助者
　　也。<sub>陰陽、技巧，皆以輔權謀，用形勢。陰陽尤遁於虛，流於幻，不如技巧之真碻可
　　據。序之於先者，本孟子"天時不如地利"語也。陰陽即天時，地利即形勢，人和則兼
　　權謀、技巧也。</sub>

鮑子兵法十篇_{原注：圖一卷。}

伍子胥十篇_{原注：圖一卷。}

公勝子五篇

苗子五篇_{原注：圖一卷。}

逢門射法二篇

陰通成射法十一篇

李將軍射法三篇

魏氏射法六篇

彊弩將軍王圍射法五卷

望遠連弩射法具十五篇

護軍射師王賀射書五篇

蒲苴子弋法四篇

劍道三十八篇

手搏六篇

雜家兵法五十七篇

蹴䜕二十五篇

右兵技巧，十三家，百九十九篇。

技巧者，習手足，便器械，積機關，以立攻守之勝者也。

凡兵書五十三家，七百九十篇，圖四十三卷。_{原注：省十家二百七十一篇重。入蹴䜕一家二十五篇。出《司馬法》百五十五篇入禮也。劉奉世曰："此注'二百七十一'又當作'五百九十二'，兩注篇數皆不足，蓋訛謬也。"}

兵家者，蓋出古司馬之職，王官之武備也。《洪範》八政，八曰師。孔子曰爲國者"足食足兵"，"以不教民戰，是謂棄之"，明兵之重也。《易》曰"古者弦木爲弧，剡木爲矢，弧矢之利，以威天下"，其用上矣。後世燿金爲刃，割革爲甲，器械其備。下及湯、武受命，以師克亂而濟百姓，動之以仁義，行之以禮讓，《司馬法》是其遺事也。_{較《孫子》爲精貫。}自春秋至於戰國，出奇設伏，_{臨陣用兵，此四字盡之。}變詐之兵並作。漢興，張良、韓信

序次兵法，凡百八十二家，删取要用，定著三十五家。諸呂用
事而盜取之。武帝時，軍政楊僕捃摭遺逸，紀奏兵錄，猶未能
備。至于孝成，命任宏論次兵書爲四種。

泰壹雜子星二十八卷

五殘雜變星二十一卷

黃帝雜子氣三十三篇

常從日月星氣二十一卷

皇公雜子星二十二卷

淮南雜子星十九卷

泰壹雜子雲雨三十四卷

國章觀霓雲雨三十四卷

泰階六符一卷

金度玉衡漢五星客流出入八篇

漢五星彗客行事占驗八卷

漢日旁氣行事占驗三卷

漢流星行事占驗八卷

漢日旁氣行占驗十三卷

漢日食月暈雜變行事占驗十三卷

海中星占驗十二卷

海中五星經雜事二十二卷

海中五星順逆二十八卷

海中二十八宿國分二十八卷

海中二十八宿臣分二十八卷

海中日月彗虹雜占十八卷

圖書秘記十七篇

右天文二十一家，四百四十五卷。

天文者，序二十八宿，步五星日月，以紀吉凶之象，聖王所以

參政也。《易》曰："觀乎天文，以察時變。"然星事殄悍，非湛密者弗能由也。夫觀景以譴形，非明王亦不能服聽也。以不能由之臣，諫不能聽之主，此所以兩有患也。天文泥災祥之說，所以禍天文也。故中國曆法日壞，至元始大明，明時又晦。我朝參用西法，習者仍少。

黃帝五家曆三十三卷

顓頊曆二十一卷

顓頊五星曆十四卷

日月宿曆十三卷

夏殷周魯曆十四卷

天曆大曆十八卷

漢元殷周諜曆十七卷

耿昌月行帛圖二百三十二卷

耿昌月行度二卷

傳周五星行度三十九卷

律曆數法三卷

自古五星宿紀三十卷

太歲謀日晷二十九卷

帝王諸侯世譜二十卷

古來帝王年譜五卷

日晷書三十四卷

許商算術二十六卷

杜忠算術十六卷

右曆譜十八家，六百六卷。算術當列爲家，班氏附入曆譜，其以僅許商、杜忠兩家而附之與？抑以算術特重曆譜，故附之也？然曆譜有《黃帝》、《顓頊》、《夏殷周魯》，而古算術之書無一存者，則幽、屬以至漢時，中國算學之失傳甚矣。

曆譜者，序四時之位，此曆家堯、舜以來之正傳。正分至之節，會日月五星之辰，以考寒暑殺生之實。故聖王必正曆數，以定三統服色之制，又以探知五星日月之會。此則別派。凶阨之患，吉隆之喜，其術皆出焉。此聖人知命之術也，聖人知命不在曆，且不用術。非天下之至材，其孰與焉。道之亂也，患出於小人而強欲知天道者，壞大以爲小，削遠以爲近，以天之大，而謂災祥在一鄉一邑，且迫於期月之間，宜其破碎難知也。若氣色，則可占一方，而其期亦近，氣色皆發於地也。是以道術破碎而難知也。曆譜當以步日月五星，知寒暑生殺爲本。此爲聖人法天治民之實事，即聖人知命之學也。雜入凶阨、吉隆，即已破碎矣。豈待壞大爲小，削遠爲近哉？

泰一陰陽二十三卷

黃帝陰陽二十五卷

黃帝諸子論陰陽二十五卷

諸王子論陰陽二十五卷

太元陰陽二十六卷

三典陰陽談論二十七卷

神農大幽五行二十七卷

四時五行經二十六卷

猛子閒昭二十五卷

陰陽五行時令十九卷

堪輿金匱十四卷

務成子災異應十四卷

十二典災異應十二卷

鍾律災應二十六卷

鍾律叢辰日苑二十二卷

鍾律消息二十九卷

黃鍾七卷

天一六卷

泰一二十九卷

刑德七卷

風鼓六甲二十四卷

風后孤虛二十卷

六合隨典二十五卷

轉位十二神二十五卷

羨門式法二十卷

羨門式二十卷

文解六甲十八卷

文解二十八宿二十八卷

五音奇胲用兵二十三卷

五音奇胲刑德二十一卷

五音定名十五卷

右五行三十一家，六百五十二卷。

五行者，五常之刑氣也。《書》云："初一曰五行，次二曰羞用五事。"言進用五事，以順五行也。貌、言、視、聽、思心失，而五行之序亂，五星之變作，皆出於律曆之數，而分爲一者也。其法亦起五德終始，推其極則無不至。而小數家因此以爲吉凶，而行於世，知此，何以又有《五行傳》。寖以相亂。子政《五行傳》入於書家。此名五行，而各書名五行者，僅《神農大幽五行》、《四時五行經》、《陰陽五行時令》三書，其他不言五行。其占皆與五行爲用與？中有叢辰、刑德、孤虛、六甲、十二神，蓋即今星命之説也。

龜書五十二卷

夏龜二十六卷

南龜書二十八卷

巨龜三十六卷

雜龜十六卷

蓍書二十八卷

周易三十八卷

周易明堂二十六卷

周易隨曲射匿五十卷

大筮衍易二十八卷

大次雜易三十卷

鼠序卜黃二十五卷

於陵欽易吉凶二十三卷

任良易旗七十一卷

易卦八具

右蓍龜十五家，四百一卷。

蓍龜者，聖人之所用也。《書》曰："女則有大疑，謀及卜筮。"《易》曰："定天下之吉凶，成天下之亹亹者，莫善於蓍龜。"蓍龜與《易》別，可見《易》爲明道之書，非僅卜筮也。"是故君子將有爲也，將有行也，問焉而以言，其受命也如嚮，無有遠近幽深，遂知來物。非天下之至精，其孰能與於此！"及至衰世，解於齊戒，而婁煩卜筮，神明不應。故筮瀆不告，《易》以爲忌；龜厭不告，《詩》以爲刺。蓍龜入之數術家，甚是。《洪範》、《稽疑》固以人謀爲主也。

黃帝長柳占夢十一卷

甘德長柳占夢二十卷

武禁相衣器十四卷

嚏耳鳴雜占十六卷

禎祥變怪二十一卷

人鬼精物六畜變怪二十一卷

變怪誥咎十三卷

執不祥劾鬼物八卷

請官除訞祥十九卷

禳祀天文十八卷

請禱致福十九卷

請雨止雨二十六卷

泰壹雜子候歲二十二卷

子贛雜子候歲二十六卷

五法積貯寶藏二十三卷

神農教田相土耕種十四卷

昭明子釣種生魚鼈八卷

種樹臧果相蠶十三卷

右雜占十八家，三百一十三卷。

雜占者，紀百事之象，候善惡之徵。《易》曰：“占事知來。”衆占非一，而夢爲大，故周有其官。而《詩》載熊羆、虺蛇、衆魚、旐旟之夢，著明大人之占，以考吉凶，蓋參卜筮。《春秋》之説訞也，曰：“人之所忌，其氣炎以取之，訞由人興也。此數語甚精，能透災祥之原，而不流於幻妄。人失常則訞興，人無釁焉，訞不自作。”故曰：“德勝不祥，義厭不惠。”桑、穀共生，太戊以興。雊雉登鼎，武丁爲宗。然惑者不稽諸躬，而忌訞之見，是以《詩》刺“召彼故老，訊之占夢”，傷其舍本而憂末，不能勝凶咎也。雜占爲術，固末中之末。然人在氣交中，物或反常，皆有其故。能思其故，則心存而不放，敬謹以持其身，而不敢動於妄，其益亦大矣。

山海經十三篇

國朝七卷

宮宅地形二十卷

相人二十四卷

相寶劍刀二十卷

相六畜三十八卷

右形法六家，百二十二卷。

形法者，大舉九州之勢，地形，後世《葬經》所祖。以立城郭室舍，陽宅。形人，相人。及六畜骨法之度數、器物之形容，相印綬及刀劍。以求其聲氣貴賤吉凶，猶律有長短，而各徵其聲，非有鬼神，數自然也。然形與氣相首尾，亦有有其形而無其氣，有其氣而無其形，此精微之獨異也。此合堪輿、相法爲一。城郭宅舍，今之陽宅也。青囊之術，固不始於郭璞，而以形爲主，氣爲輔也。

凡數術百九十家，二千五百二十八卷。

數術者，皆明堂羲和史卜之職也。史官之原注：宋祁曰："史官之"字下，舊本有"術"字。廢久矣，其書既不能具，雖有其書而無其人。非書不具及無人也，其術本破碎，多不驗也。《易》曰："苟非其人，道不虛行。"春秋時，魯有梓慎，鄭有裨竈，晉有卜偃，宋有子韋。六國時，楚有甘公，魏有石申夫。漢有唐都，庶得麤觕。蓋有因而成易，無因而成難，故因舊書以序數術爲六種。

黃帝内經十八卷

外經三十七卷

扁鵲内經九卷

外經十二卷

白氏内經三十八卷

外經三十六卷

旁篇二十五卷

右醫經七家，二百一十六卷。

醫經者，原人血脈經絡骨髓陰陽表裏，以起百病之本，死生之分，而用度箴石湯火所施，調百藥齊和之所宜。至齊之德，猶慈石取鐵，以物相使。拙者失理，以瘉爲劇，以生爲死。醫關生人性命，神農嘗藥，黃帝論治，伊尹治湯液，自古聖君賢相莫不究心於此，醫之爲術，重於卜筮也明矣。

五藏六府痺十二病方三十卷

五藏六府疝十六病方四十卷

五藏六府癉十二病方四十卷

風寒熱十六病方二十六卷

泰始黃帝扁鵲俞拊方二十三卷

五藏傷中十一病方三十一卷

客疾五藏狂顛病方十七卷

金創瘲瘲方三十卷

婦人嬰兒方十九卷

湯液經法三十二卷

神農黃帝食禁七卷

　　右經方十一家，二百七十四卷。

　　經方者，本草石之寒溫，量疾病之淺深，假藥味之滋，因氣感之宜，辯五苦六辛，致水火之齊，以通閉解結，藥石之用，盡此四字。人乃欲以藥補養，惑矣。反之於平。及失其宜者，以熱益熱，以寒增寒，精氣內傷，不見於外，是所獨失也。故諺曰"有病不治，常得中醫"也。漢時即有此語，可見良醫之難。以不治病爲中醫，中國醫學之壞，蓋久矣。

醫經經方當別爲一家，此生民之要，聖王參贊化育之至顯者。近人謂至治之世惟有醫，醫所以除天患，兵所以去人患也。人患可以人力除，天患不能以人力消而免也，故聖人欲去兵，而醫則貴有恒也。

容成陰道二十六卷

務成子陰道三十六卷

堯舜陰道二十三卷

湯盤庚陰道二十卷

天老雜子陰道二十五卷

天一陰道二十四卷

黃帝三王養陽方二十卷

三家內房有子方十七卷

右房中八家，百八十六卷。

房中者，情性之極，至道之際，即"賢賢易色"，君子之道，造端乎夫婦之理。**是以聖王制外樂以禁内情，而爲之節文。**可見古房中術皆言房中禮樂，以節淫欲也。漢高祖唐山夫人有《安世房中歌》，其得"聖王制外樂以禁内情"之意矣。《關雎》樂而不淫，"琴瑟友之"，亦即此意。枕席之上，如在廟廷，如對師友，則天理常存，人欲無或肆之地矣。**傳曰："先王之作樂，所以節百事也。"樂而有節，則和平壽考。及迷者弗顧，以生疾而隕性命。**君子之道，造端乎夫婦。房中有禮，可以觀其微矣。

宓戲雜子道二十篇

上聖雜子道二十六卷

道要雜子十八卷

黃帝雜子步引十二卷

黃帝岐伯按摩十卷①

黃帝雜子芝菌十八卷

黃帝雜子十九家方二十一卷

泰壹雜子十五家方二十二卷

神農雜子技道二十三卷

泰壹雜子黃冶三十一卷

右神仙十家，二百五卷。

神仙者，所以保性命之真，而游求於其外者也。聊以盪意平心，聊以爲養生之助，非真可恃也。**同死生之域，而無怵惕於胸中。然而或者專以爲務，則誕欺怪迃之文彌以益多，非聖王之所以教也。孔子曰："索隱行怪，後世有述焉，吾不爲之矣。"**神仙不如養生，養生，則神仙之說該其内而無流弊。名爲神仙，即已誕欺怪迃，莫可究詰矣。

凡方技三十六家，八百六十八卷。

---

①　"岐"，原作"歧"，據《二十五史補編》本改。下同。

　　方技者，皆生生之具，王官之一守也。大古有岐伯、俞拊，中
世有扁鵲、秦和，蓋論病以及國，原診以知政。漢興，有倉公。
今其技術晻昧，故論其書，以序方技爲四種。

　　大凡書，六略三十八種，五百九十六家，萬三千二百六十九
卷。原注：入三家五百篇，①省兵十家。

前漢書藝文志注終

---

① 　"百"，《二十五史補編》本同，武英殿本、百衲本《漢書》並作"十"。

漢書藝文志約説

陳朝爵 撰

尹承 蔡喆 整理

底本：民國安徽省立大學石印本

校本：民國安徽省立大學石印本《漢書藝文志集說》（簡稱《集説》）

漢書藝文志約説叙目

　　王西莊氏《十七史商榷》引金修撰榜之言曰：“不通《漢書・藝文志》，不可以讀天下書。”蓋《漢志》者，辨章學術、整齊百氏之第一部書，可謂金聲玉振，始終條理者也。古今治是書者甚衆，而以鄭漁仲、王伯厚、焦弱侯、章實齋及近時孫益莽數家爲最大。數家中又以王最精實，章最閎通，孫氏晚出又沿章氏而加深密焉。至若漁仲、弱侯則可以章、孫二家括之矣。夫學者欲治是書，宜先從訓故文義、舊聞實證入手。而自漢魏迄有清，説者夥頤，最後爲吾湘先達王祭酒《漢書補注》擴擭勤矣。顧以示學子，或不免苦其過繁。抑於伯厚之説，精要或猶有遺墜。至於辨析條流，論列長短，抉擇覼理，使讀者如畫黑白、味淄澠，以發揮史家是非得失之誼者，蓋猶有待於後來焉。不揣愚陋，從事《書志》，蓋亦有年。而於六略之文，性猶酷嗜，竊取諸家之説一一披尋。爰及近時名家：姚氏明煇《注解》、顧氏實《講疏》，悉爲紬繹，初不過爲之提要鈎玄，自便省覽；間或妄下己意，平亭群言，期於允當。随手抄録，增删塗乙，數經迻篡，居然成册。雖從陳陳相因，亦覺有新意，或者冀如散錢之有册，九罭之在綱，則以不自知量者之苦心爲爾。總釋定名曰《漢書藝文志約説》。洽聞碩學，幸更有以教之。補苴訂正，俟諸異日。

　　凡《約説》七卷，前六卷皆隨文詮釋，溝通櫛比於訓詁攷證之中，而自有脈絡毌通，宗旨分明之犖然確然者。附錄一卷，雖頗簡約，然總覽全書，上下議論，縱橫經緯，史法森然，持此以讀《藝文志》，而後足以辨章學術、齊整百氏之用，所録章、孫二家，閎通相埒。第章書夫人而知，無妨從略；孫書流傳尚罕，余初承張君驥伯相告，數年以來求之不得，項乃得李範老教授以一本相假，不禁狂喜，亟爲披讀。全書凡五十六條，茲乃摘其尤要者二十條，以餉學子。竊以爲不啻枕中鴻寶云。

　　　　　　時民國二十三年甲戌季秋長沙陳朝爵。

漢書藝文志約説卷一

序

《漢書》一百二十卷，後漢班固撰。有十志，叙歷代典章制度，《律曆》一，《禮樂》二，《刑法》三，《食貨》四，《郊祀》五，《天文》六，《五行》七，《地理》八，《溝洫》九，《藝文》十。律曆著民事之本，禮樂、刑法立治人之法，食貨裕民生之源，郊祀、五行明天人之際，地理譜建國之規，溝洫垂農國之經。唐虞三代正德利用厚生之術，胥備於是，而其學術思想、議論規模，則總括之於《藝文》一志。《志》凡六略，而首六藝，以正華夏學術之宗；次諸子，以列上古周秦學術之派；詩賦則六藝、諸子之精華；兵書則撥亂安民，所以濟學術政教之窮；數術[①]、方技索隱通微，所以極天人之變。要其本歸於六藝、諸子，六藝、諸子則又歸於儒、道二家而已。故近世通儒咸重《藝文》一志，以爲學問之眉目，著述之門户，不通《藝文志》，不可以讀天下書也。挈兹學者，先宜迆理訓詁，辨析條流，然後總統宏綱，揭橥大義，庶幾博約文禮，綜貫天人，囊括百家，推準四海，蘄有合於孔門政事、文學交修互通之恉趣，而由詩、書、禮、樂百家之書之陳迹，以窺古之道術，亦與莊生《天下篇》之所稱者，若合符契云。

昔仲尼没而微言絶，七十子喪而大義乖。

李奇曰："隱微不顯之言也。"師古曰："精微要妙之言耳。七

---

① "數術"，原誤倒，據《叙目》乙正。

十子，謂弟子達者七十二人。舉其成數，故言七十。”姚明煇
曰：“孔子致廣大而極精微，七十子能因微言而知大義，蓋見
而知之者也。其後所聞異辭，故大義乖。乖，差也，離也。微
言大義皆口授，有師説無文章。”按，西漢今文家學皆口授，雖
稱微言大義，然自孔子與七十子没後，微言大義已皆有乖離，
則漢儒之説，亦未必皆確爲孔門真諦。後人惟當返求經傳，
擇善而從，此宋賢之不肯全信注疏，所以爲善讀書，而實爲漢
儒之諍友也。

**故《春秋》分爲五，《詩》分爲四，《易》有數家之傳。戰國從衡，真
僞分爭，諸子之言紛然殽亂。**

姚明煇曰：“大義既乖，故説經者不一其辭焉。《春秋》分爲
五，謂《左傳》、《公羊傳》、《穀梁傳》、《鄒氏傳》、《夾氏傳》也。
《詩》分爲四，謂《毛詩》、《齊詩》、《魯詩》、《韓詩》也。《易》有
數家之傳，謂施、孟、梁丘、京氏、費、高等，竝見下。從衡，謂
合從連衡之際，爾時孔門後學各尊所聞，自真而僞人，紛爭不
已，諸子百家亦乘時而起。‘殽’、‘淆’通，雜也。”

至秦患之，乃燔滅文章，以愚黔首。

師古曰：“秦謂民曰黔首。”《史記》：秦并天下，丞相李斯上
書，請史官非秦紀皆燒之。非博士官所職，天下敢有藏《詩》、
《書》、百家語者，悉詣守、尉雜燒之。有偶語《詩》、《書》棄市，
以古非今者族。始皇可其議。

**漢興，改秦之敗，大收篇籍，廣開獻書之路。迄孝武世，書缺簡
脱，禮壞樂崩，聖上喟然而稱曰：“朕甚閔焉。”於是建藏書之策，
置寫書之官，下及諸子傳説，皆充祕府。**

惠帝時，除挾書之令。文帝時，使鼂錯受《尚書》，使博士作
《王制》。劉歆《七略》云：“孝武時廣開獻書之路，百年之間，
書積如山。”案“藏書之策”，策，簡策也，字本作“册”，象編簡
之形，借字作“策”。

至成帝時，以書頗散亡，使謁者陳農求遺書於天下。詔光禄大夫劉向校經傳、諸子、詩賦，步兵校尉任宏校兵書，太史令尹咸校數術，侍醫李柱國校方技。

王先謙曰："《成紀》在河平三年。"劉向《别録》："讎校者，一人讀書，校其上下，得謬誤，爲校；一人持本，一人讀書，若怨家相對，爲讎。"案，讎即對也。步兵校尉任宏校兵書，太史令尹咸校數術，侍醫李柱國校方技，皆各任其專門之學術以各治一門，而向總其成。是即近世科學各用專門，而當以國學爲主體之例。唐時修《隋書》十志亦用其例，故《隋志》獨稱善。

每一書已，向輒條其篇目，撮其指意，録而奏之。

師古曰："已，畢也。撮，總取也。"《隋書·經籍志》云："每一書就，向輒撰爲一録，論其指歸，辨其訛謬，叙而奏之。"姚明輝曰："條其篇目，爲定目次也。撮其指意，如後世書目提要。"案，劉向於當時蓋居總編纂地位。條其篇目，即後世所謂編輯；撮其指意，[①]即後世序論之體。如總修《隋書》者爲魏徵，分修者有顔師古、孔穎達、許敬宗諸家，而序論皆由徵作耳。

會向卒，哀帝復使向子侍中奉車都尉歆卒父業。歆於是總羣書而奏其《七略》。

《隋書·經籍志》曰："古者史官既司典籍，蓋有目録以爲綱紀。孔子刪《書》，别爲之序，各陳作者所由。韓、毛二《詩》，亦皆相類。漢時《别録》、《七略》各有其部，推尋事迹，則古之制也。"

---

①　"撮"，原作"提"，據《集説》及南京共和書局1924年版《漢書藝文志注解》（以下簡稱共和版《注解》）改。

故有《輯略》，有《六藝略》，有《諸子略》，有《詩賦略》，有《數術略》，有《兵書略》，有《方技略》。今删其要，以備篇籍。

師古曰："輯與集同，謂諸書之總要。六藝，六經也。"顧實曰："今班志録其六略，説者謂班志每略叙録之詞即歆之《輯略》，①故雖六略，而實七略具足也。"

六藝略

易

易經十二篇，施、孟、梁丘三家 亡。凡各書分注"存"、"亡"、"殘"、"佚"、"疑"等字，本之顧實，以後放此。

顧實曰："此三家《易》，今文經也。班志凡今文經皆不加'今'字，凡今文與古文無大異皆不記中古文。《書》、《禮》、《春秋》、《論語》、《孝經》皆有古文經，惟《易》、《詩》無之。觀其云'劉向以中古文《易經》校施、孟、梁丘，或脱去無咎、悔亡'，可明《易》中古文經與今文經無大異，《詩》亦可以類推，故皆不録中古文經歟？今存《易經》乃王弼傳費氏古文《易》。古文、今文本無大異，是今文《易經》雖亡而猶存也。文王二篇爲經，孔子十翼本稱傳而非經，顧總稱之曰《易經》十二篇，是傳附經而亦稱經也。"案，古者經、傳分立，漢初爲傳訓者皆與經別行。三傳之文不與經連，後人爲省學者兩讀，故具載本文，而就經爲註，今注疏本是也。《易》自鄭玄、王弼以《彖》、《象傳》附經，至宋吕大防、晁説之、吕祖謙而復古本，朱子從之，作《周易本義》，分經二篇、傳十篇，合十二篇，即《漢志》舊本

---

① "輯"，原誤作"韓"，據商務印書館 1929 年版《漢書藝文志講疏》（以下簡稱商務版《講疏》）改。

之式也。朱子讀書，其信古之力頗强，而考據精到，視漢學家不多讓，孰謂宋儒不求事實哉？今通行《易本義》乃後人又改從王弼本式，非朱子之舊。

易傳周氏二篇　字王孫也。四字，班氏自注原文，以後放此。亡。

顧實曰："自此周氏下至丁氏，皆《易傳》也。"案《儒林傳》，自魯商瞿子木受孔子，以授魯橋庇子庸，子庸授江東馯臂子弓，子弓授燕周醜子家，子家授東武孫虞子乘，子乘授齊田何子裝，田何授東武王同子中、洛陽周王孫、丁寬、齊服生，皆著《易傳》數篇。同授菑川楊何字叔元。凡此志所載，稽之《儒林傳》皆合，以後放此。又田何字子裝，"何"字義本爲負何。名何字裝，是"何"之古義。"何"一作"和"，殆假借作"何"耳。

服氏二篇　亡。

師古曰："劉向《別録》云：服氏，齊人，號服光。"王先謙曰："《御覽》三百八十五《會稽先賢傳》：'淳于長通年十七，説宓氏《易經》。'案，'宓'與'伏'同，'服'亦與'伏'同，故服、宓、伏三字互相通假，所稱宓氏《易》即此服氏也。"

楊氏二篇　名何，字叔元，菑川人。亡。

楊何，見《儒林傳》。

蔡公二篇　衛人，事周王孫。亡。

韓氏二篇　名嬰。亡。

《經典釋文叙録》曰："《子夏易》二卷。"《七略》云："漢興，韓嬰傳。"《唐會要》載司馬貞云："王檢《七志》引劉向《七略》云：'《易》傳子夏，韓氏嬰也。'又荀勗《中經簿》云：'《子夏傳》四卷，或云丁寬所作。'"張璠云或馯臂子弓所作。馬國翰云子夏之傳，劉向以爲韓嬰作，荀勗以爲丁寬作，張璠以爲馯臂子弓作。蓋此書自子夏傳之馯臂子弓，至丁寬，韓嬰得而脩之，載入己書中。如毛萇説《詩》，首列子夏《小序》之類。故班志易十三家,有《丁氏》八篇、《韓氏》二篇,而不列子夏也。唐以後此書淪没,張弧輩遂僞撰十卷,或增至十一卷,則後人所指爲僞《子夏傳》者也。

王氏二篇 名同。亡。

《儒林傳》王同見前。

丁氏八篇 名寬,字子襄,梁人也。亡。

《儒林傳》:"寬作《易説》三萬言。"《經典釋文叙録》:"劉向典校書,考《易説》,以爲諸《易》家皆祖田何,楊叔、丁將軍大意略同。"沈欽韓曰:"《册府元龜》六百四:開元初,禮部奏議荀朂《中經薄》:《子夏傳》四卷,或云丁寬所作。"案,丁寬與韓嬰同出馯臂、商瞿,已見前。又本志兵形勢家有《丁子》一篇,疑即丁將軍。丁寬明《易》而又通兵法,蓋《易》陰陽與兵形勢相通,後世諸葛孔明、李衛公之流皆是。亦《易》與道家通之證也。

古五子十八篇 自甲子至壬子,説《易》陰陽。亡。

齊召南曰:"《易》有先甲後甲、先庚後庚、已日之文。然古人説《易》,未有以甲子配卦爻者,至漢始有。"沈欽韓曰:"《初學記》引劉向《别録》云:所校讐中《易傳》、《古五子》書,分六十四卦,著之日辰,有甲子至壬子,凡五子。"

淮南道訓二篇 淮南王安聘明《易》者九人,號九師説。亡。

案,淮南九師《易説》今不可見,必兼道家説《易》者。時《易》學專言象數,九師説當爲《易》説别派,爲王弼一派之先聲。弼以老莊説《易》,後儒用爲訾議。然觀《乾》、《坤》二卦,《乾》之用九以"无首"爲吉,《坤》之六五以"黄裳"爲吉,是與道家清静無爲、卑弱善下之旨實相符契。班氏論道家,謂其合於《易》之"嗛嗛",洵爲通識。班及見九師説,故有此論歟。

古雜八十篇　雜災異三十五篇　神輸五篇　圖一 疑。

師古曰：“劉向《別録》云：神輸者，王道失則災害生，得則四海輸之祥瑞。”沈欽韓曰：“《古雜》八十篇即《乾鑿度》、《稽覽圖》之等。《後書》張衡歷言《尚書》、《詩》、《春秋》讖之謬妄，而不及《易》，則《易説》爲古書也。”顧實曰：“雜八十篇者，殆猶今之言雜纂。名曰古者，蓋古文也。”

孟氏京房十一篇　災異孟氏京房六十六篇　五鹿充宗略説三篇　京氏段嘉十二篇　殘。

沈欽韓曰：“《儒林傳》：‘京房受《易》焦延壽。延壽云嘗從孟喜問《易》，會喜死，房以爲延壽即孟氏學。’是京氏之《易》託諸孟喜，故京《易》冠以孟氏。”嚴可均曰：“孟喜受《易》家陰陽，授之焦贛。焦贛又得隱士之説，五行消復，授之京房。京房兼而用之，長於災變，布六十四卦於一歲中，卦直六日七分，迭更用事，獨成一家，孝元立博士。迄東漢末，費直行而京氏衰，晋代猶有傳習者。至《隋志》亡《段嘉》十二篇，《唐志》又亡《災異》六十六篇之四十三篇。歷宋入明，而《漢志》之八十九篇僅存三卷。今輯《易傳》、《易占》、《飛候》、《五星》、《風角》等篇。雖京氏占候不盡此，亦大端具矣。其世、應、飛、伏、建、積、互、游魂、歸魂之説，晁説之能言之。至六日七分之法，見《漢書》本傳孟康注、僧一行《大衍歷議》，則雖謂《京氏易》亡而不亡，可也。”清《四庫》不入經部而入子部，術數類著録《京氏易傳》三卷。“段嘉”，《儒林傳》作“殷嘉”。姚明煇曰：“‘殷’、‘段’字近，傳寫或有誤。”

章句，施、孟、梁丘氏各二篇　亡。

《儒林傳》：“丁寬授碭田王孫，王孫授施讎、孟喜、梁丘賀。”《隋志》：“梁丘、施氏亡於西晋，孟氏、京氏有書無師。”姚明煇曰：“章句與傳不同。傳在經外，或附於經後。章句則分章分句，開後世注疏體裁。”

凡易十三家，二百九十四篇。

姚明煇曰："二百九十四篇，蓋未計圖。師古曰：'其每略所條家及篇數有與總凡不同者，[①]傳寫脫誤，年代久遠，無以詳知。'"顧實曰："桓譚《新論》曰：'《連山》八萬言，藏於蘭臺。《歸藏》四千三百言，藏於大卜。'蓋此二書，西京中秘所不藏。又今存《焦氏易林》，當亦然。故《七略》俱不著錄，而班志因之。然亦有中秘所藏而不著錄，如《易》古文是。其故不明。"

《易》曰："宓戲氏仰觀象於天，俯觀法於地，觀鳥獸之文與地之宜，近取諸身，遠取諸物，於是始作八卦，以通神明之德，以類萬物之情。"

師古曰："《下繫》之辭也。宓讀與伏同。"案吳氏《別雅》，伏羲一名，有慮戲、伏戲、庖犧、炮犧諸體，蓋"伏"、"慮"、"宓"一音，"孚"與"包"一音，"孚"同"伏"、"付"，故"庖"、"包"亦偕作"伏"。"犧"與"羲"、"戲"字異音同，亦此例。明此則聲音訓故通矣。

至於殷周之際，紂在上位，逆天暴物，文王以諸侯順命而行道，天人之占可得而効，於是重《易》六爻，作上下篇。

王應麟曰："重卦之人有四說。王輔嗣等以爲伏羲，鄭康成之徒以爲神農，孫盛以爲夏禹，史遷以爲文王。《繫辭》云'因而重之，爻在其中'，據此重卦之始，其上古乎？"按，王氏糾班志之失是也。本志小學類言"初作書契，蓋取諸《夬》"，使文王始重卦，則上古何以有《夬卦》之取象乎？此班書自相矛盾矣。大抵伏羲已重卦六十四，文王乃作卦辭，孔子則爲十翼耳。

---

① "略"，原作"條"，據共和版《注解》改。

孔氏爲之《彖》、《象》、《繫辭》、《文言》、《序卦》之屬十篇。

《孔子世家》："孔子晚而喜《易》,序《彖》、《繫》、《象》、《説卦》、《文言》。"即《上彖》、《下彖》、《上象》、《下象》、《上繫》、《下繫》、《文言》、《説卦》、《序卦》、《雜卦》是也。

故曰《易》道深矣,人更三聖,世歷三古。

師古曰："更,經也。"按,更易之義。三聖,韋昭曰："伏羲、文王、孔子。"三古,孟康曰："《易·繫辭》曰:'《易》之興,其於中古乎?'然則伏羲爲上古,文王爲中古,孔子爲下古。"

及秦燔書,而《易》爲筮卜之事,傳者不絶。

《史記》:始皇燒書所不去者,醫藥、卜筮、種樹之書。案,秦用法家學説,尊君爲神聖,而儒家論立君以爲民也。故孔子爲《革卦·彖傳》大著之曰'湯武革命,應乎天而順乎人',以此防制後世暴君,而爲民生之保障。是《易》之爲書,豈僅爲卜筮之事?秦人於此固應斥其與我相反而亟剷除之,而竟以爲筮卜之書,而不之禁。顧頊至此,亦足見專制之政令,無非掩耳盜鍾矣。

漢興,田何傳之。

《儒林傳》引,已見前注。

迄於宣、元,有施、孟、梁丘、京氏列於學官。[①]

姚明煇曰："田何當是秦漢間人,至宣、元之世,凡百六十餘年。學官,博士也,列於學官者,博士以其書授弟子。《儒林傳》曰:'丁寬,梁人,從田何受《易》,復從周王孫受古義,號《周氏傳》。寬作《易説》三萬言,訓故舉大義而已。寬授同郡

---

① "丘"原誤作"立","列"原誤作"到",據商務版《講疏》改。按,本書不言注《漢志》所用底本,今據全書標注體例,知所據爲顧氏書,故據以改動。

碭田王孫，王孫授施讎、孟喜、梁丘賀，繇是《易》有施、孟、梁丘之學。’”王先謙曰：“《儒林傳》贊言武帝立五經博士，《易》惟楊何，宣帝立施、孟、梁丘《易》，元帝立京氏《易》。”

而民間有費、高二家之説。

《儒林傳》曰：“費直，東萊人，治《易》，長於卦筮，亡章句，徒以《彖》、《象》、《繫辭》十篇文言解説上下經。瑯邪王璜平中能傳之。高相，沛人，治《易》，與費公同時。其學亦無章句，專説陰陽災異。自言出於丁將軍。傳至相，相授子康及蘭陵毋將永，繇是《易》有高氏學。高、費皆未立於學官。”按，古本《易經》文辭與《彖傳》、《象傳》、《文言》等別行，先儒言自費氏乃雜入卦中，朱子以爲鄭玄，考訂甚詳。

劉向以中古文《易經》校施、孟、梁丘經，或脱去“無咎”、“悔亡”。

師古曰：“中者，天子之書也。言中以別於外耳。”劉向校讎中祕，有所謂中書、外書、太常書、太史書、臣向書、臣某書，則官守書與家藏書之不同，博求諸本以讎一書也。説詳章學誠《校讎通義》。“無咎”、“悔亡”皆經文。周壽昌曰：“‘無’應作‘无’，《易經》中未有‘無’字。”按《説文》“𣠮”之奇字作“无”：“通於元者，虚无道也。”此以道家解《易》之始。

唯費氏經與古文同。

《後漢書·儒林傳》曰：“東萊費直傳《易》，授瑯邪王璜，爲費氏學。本以古字，號古文《易》。”《隋志》曰：“王肅、王弼并爲之注，自是費氏大興。”而後世今文《易》絶，惟弼注費氏古文《易》行。王應麟曰：“《釋文》引古文，如‘彙’作‘菁’，‘翩’作‘偏’，‘介’作‘砎’，‘枕’作‘沈’，‘蹢躅’作‘蹢躞’，‘繻’作‘襦’。”

書

尚書古文經四十六卷　爲五十七篇。**經二十九卷**　大、小夏侯二家。歐陽經三十二卷。**傳四十一篇**　古文殘。今文二十八篇在今《孔傳》本中。伏生《大傳》，今有陳壽祺本八篇。

按，《尚書》今文、古文之訟，糾紛累代。簡言之，此古文經四十六卷爲五十七篇者，孔安國所得壁中古文也。經二十九卷者，伏生所傳授今文也。此兩本在漢代本並行，其後古文至晉永嘉而亡，乃有梅賾奏上二十五篇，唐以後均用之，即今注疏本之五十八篇也。梅氏古文，自宋吳棫、朱子始疑其僞，至明及清諸家考訂益精，直斥爲僞古文，其真者爲今文二十九篇。自閻若璩、惠棟、孫星衍諸家各有專書。然亦有持兼存之説者，以爲古籍湮墜，或藉僞書以存，亦爲有益，如朱彝尊、莊存與等並有是説。

尚書古今真僞簡表

古《書》，孔子所删定百篇，起《堯典》，終《秦誓》。遭秦焚禁，亡失。	《今文尚書》，伏生所傳二十九篇，起《堯典》，終《秦誓》。馬、鄭注用歐陽本，分出《盤庚》二篇、《康王之誥》一篇、《泰誓》二篇，共加五篇爲三十四篇。	《古文尚書》，孔安國所傳。除二十九篇同伏生外，得多二十四篇，除去八篇，故又稱得多十六篇。以二十四篇合伏生今文三十四篇爲五十八篇。班氏作《志》時亡去《武成》一篇，①故云五十七篇。	僞《古文尚書》，梅賾所上。除今文同伏生外，僞者自《大禹謨》至《冏命》凡二十五篇。今文《堯典》之半分爲《舜典》，《皋陶謨》之半分爲《益稷》，而删去《泰誓》三篇，共三十三篇，合僞古文二十五篇爲五十八篇。

---

①　“武成”，原誤倒，今乙正。

王氏《漢書補注》備列古今文《尚書》篇目次第，然叙入注文，頗難省覽。顧氏《藝文志講疏》，古文真僞及伏生今文分列三表，而不用旁行式；又三表分立，仍不便比觀。考孫氏《尚書馬鄭注疏》本所列《今古文表》，以孔子百篇爲主，其下五層分列伏、孔今古文及梅氏古文，以"有"、"無"、"僞"三字標目，比對最爲明皙。兹録之如下。

孫星衍《尚書篇目表》

《尚書》百篇	伏生壁藏，得存二十八。《泰誓》後得。大、小夏侯爲二十九篇。	歐陽三十一篇，二十九篇中，三分《盤庚》爲三十一。	孔壁古文五十八篇，《武成》後亡，爲五十七篇。	馬、鄭注伏生《書》分二十九篇爲三十四篇，述古文二十四篇。	僞孔安國《書傳》五十八篇。僞孔《書序》目次與鄭異，見《書序》注。
《堯典》一	有一	有一	有一	注一	有一，《舜典》二
《舜典》二	無	無	有二	述一	無
《汩作》三	無	無	有三	述二	無
《九共》四	無	無	有四	述三	無
《九共》五	無	無	有五	述四	無
《九共》六	無	無	有六	述五	無
《九共》七	無	無	有七	述六	無
《九共》八	無	無	有八	述七	無
《九共》九	無	無	有九	述八	無
《九共》十	無	無	有十	述九	無
《九共》十一	無	無	有十一	述十	無
《九共》十二	無	無	有十二	述十一	無
《稾飫》十三	無	無	無	無	無
《大禹謨》十四	無	無	有十三	述十二	僞三
《皐陶謨》十五	有二	有二	有十四	注二	有四，《益稷》五
《棄稷》十六	無	無	有十五	述十三	無
《禹貢》十七	有三	有三	有十六	注三	有六
《甘誓》十八	有四	有四	有十七	注四	有七
《五子之歌》十九	無	無	有十八	述十四	僞八

續表

《胤征》二十	無	無	有十九	述十五	偽九
《帝告》二十一	無	無	無	無	無
《釐沃》二十二	無	無	無	無	無
《湯征》二十三	無	無	無	無	無
《汝鳩》二十四	無	無	無	無	無
《汝方》二十五	無	無	無	無	無
《夏社》二十六	無	無	無	無	無
《疑至》二十七	無	無	無	無	無
《臣扈》二十八	無	無	無	無	無
《湯誓》二十九	有五	有五	有二十	有五	無
《仲虺之誥》三十	無	無	無	無	偽十
《湯誥》三十一	無	無	有二十一	述十六	偽十一
《咸有一德》卅二	無	無	有廿二	述十七	偽十六
《典寶》卅三	無	無	有廿三	述十八	無
《明居》卅四	無	無	無	無	無
《伊訓》卅五	無	無	有廿四	述十九	偽十二
《肆命》卅六	無	無	有廿五	述廿	無
《祖后》卅七	無	無	無	無	無
《太甲》卅八	無	無	無	無	偽十三
《太甲》卅九	無	無	無	無	偽十四
《太甲》四十	無	無	無	無	偽十五
《沃丁》四十一	無	無	無	無	無
《咸乂》四十二	無	無	無	無	無
《咸乂》四十三	無	無	無	無	無
《咸乂》四十四	無	無	無	無	無
《咸乂》四十五	無	無	無	無	無
《伊陟》四十六	無	無	無	無	無
《原命》四十七	無	無	有廿六	有廿一	無
《仲丁》四十八	無	無	無	無	無
《河亶甲》四十九	無	無	無	無	無
《祖乙》五十	無	無	無	無	無
《盤庚》五十一	有六	有六	有廿七	注六	有十八
《盤庚》五十二	有六	有七	有廿八	注七	有十九
《盤庚》五十三	有六	有八	有廿九	注八	有廿
《說命》五十四	無	無	無	無	偽廿一
《說命》五十五	無	無	無	無	偽廿二
《說命》五十六	無	無	無	無	偽廿三
《高宗肜日》五十七	有七	有九	有卅	注九	有廿四

續表

《高宗肜日》五十八	無	無	無	無	無
《西伯戡黎》五十九	有八	有十	有卅一	注十	有廿五
《微子》六十	有九	有十一	有卅二	注十一	有廿六
《大誓》六十一	夏侯廿九	有十二	有卅三	注十二	僞廿七
《大誓》六十二	夏侯廿九	有十二	有卅四	注十三	僞廿八
《大誓》六十三	夏侯廿九	有十二	有卅五	注十四	僞廿九
《牧誓》六十四	有十	有十三	有卅六	注十五	有卅
《武成》六十五	無	無	有卅七	述廿二	僞卅一
《洪範》六十六	有十一	有十四	有卅八	注十六	有卅二
《分器》六十七	無	無	無	無	無
《旅獒》六十八	無	無	有卅九	述廿三	僞卅三
《旅巢命》六十九	無	無	無	無	無
《金縢》七十	有十二	有十五	有四十	注十七	有卅四
《大誥》七十一	有十三	有十六	有四十一	注十八	有卅五
《微子之命》七十二	無	無	無	無	僞卅六
《歸禾》七十三	無	無	無	無	無
《嘉禾》七十四	無	無	無	無	無
《康誥》七十五	有十四	有十七	有四十二	注十九	有卅七
《酒誥》七十六	有十五	有十八	有四十三	注廿	有卅八
《梓材》七十七	有十六	有十九	有四十四	注廿一	有卅九
《召誥》七十八	有十七	有廿	有四十五	注廿二	有四十
《洛誥》七十九	有十八	有廿一	有四十六	注廿三	有四十一
《多士》八十	有十九	有廿二	有四十七	注廿四	有四十二
《無逸》八十一	有廿	有廿三	有四十八	注廿五	有四十三
《君奭》八十二	有廿一	有廿四	有四十九	注廿六	有四十四
《成王政》八十三	無	無	無	無	無
《將薄姑》八十四	無	無	無	無	無
《多方》八十五	有廿二	有廿五	有五十	注廿七	有四十五
《周官》八十六	無	無	無	無	僞四十六
《立政》八十七	有廿三	有廿六	有五十一	注廿八	有四十七
《賄息慎之命》	無	無	無	無	無
《亳姑》八十九	無	無	無	無	無
《君陳》九十	無	無	無	無	僞四十八
《顧命》九十一	有廿四	有廿七	有五十二	注廿九	有四十九
《康王之誥》九十二	有廿四	有廿七	有五十三	注卅	有五十
《畢命》九十三	無	無	無	無	僞五十一

《君牙》九十四	無	無	無	無	僞五十二
《冏命》九十五	無	無	有五十四	述廿四	僞五十三
《蔡仲之命》九十六	無	無	無	無	僞五十四
《柴誓》九十七	有廿五	有廿八	有五十五	注卅一	有五十七
《吕刑》九十八	有廿六	有廿九	有五十六	注卅二	有五十五
《文侯之命》九十九	有廿七	有卅	有五十七	注卅三	有五十六
《秦誓》一百	有廿八	有卅一	有五十八	注卅四	有五十八

王鳴盛曰：“以《大傳》繫經下，尊伏生也。”王先謙曰：“鄭叔云：‘張生、歐陽生從伏生學，數子各論所聞，以己意彌縫其闕，別作章句。又特撰大義，因經屬指，名之曰傳。劉子政校書，得而上之，凡四十一篇。至玄始詮次爲八十三篇。’今本並《略説》爲四卷。官本經二十九卷，二句各自提行。”

歐陽章句三十一卷　亡。

《儒林傳》：“歐陽生字和伯，千乘人也。事伏生，授倪寬。寬又受業孔安國。歐陽、大小夏侯氏學，皆出於寬。寬授歐陽生子，世世相傳，至曾孫高子陽，爲博士。高孫地餘長賓以太子中庶子授太子，後爲博士，論石渠。地餘少子政爲王莽講學大夫。由是《尚書》世有歐陽氏學。”案“《經》二十九卷”下，班氏自注“歐陽經三十二卷”，明本作“二十二”，官本、汪本並作“三十二”。王先謙曰：“‘三十’是也。此云《歐陽章句》三十一卷，不應本經卷異，‘卷’上‘二’字當爲‘三’。”顧實云：“歐陽經三十二卷，《書序》不附末篇，另析爲卷。《章句》三十一卷者，《書序》無章句，仍附末篇也。”據顧説，是“卷”上“二”字不誤，或當爲“一”。王氏引之有三十三卷之説，王氏《補注》謂其謬。則此“卷”上“二”字當爲“三”。“三”字必爲“一”之誤，無疑義也。

大、小夏侯章句各二十九卷　亡。

顧實曰："經與章句卷數同者，《書序》皆附篇末，此歐陽與大、小夏侯之異也。"《儒林傳》云："夏侯勝，其先夏侯都尉，從濟南張生受《尚書》，以傳族子始昌，始昌傳勝，勝傳從兄子建，由是《尚書》有大、小夏侯之學。"

大小夏侯解故二十九篇　亡。①

王先謙曰："故、詁字同。"顧實曰："章句各分，而解故不別也。"

歐陽説義二篇　亡。

劉向五行傳記十一卷　亡。

顧實曰："蓋原止十篇，班注'入劉向《稽疑》一篇'，即并入此中，故十一篇。本傳曰凡十一篇，號曰《洪範五行傳論》。論亦記也。《隋志》同十一卷。本書《五行志》即向、歆父子之遺説。"

許商五行傳記一篇　亡。

《儒林傳》曰："周堪與孔霸俱事大夏侯勝。霸爲博士，堪譯官令，論於石渠，經爲最高。堪授牟卿及長安許商長伯。霸傳子光，亦事牟卿。由是大、小夏侯有孔、許之學。商善爲算，著《五行論歷》，號其門人沛唐林子高爲德行，平陵吳章偉君爲言語，重泉王吉少音爲政事，齊炔欽幼卿爲文學。王莽時，林、吉爲九卿，自表上師冢，大夫、博士、郎、吏爲許氏學者，各從門人，會車數百兩，儒者榮之。"

周書七十一篇　周史記。殘。

師古曰："劉向云：'周時誥誓號令也。蓋孔子所論百篇之餘

---

① "亡"，原脱，據《集説》及商務版《講疏》補。

也。'今之存者四十五篇矣。"王先慎曰："顏云存四十五篇者，係據孔鼂注本，其亡二十五篇當在唐初。今孔注止四十二篇，是後又亡其三矣。然劉知幾《史通》言《周書》七十一章，不言有所闕佚，是劉氏所見別一本，故《唐志》八卷本與十卷本並列。今案，自《度訓》至《器服》凡七十篇，合序爲七十一篇，中亡《程寤》、《秦陰》、《九政》、《九開》、《劉法》、《文開》、《保開》、《八繁》、《箕子》、《考德》、《月令》共十一篇，尚存六十篇。其逸文近儒朱右曾輯附本書後。《隋志》繫之《汲冢》，非是。"

議奏四十二篇　宣帝時石渠論。亡。

《儒林傳》曰："石渠論《書》者，林尊、歐陽地餘、周堪、張山拊、①假倉等。"《宣帝紀》："甘露三年，詔諸儒講五經同異。太子太傅蕭望之等平奏其議，上親稱制臨決焉。"

凡書九家，四百一十二篇。　入劉向《稽疑》一篇。

師古曰："此凡言入者，謂《七略》以外班氏新入之也。其云出者與此同。"姚明煇曰："如目，實四百二十二篇。"王先謙曰："書目無《稽疑》名，蓋入《五行傳記》。"

《易》曰："河出圖，雒出書，聖人則之。"故《書》之所起遠矣。

師古曰："《上繫》之辭也。"案李鼎祚《周易集解》孔安國説："河圖，八卦是也；雒書，九疇是也。"鄭康成引《春秋緯》説："河龍圖發，雒龜書成。"雒，古"洛"字。河圖、洛書，其傳甚古，自《易·繫辭》外，《書·顧命》、《論語》、《禮記·禮運》、《易》、《書》、《春秋》諸緯，皆有明文可考。漢儒孔安國、揚雄、劉歆、鄭玄説並相同。至衍爲圖象方位，則始於宋陳希夷、邵

---

①　"拊"，原闕，據《集説》及清乾隆武英殿本（以下簡稱"殿本"）《漢書》補。

康節，而其數實爲《易傳》、《黃帝素問》及揚子《太玄》所粲列。《繫傳》"天一地二，天三地四，天五地六，天七地八，天九地十"者，爲河圖之數。以一六二七三八四九五十，合之爲"五十有五"。《易乾鑿度》太乙九宮之數九，前一、後三、左七、右四、前左二、前右八、後左六、後右五。居中央者爲洛書之數，以一九三七二四六八與中五，合之爲四十有五。其數出於自然，至宋儒乃圖而明之。近代漢學家詳考圖、書，攻擊宋儒者甚多，而不能廢古書著列之數。惟杭辛齋《易楔》論列最爲通博。又案，河圖、洛書爲《易》卦之源，而班氏以爲《書》之起源。蓋《書》成於文字，文字出於圖、書象數，故班言六藝以《易》爲之源也。

至孔子纂焉，上斷於堯，下訖於秦，凡百篇，而爲之序，言其作意。

《尚書璇璣鈐》："孔子得黃帝玄孫帝魁之書，訖於秦穆公，凡三千二百四十篇。"

顧實曰："司馬遷曰'孔子追迹三代之禮，序《書傳》，上紀唐虞之際，下至秦穆，編次其事'，此《古文尚書》説也；揚雄曰'昔之序《書》者序以百。如《書序》，雖孔子末如之何矣'，此《今文尚書》説也。雄意《序》非孔子作，但仍周史之舊。班用司馬遷之説。"

秦燔書禁學，濟南伏生獨壁藏之。漢興亡失，求得二十九篇，以教齊魯之間。

《儒林傳》："伏生，濟南人也，故爲秦博士。孝文時，求能治《尚書》者，天下亡有，聞伏生治之，欲召。時伏生年九十餘，老不能行，於是詔太常，使掌故朝錯往受之。秦時禁書，[①]伏生壁藏之，其後大兵起，流亡。漢定，伏生求得其書，亡數十篇，獨得二十九篇，即以教於齊魯之間。齊學者由此頗能言《尚書》。伏生教濟南張生及歐陽生。"

迄孝宣世，有歐陽、大小夏侯氏，立於學官。

歐陽、夏侯皆世爲《尚書》之學，已見前注。

《古文尚書》者，出孔子壁中。武帝末，魯共王壞孔子宅，欲以廣其宮，而得《古文尚書》及《禮記》、《論語》、《孝經》凡數十篇，[②]皆古字也。共王往入其宅，聞鼓琴瑟鐘磬之音，於是懼，乃止不壞。

師古曰："《家語》云：孔騰，字子襄，畏秦法峻急，藏《尚書》、《孝經》、《論語》於夫子舊堂壁中。而《漢記·尹敏傳》云孔鮒所藏。二説不同，未知孰是。"沈欽韓曰："《孔叢子·獨治篇》陳餘謂子魚曰：'秦將滅先王之籍，而子爲書籍之主，其危矣。'子魚曰：'吾將先藏之。'《家語序》云孔騰子襄。子襄即子魚弟，容得同計也。《隋志》與《釋文》、《史通》並作孔惠。武帝末，以時考之，有誤。"王先謙曰："劉歆移讓太常博士書亦云武帝末。《魯共王傳》：以孝景前三年徙王魯，好治宮室，二十八年薨。不得至武帝末。《論衡》以爲孝景時，是也。"

孔安國者，孔子後也，悉得其書，以考二十九篇，得多十六篇。安國獻之，遭巫蠱事，未列於學官。

《孔子世家》："安國爲孔子十二世孫，武帝時爲博士，至臨淮太守，蚤卒。"又《儒林傳》云孔氏有古文，而安國以今文讀之，

---

① "時"，原作"防"，據商務版《講疏》改。
② "數"，原作"四"，據《集説》及商務版《講疏》改。

因以起其家。劉歆移太常博士書云"古文《逸禮》三十九篇、《書》十六篇,天漢之後,孔安國獻之",班《志》所述一本劉歆,然此事年代前後最爲可疑,前人辨論雖多,仍爲疑案。孔壁古文之出在景、武之間,前云武帝末已誤。武帝在位五十四年,巫蠱之獄在征和二年,上距武帝初年已近五十年,距劉歆所稱天漢則只五年,使安國至此時始獻古文,則何以云早卒?① 蓋安國在武帝初年悉得壁中古文,且能以考二十九篇,以今文讀之,則其年必及弱冠。又閱四五十年,則六七十矣,尚云早卒耶? 大抵古文之不得立於學官,實由今文博士之排擯,人主亦無如何。"遭巫蠱事"云者,不過官中相因文飾之辭,史家亦沿而書之,不必與事符合,②不然絶不可通也。又荀悅《漢紀》作"安國家獻之",中多一"家"字,則獻者係安國後人。王鳴盛云宋本《文選》劉歆移書亦有"家"字。存此説可備參。

劉向以中古文校歐陽、大小夏侯氏三家經文,《酒誥》脱簡一,《召誥》脱簡二。率簡二十五字者,脱亦二十五字,簡二十二字者,脱亦二十二字,文字異者七百有餘,③脱字數十。

師古曰:"召讀曰邵。"閻若璩曰:"蓋伏生寫此二篇,《酒誥》率以若干字爲一簡,《召誥》率以若干字爲一簡,三家因之而不敢易也。向據中古文校外書,以此之所有,④知彼之所脱。竊以上下相承文理言之,則二十五字乃《酒誥》之簡,二十二字乃《召誥》之簡也。"

---

① "卒",原作"年",據《集説》改。
② "符",原作"待",據《集説》改。
③ "百",原作"十",據《集説》及商務版《講疏》改。
④ "所",原脱,據《集説》及文淵閣《四庫全書》本改。

《書》者，古之號令，號令於衆，其言不立具，則聽受施行者弗曉。古文讀應《爾雅》，故解古今語而可知也。

《大戴禮·小辨篇》：“《爾雅》以觀於古，足以辨言矣。”案，此節言《書》之文本古之號令，號令之文皆當衆立具，猶今之公文多用普通俗語也。然古今漸隔，古語爲後人所不曉，乃有《爾雅》爲辨言之書，如《釋詁》、《釋言》皆以訓詁通古今語言之郵。故《書》言辭皆應讀《爾雅》，如此則解古今語而可知矣。葉德輝曰：“《史記》五帝、夏、周《本紀》載《尚書》文，多以訓詁代經文，即讀應《爾雅》也。”其説允矣。

詩

詩經二十八卷，魯、齊、韓三家　亡。

《儒林傳》曰：“申公，魯人也。少與楚元王交，俱事齊人浮丘伯受《詩》。吕太后時，浮丘伯在長安，楚元王遣子郢與申公俱卒學。元王薨，郢嗣立，令申公傅太子戊。戊不好學，及戊立爲王，胥靡申公。申公歸魯退居家教，弟子自遠方至，受業者千餘人。孔安國、周霸、夏寬、碭魯賜、蘭陵繆生、徐偃、鄒人闕門慶忌，申公以《詩》、《春秋》授，而瑕丘江公盡能傳之，徒衆最盛。及魯許生、免中徐公，皆守學教授。韋賢治《詩》，事博士江公及許生，至丞相。傳子玄成，亦至承相，由是《魯詩》有韋氏學。轅固，齊人也。以治《詩》，孝景時爲博士。武帝即位，復以賢良徵。公孫弘亦徵，事固。諸齊以《詩》顯貴，皆固之弟子也。韓嬰，燕人也。燕趙間言《詩》者由韓生。嬰推詩人之意而作《内外傳》數萬言，其語頗與齊魯間殊，然歸一也。淮南賁生受之。”《隋志》云：“《齊詩》魏代已亡，《魯詩》亡於西晋。”至南宋後《韓詩》亦亡，獨存《外傳》，於是王應麟爲《三家詩考》。近儒馮登府等考證尤備。王先謙曰：“十五

《國風》十三卷，《小雅》七十四篇七卷，《大雅》三十一篇三卷，《周頌》三十一篇三卷，《魯》、《商頌》各一卷，共二十八卷。其序各以冠其篇首。”

魯故二十五卷 亡。

師古曰：“故者，通其旨義也。”王先謙曰：“《儒林傳》：‘申公獨以《詩經》爲訓故以教，亡傳，疑者則闕弗傳。’是《魯故》即申公作。”按《儒林傳》下師古注云“口説其指，不爲解説之傳”，王謂《魯故》即申公作，恐未足信。疑其弟子所記，如後世之語録。

魯説二十八卷 亡。

王先謙曰：“《儒林傳》：《魯詩》有韋、張、唐、褚之學。此《魯説》，弟子所傳。”

齊后氏故二十卷 亡。

后蒼，字近君，東海郯人也。事夏侯始昌，通《詩》、《禮》，爲博士。授翼奉、蕭望之、匡衡。衡授瑯玡師丹、伏理斿君，由是《齊詩》有翼、匡、師、伏之學。

齊孫氏故二十七卷 亡。

王應麟曰：“未詳其名。”

齊后氏傳三十九卷 亡。

王先謙曰：“蓋后氏弟子從其受學而爲之傳，如《易周氏傳》、《書》伏生《大傳》之例。”

齊孫氏傳二十八卷 亡。

齊雜記十八卷 亡。

王先謙曰：“此蓋下所云‘采雜説’者。”

韓故三十六卷 亡。

王先謙曰：“此韓嬰自爲本經訓故，以別於《内外傳》者，故《志》首列之。”

韓内傳四卷 _{亡。}

韓外傳六卷 _{存。}

王先謙曰：“《隋志》：《韓詩外傳》十卷。今存。近儒趙懷玉輯文附後。”梁章鉅曰：“今本非唐宋之舊。書中未引《詩》詞者凡二十八處。又《文選注》所引‘孔子升泰山觀易姓而王者七十餘家’，及漢皋二女事。《漢書·王吉傳》注引曾子喪妻事，又曾慥《類説》卷三十八引東郭先生知宋將亡事，又閔子騫‘母在一子寒，母去三子單’語，又顏回望見一匹練事，又孔子謂‘君子有三憂’語，又‘出則爲宗族患，入則爲鄉里憂，小人之行也’云云，凡五條，皆今本所無，則闕文脱簡均所不免。汲古閣本尤多竄改。近新安周霱園廷寀有校注本，多所訂正。”

韓説四十一卷 _{亡。}

毛詩二十九卷 _{存。}

王先謙曰：“此蓋序別爲一卷，故合全經爲二十九卷。”

毛詩故訓傳三十卷① _{存。}

《志》但言毛公之學，不著其名。鄭氏《詩譜》：“魯人大毛公爲《訓詁傳》，河間獻王得而獻之，以小毛公爲博士。”陸璣《毛詩草木蟲魚疏》：“毛亨爲《訓故傳》，爲大毛公。以授趙國毛萇，爲小毛公。”案《毛詩》爲古文學，劉歆欲與《左氏傳》、《古文尚書》、《逸禮》同立學官，今文博士不肯置對。平帝時始立。光武興，又罷之。

凡詩六家，四百一十六卷。

《書》曰：“詩言志，哥詠言。”

二句《虞書·舜典》之辭。“歌”，舊本作“可”，《説文》：“聲也，從二可。”即古“歌”字。

---

① “故訓”，原誤倒，據商務版《講疏》乙正。

故哀樂之心感，而哥詠之聲發。誦其言謂之詩，詠其聲謂之哥。故古有采詩之官，王者所以觀風俗，知得失，自考正也。

> 《公羊傳·宣公十五年》何注：“男女有所怨恨，相從而歌。饑者歌其食，勞者歌其事。男年六十、女年五十無子者，官衣食之，使之民間求詩。鄉移於邑，邑移於國，國以聞於天子。”案，此可見古之教育，男女並重，女子任采詩，必其少時習於文辭明矣；采詩用女子，古詩多出於閨閣又明矣。女使而食於官，則婦女亦得服事於公家矣。

孔子純取周詩，上采殷，下取魯，凡三百五篇。

> 王應麟曰：“《詩》三百十一篇，亡其辭者六篇。考之《儀禮》，皆笙詩也。漢世毛學不行，故云三百五篇。”按六篇：《南陔》、《白華》、《華黍》、《由庚》、《崇丘》、《由儀》，毛皆有序。

遭秦而全者，以其諷誦，不獨在竹帛故也。

> 沈欽韓曰：“劉歆移書云：‘《詩》先師起於建元之間。當此之時，一人不能獨盡其經，或爲《雅》，或爲《頌》，相合而成。’則亦幸而得全耳。”

漢興，魯申公爲《詩》訓故，而齊轅固、燕韓生皆爲之傳。或取《春秋》，采雜說，咸非其本義。

> 姚明煇曰：“今三家《詩》說惟《韓詩外傳》僅存。《四庫提要》謂其書雜引古事古語，證以《詩》詞，所采多與周秦諸子相出入。殆所謂‘取《春秋》，采雜說’者。”

與不得已，魯最爲近之。三家皆列於學官。

> 師古曰：“與不得已者，言皆不得也。[1] 三家皆不得其真，而魯最近之。”王念孫云：“既言咸非其本義，則無庸更言皆不得其真。余謂與者，如也；不得已者，必欲求其本義也。言三家說《詩》皆非其本義，如必求其本義，則魯最爲近之也。”

---

① “言皆”，原誤倒，據《集說》乙正；“得”下原衍“已”，據商務版《講疏》刪。

又有毛公之學，自謂子夏所傳，而河間獻王好之，未得立。

案史家立文，凡云"自謂"者，多爲不足信之意。或云"云"，或云"以爲"，皆一意。《儒林傳》於趙賓、焦延壽、京房皆用"云"字、"以爲"字以見意，《孟喜傳》直云"詐言"，尤明顯矣。然喜等皆以其學顯用，故特著其詐誕，以成定讞。若毛公，則見排於博士，不得立。此"自謂"云者，或出於排之者之口，未可與孟、焦諸傳一例同觀也。河間獻王名德，景帝子，修學好古，實事求是，多得先秦舊書。其學舉六藝，立《毛詩》、《左氏春秋》博士，山東諸儒皆從而游。

禮

禮古經五十六卷　經七十篇　后氏、戴氏。《古經》五十六卷，殘。《經》"七十篇"係"十七篇"之誤。存。

劉敞曰："此'七十'與後'七十'皆當作'十七'。"案，十七篇即今之《儀禮》，是今文也。其《古經》五十六篇是古文也。古文中十七篇與高堂生同，而字多不同。餘三十九篇絕無師説，説詳《儀禮》賈疏。班《志》自注云"后氏、戴氏"，是言今文有后、戴二本也。

記百三十一篇　七十子後學者所記。殘。

戴德傳記八十五篇，稱《大戴記》；戴聖傳記四十九篇，稱《小戴記》。此云百三十一篇，即合二戴記而言。《小戴》四十九篇，《曲禮》、《檀弓》、《雜記》皆以簡册多，分爲上下，實止四十六篇，合之《大戴》八十五篇，正協百三十一篇之數。説本錢氏大昕。《隋志》云："河間獻王得仲尼弟子及後學者所記一百三十一篇獻之，無傳之者。至劉向得一百三十篇叙之，又得《明堂陰陽記》三十三篇、《孔子三朝記》七篇、《王史氏記》二十一篇、《樂記》二十三篇，合爲二百十四篇。戴德删其煩重爲八十五篇，爲《大戴記》。戴聖又删大戴之書爲四十六篇，爲《小戴記》。馬融又足《月令》一篇、《明堂位》一篇、《樂記》一篇，合四十九篇。案，此爲晋隋以來舊説，錢氏大昕不從。王氏《漢書補注》從錢説。

明堂陰陽三十三篇　古明堂之遺事。殘。

劉台拱曰：“今《小戴·月令》、《明堂位》於《别録》屬明堂陰陽，而《大戴記》之《盛德篇》實記古明堂遺事。此三篇其僅存者。”

王史氏二十一篇　七十子後學者。亡。

師古曰：“劉向《别録》云六國時人也。”《隋志》作“王氏史氏記”，誤。《廣韻》：王史，複姓。

曲臺后倉九篇　亡。

如淳曰：“行禮射於曲臺，后蒼爲記，故名曰《曲臺記》。”王念孫曰：“后蒼下當補‘記’字。”皮錫瑞曰：“漢立十四博士，《禮》大小戴。此所謂禮，是大小戴所受於后蒼之《禮》十七篇，非謂《大戴禮記》八十五篇與《小戴禮記》四十九篇，後世誤以大小戴《禮》爲大小戴《記》，並誤。以后蒼《曲臺記》爲即今之《禮記》，自毛奇齡已辨其誤。”

中庸説二篇[①]　亡。

師古曰：“今《禮記》中有《中庸》一篇，亦非本禮經，蓋此之流。”案，以《大學》、《中庸》合《論》、《孟》爲四書，始於宋人。然觀《漢志》已有單行《中庸説》，是漢代經師專説《中庸》之書，必多天人性命之説，如儒家《世子》之類。蓋所以推究制禮之原，而非僅言禮制，故師古以爲“非本禮經”。於此蓋足證宋人性理之學，未嘗不源於漢人也。又儒家《子思子》二十

---

① “説”，原作“記”，據《集説》及商務版《講疏》改。

三篇，《中庸》在其中，小戴氏取之以入《禮記》。此《中庸説》則屬於《禮記》，與《子思子》所録實爲一書，是會稽章氏學誠所稱互見之例。

明堂陰陽説五篇 亡。

沈欽韓曰：“《明堂位》正義引《異義》講學大夫淳于登説曰：‘明堂在國之陽，丙巳之地，三里之外、七里之内。而祀之就陽位，上圓下方，八窗四闥，布政之宫，故稱，明堂。明堂，盛貌，周公祀文王於明堂，以配上帝。上帝，[1]五精之神，太微之庭中有五帝坐位’，蓋此類明堂説也。講學大夫，在王莽時。明堂，平帝時立。”

周官經六篇 王莽時，劉歆置博士。存。

師古曰：“即今之《周官禮》也。亡其《冬官》，以《考工記》補之。”案《周官》，古文家以爲經，自河間獻王上之，爲今文家所排。王莽時劉歆始置博士，以行於世。馬融、鄭玄爲之注。[2]

周官傳四篇 亡。

王先謙曰：“《周官》既置博士，當時必有傳説，蓋東漢初喪失，故杜子春能通其讀，以授鄭衆、賈逵。沈氏欽韓謂‘先無傳者，此班氏附益’，非也。”案，光武中興，一切反莽所爲，故《周官傳》當亡於東漢初。

軍禮司馬法百五十五篇 殘。

王應麟曰：“《周官·縣師》：‘將有軍旅、會同、田役之戒，[3]則

---

① “帝”，原作“常”，據清光緒浙江書局刻本《漢書疏證》改。
② 本條自“周官經”至“爲之注”七十六字原脱，據《集説》補。
③ “之”，原作“有”，據清光緒浙江書局《玉海》附刻本《漢藝文志考證》（以下簡稱浙局本《漢志考》）改。

受法於司馬，①以作其衆庶．’《小司馬》‘掌事如大司馬之法’，《司兵》‘授兵從司馬之法以頒之’。② 此古者司馬法，即周之政典也。《周禮疏》云：‘齊景公時，大夫穰苴作《司馬法》。’《史記·穰苴傳》云：‘齊威王使大夫追論古者司馬兵法，而附穰苴於其中，因號曰《司馬穰苴兵法》。’”

古封禪羣祀二十二篇 亡。

王應麟曰：“梁許懋曰：‘燧人之前，世質民淳，安得泥金檢玉；結繩而治，安得鐫文告成？’胡氏曰：‘攷《舜典》可以知後世封禪之失，稽懋言可以知史遷著書之謬。’《文中子》曰：‘封禪之費非古也，徒以夸天下，其秦漢之侈心乎！’孫氏曰：‘帝王巡守，每至方嶽，必燔柴以告至，非謂自陳功於天也。’”

封禪議對十九篇 武帝時也。亡。

漢封禪羣祀三十六篇 亡。

議奏三十八篇 石渠。亡。

凡禮十三家，五百五十五篇 入《司馬法》一家，百五十五篇。

案，班氏出《司馬法》於兵家而入禮家，實爲特識。軍爲五禮之一，是古制也。恐人不明，故冠“軍禮”二字於其首。兵之制爲典禮，故《司馬法》入於禮家。兵之用爲大刑，故《刑法志》外不別立《兵志》，此皆班書之特識。

《易》曰：“有夫婦、父子、君臣、上下，禮義有所錯。”

師古曰：“《序卦》之辭也。錯，置也。”

而帝王質文，世有損益，至周曲爲之防，事爲之制，③故曰：“禮經三百，威儀三千。”

韋昭曰：“《周禮》三百六十官也。三百，舉成數也。”臣瓚曰：

---

① “則受”，原誤在後句“衆庶”下，據《集説》及浙局本《漢志考》乙正。

② “司兵”，原誤作“司馬”，據浙局本《漢志考》改。

③ “制”，原作“備”，據商務版《講疏》改。

"禮經三百，謂冠、婚、吉、凶。《周禮》三百，是官名也。"師古云："韋說是也。威儀三千乃冠、婚、吉、凶，蓋《儀禮》是也。"皮錫瑞曰："鄭君注《禮器》，以《周禮》爲經禮，《儀禮》爲曲禮，實誤。臣瓚注《漢志》不誤。臣瓚不主鄭說，師古以《儀禮》爲威儀，是主鄭說。《漢志》明以今之《儀禮》爲經，而《周官經》附後，乃强奪經名歸之《周官》，而十七篇反爲曲禮，顯與《漢志》不合。至《禮器》、《中庸》諸書所言三百三千，當時必能實指其數，後世則無以實指之。"案，此志云"禮經三百"，《禮器》則云"經禮三百"，《中庸》則云"禮儀三百"；此志云"威儀三千"，《中庸》亦云"威儀三千"，《禮器》則云"曲禮三千"。名詞偶異，所指則同。"禮經"當爲《儀禮》十七篇，"威儀"及"曲禮"則言行禮之委曲條數耳。皮說極明確，當以爲定論。

及周之衰，諸侯將踰法度，惡其害己，皆滅去其籍，自孔子時而不具，至秦大壞。

《孟子·萬章篇》："諸侯惡其害己也，而皆去其籍。"秦大壞，如李斯燔古文是。

漢興，魯高堂生傳《士禮》十七篇。訖孝宣世，后倉最明。戴德、戴聖、慶普皆其弟子，三家立於學官。

《士禮》十七篇即今文經今《儀禮》也。《儒林傳》："漢興，魯高堂生傳《士禮》十七篇，而魯徐生善爲頌。徐氏弟子瑕丘蕭奮以《禮》至淮陽太守。孟卿事蕭奮，以授后倉。倉說《禮》數萬言，號曰《后氏曲臺記》，授梁戴德延君，戴聖次君，沛慶普孝公。德號大戴，聖號小戴。由是《禮》有大戴、小戴、慶氏之學。"《經典釋文叙錄》："漢初立高堂生《禮》博士，後又立大小戴、慶氏三家。"

《禮古經》者，出於魯淹中及孔氏學。七十篇文相似，多三十九篇。

鄭玄曰："後得孔氏壁中、河間獻王古文《禮》五十六篇。"案，此即安國所得壁中書也。五十六除十七正合三十九篇之數。"葉德輝曰："《志》文當於'學'字絶句。'七十篇'當依劉敞說作'十七篇'。"

及《明堂陰陽》、《王史氏記》所見，多天子、諸侯、卿大夫之制，雖不能備，猶瘉倉等推士禮而致於天子之説。

師古曰："'瘉'與'愈'同。愈，勝也。"此言后倉等惟傳士禮，其於天子、諸侯、卿大夫之禮，皆自士禮推致之。今《古禮》三十九篇及《明堂陰陽》等，于天子、諸侯、卿大夫之制，雖不能備，猶勝於倉等僅由士禮而推之説也。此語可見班氏甚重古文家而不滿於今文家。然朱子曰："推而致之於天子者，蓋專指冠、婚、喪、祭而言。若燕、射、朝、聘，則士皆無是禮，而可推耶？"王先謙曰："燕、射、朝、聘，士固無是禮；即冠、婚、喪、祭，古經所傳，亦自有出倉等所説之外者。"要之，六藝者有今古文門户之殊，而《禮經》缺殘尤甚。古説久已失傳，即今文十七篇，唐宋以來，已多苦其難讀。至其名物度數，千端萬緒，居今之世，更難專門掔討。其簡括明備，條目秩然者，厥惟朱子《儀禮經傳通解》、秦蕙田《五禮通考》二書，最便學者考覽。

樂

樂記二十三篇 殘。

《小戴記》有《樂記篇》。孔穎達曰："此於《别録》屬樂記。蓋十一篇合爲一篇，謂有《樂本》，有《樂論》，有《樂施》，有《樂言》，有《樂禮》，有《樂情》，有《樂化》，有《樂象》，有《賓牟賈》，有《師乙》，有《魏文侯》。今雖合此，略有分焉。十一篇入《禮記》，在劉向前也。至劉向爲《别録》時，更載所入《樂記》十一篇,又載餘十二篇,總爲二十三篇也。《別録》十一篇下,次《奏樂》第十二,《樂器》第十三,《樂作》第十四,《意始》第十五,《樂穆》第十六,《説律》第十七,《季札》第十八,《樂道》第十九,《樂義》第二十,《昭本》第二十一,《招頌》第二十二,《竇公》第二十三是也。"

王禹記二十四篇　亡。

王應麟曰:"《樂記》疏云王禹二十四篇《記》無所録。"

雅歌詩四篇　亡。

王應麟曰:"《文選注》:《七略》曰:漢興,魯人虞公善雅歌,發聲盡動梁上塵。"

雅琴趙氏七篇　名定,勃海人,宣帝時丞相魏相所奏。亡。

王應麟曰:"劉向《別録》:'宣帝元康、神爵間,丞相奏能鼓琴者渤海趙定、梁國龍德。定爲人尚清静,少言語,善鼓琴,時閒燕爲散操。'向有《雅琴賦》。"沈欽韓曰:"《長門賦》注引《七略》曰:雅琴,琴之言禁也,雅之言正也,君子守正以自禁也。"

雅琴師氏八篇　名中,東海人,傳言師曠後。亡。[①]

雅琴龍氏九十九篇　名德,梁人。亡。[②]

師古引劉向《別録》云:"亦魏相所奏也。與趙定俱召見待詔,後拜爲侍郎。"

凡樂六家,百六十五篇　出淮南、劉向等《琴頌》七篇。

《易》曰:"先王作樂崇德,殷薦之上帝,以享祖考。"

師古曰:"《豫卦》象辭也。殷,盛也。"案《説文》:"殷,作樂之盛也。從肙從殳。"肙音衣,從反身,舞之容也。殳者,擊叩之具,會意字。

---

①② "亡",原脱,據《集説》及商務版《講疏》補。

故自黃帝下至三代，樂各有名。

> 黃帝作《咸池》，少昊作《大淵》，顓頊作《六莖》，帝嚳作《五英》，堯作《大章》，舜作《大韶》，禹作《大夏》，湯作《大濩》，武王作《大武》。

孔子曰："安上治民，莫善於禮；移風易俗，莫善於樂。"

> 師古曰："《孝經》載孔子之言。"

二者相與並行。周衰俱壞，樂尤微眇，以音律爲節，又爲鄭衛所亂，故無遺法。

> 師古曰："眇，細也。言其道精微，節在音律，不可具於書。眇亦讀曰妙。"

漢興，制氏以雅樂聲律，世在樂官，頗能記其鏗鏘鼓舞，而不能言其義。

> 服虔曰："制氏，魯人善樂事也。"

六國之君，魏文侯最爲好古，孝文時得其樂人竇公，獻其書，乃《周官·大宗伯》之《大司樂》章也。

> 師古曰："桓譚《新論》云：竇公年百八十歲，兩目皆盲，文帝奇之，問曰：'何因至此？'對曰：'臣年十三失明，父教之鼓琴。臣導引，無所服餌。'"齊召南又考魏文侯卒至文帝即位已二百零八年，計竇公在文侯時爲樂工，至文帝朝當有二百三四十歲矣。

武帝時，河間獻王好儒，與毛生等共采《周官》及諸子言樂事者，以作《樂記》，獻八佾之舞，與制氏不相遠。其內史丞王定傳之，以授常山王禹。禹成帝時爲謁者，數言其義，獻二十四卷記。

> 《禮樂志》云："河間獻王有雅材，亦以爲治道非禮樂不成，因獻所集雅樂。天子下大樂官常存肄之，歲時以備數。至成帝時，謁者常山王禹，世受河間樂，能説其義。其弟子宋曅等，上書言之。下大夫、博士平當等考試，當以爲河間獻王修興

雅樂，①以助教化。② 時大儒公孫弘、董仲舒等皆以爲音中正雅，今暈等守習孤學，大指歸於興助教化，宜領屬雅樂，以繼絕表微。事下公卿，以爲久遠難分明，當議復寢。”

劉向校書，得《樂記》二十三篇，與禹不同，其道寖以益微。

師古曰：“寖，漸也。”顧實曰：“言古《樂記》與王禹《記》不用，因是王禹《記》遂益以漸微也。”

春秋

春秋古經十二篇　經十一卷 公羊、穀梁二家。存。

《春秋古經》十二篇，此左氏《春秋古文經》也。《劉歆傳》“見古文《春秋左氏傳》”，又云“《左氏》多古字古言”是也。《經》十一卷，此公、穀二家，今文經也。《公》、《穀》合閔公於莊公，故十一卷。姚明煇曰：“今所傳五經，惟《春秋》今古文咸俱。”許慎《五經異義》云今《春秋》公羊説、古《春秋》左氏説是也。

左氏傳三十卷 左丘明，魯太史。存。

古經、傳本各單行，前條《古經》十二篇爲《左傳》本之經文，此則《古經》之傳也。至杜預爲注，始引傳爲經，分年相繫。段玉裁曰：“《春秋古經》及《左氏傳》，班《志》不言出誰氏。據《説文叙》云‘北平侯張蒼獻《春秋左氏傳》’，意經、傳皆其所獻也。”桓譚《新論》云：“《左氏》經之與傳，猶衣之表裏。”沈欽韓曰：“戰國諸子，嘗覩《春秋傳》而成書，故《十二諸侯年表序》云‘鐸椒、虞卿、呂不韋之徒，各捃摭《春秋》之文以著書’，是先秦周末，並鑽研窺望其學，獨屈抑於漢耳。”

公羊傳十一卷 公羊子，齊人。存。

師古曰：“名高。”《漢書·儒林傳》：“胡母生，字子都，齊人

---

① “獻”，原闕，據《集説》補。
② “教”，原闕，據《集説》補。

也。治《公羊春秋》，爲景帝博士。與董仲舒同業，教於齊，齊之言《春秋》者宗事之。公孫弘亦頗受焉。弟子唯東平嬴公，守學不失師法。授東海孟卿、魯眭孟。嚴祖彭，字公子，東海下邳人也，與顏安樂俱事眭孟。孟死，彭祖、安樂各顓門教授，由是《公羊春秋》有顏、嚴之學。武帝時，瑕丘江公受《穀梁春秋》及《詩》於魯申公。上使與仲舒議，不如仲舒。而丞相公孫弘本爲《公羊》學，比輯其議，卒用董生。於是上因尊《公羊》家，詔太子等受《公羊春秋》，由是《公羊》大興。”

穀梁傳十一卷　穀梁子，魯人。存。

師古曰：“名喜。”桓譚《新論》“名赤”。《論衡》“名寘”。阮孝緒《七録》“名俶，字元始”。《尸子》云：“穀梁俶傳《春秋》。”則作“俶”者是也。《儒林傳》云：“瑕丘江公受《穀梁春秋》於申公，傳子至孫，爲博士。其後浸微，唯魯榮廣王孫、皓星公二人受焉。廣高捷敏，與《公羊》大師眭孟等論，數困之。故好學者頗復受《穀梁》。沛蔡千秋少君，爲學最篤。宣帝即位，聞衛太子好《穀梁》，召千秋與《公羊》家並説，上善《穀梁》説。甘露元年，召五經名儒蕭望之等大議殿中，平《公羊》、《穀梁》同異，議三十餘事。望之等十一人，各以經誼對，多從《穀梁》。由是《穀梁》之學大盛。”

鄒氏傳十一卷　亡。

“鄒”或作“騶”。沈欽韓曰：“齊有三騶子，莫知爲誰。”

夾氏傳十一卷　有録無書。亡。

師古曰：“夾音頰。”王先謙曰：“有録者，見於二劉著録。”顧實曰：“《隋志》云：‘王莽之亂，鄒氏無師，夾氏亡。’然《後漢書·范升傳》曰：‘《春秋》之家，又有騶、夾。今《左氏》得置博士，騶、夾並復求立。’則祕府雖亡，而其私學仍未絶也。”説本沈欽韓。

左氏微二篇 亡。

師古曰："微，謂釋其微指。"蓋即所謂"微言"也。

鐸氏微三篇 楚太傅鐸椒也。亡。

《史記·十二諸侯年表》："鐸椒爲楚威王傅，爲《鐸氏微》。"

張氏微十篇 亡。

沈欽韓曰："疑張蒼。"

虞氏微傳二篇 趙相虞卿。亡。

《經典釋文叙録》："左丘明授曾申，申傳吳起，起傳其子期，期傳鐸椒，椒傳虞卿，卿傳荀況，況傳張蒼。"姚明煇曰："以上四家，皆古文也。"

公羊外傳五十篇 亡。

沈欽韓曰："蓋董仲舒《玉杯》、《蕃露》、《清明》、《竹林》之類。"

穀梁外傳二十篇 亡。

公羊章句三十八篇 亡。

穀梁章句三十三篇 亡。

公羊雜記八十三篇 亡。

公羊顔氏記十一篇 亡。

《儒林傳》："顔安樂字公孫，魯國薛人。眭孟姊子也。安樂授淮陽泠豐次君、淄川任公。由是顔家有泠、任之學。琅邪筦路、泰山冥都又事顔安樂，故顔氏復有筦、冥之學。"

公羊傳董仲舒治獄十六篇 亡。

《後漢書·應劭傳》曰："董仲舒老病致事，朝廷每有政議，數遣廷尉張湯親問得失。於是作《春秋決獄》二百三十二事，動以經對。"《隋志》名《董仲舒春秋決事》。姚明煇曰："以上七家，皆今文學。"

奏議三十九篇 石渠論。亡。

《後漢書·陳元傳》："孝宣爲石渠論而穀梁氏興。"

國語二十一篇　左丘明著。存。

《漢書·司馬遷傳》贊云："孔子因魯史記而作《春秋》，而左丘明論輯其本事，以爲之傳。又纂異同，爲《國語》。"《史通》云："左丘明既爲《春秋内傳》，又稽逸文，纂別説，分周、魯、齊、晋、楚、吳、越八國事，起周穆王，終魯悼公，爲外傳《國語》。"蓋《左傳》爲内傳，《國語》爲外傳。《左傳》爲編年，《國語》爲國別也。今《四庫》入史部雜史類。

新國語五十四篇　劉向分《國語》。亡。

顧實曰："舊有《國語》而分之，故曰《新國語》，即重行編定之書也。"

世本十五篇　古史官記黃帝以來訖春秋時諸侯大夫。亡。

本書《司馬遷傳》贊："《世本》録黃帝以來，至春秋時帝王、公侯、卿大夫祖氏所出。"案，此即後人譜牒學，亦即今世所謂民族人種之説也。原書已佚，近代雷學淇、秦嘉謀有輯本。

戰國策三十三篇　記春秋後。殘。

朱一新曰："今高誘、姚宏注本，雖分三十三卷，實已缺一篇。蓋後人分析以求合三十三篇之數也。"案，劉向序有《國策》、《國事》、《短長》、《事語》、《長書》、《脩書》等名。

奏事二十篇　秦時大臣奏事，及刻石名山文也。亡。

原書已亡，見於《史記·秦本紀》者，有奏事四篇：丞相綰等議上尊號一，廷尉李斯議不置諸侯二，丞相李斯議燒書三，羣臣議尊始皇廟四。刻石名山文七篇：泰山一，琅玡二，之罘三，東觀四，碣石五，會稽六，始皇所立刻石旁刻石辭七。又見存嶧山刻石一篇，凡十二篇也。今羅振玉有《秦金石刻辭》。

楚漢春秋九篇　陸賈所記。亡。

沈欽韓曰："《隋志》：九卷。《唐志》：二十卷。《御覽》引之，《經籍考》不載。蓋亡於南宋。"

太史公百三十篇 十篇有録無書。存。

十篇缺目：一《景紀》，二《武紀》，三《漢興以來將相年表》，四《禮書》，五《樂書》，六《律書》，七《三王世家》，八《傅靳列傳》，九《日者列傳》，十《龜筴列傳》。呂祖謙云：“十篇或具在，或草具未成，非皆無書也。惟《武紀》全亡者，衛宏《漢舊儀注》云：[1]‘司馬作本紀，極言景帝、武帝之過，武帝怒而削之。’其後，《景紀》復出。蓋武帝能毀其‘副在京師’者耳；‘藏之名山’，固自有他本也。至褚先生所補，附見《史記》，並觀之，則雅俗工拙自可了矣。”案，史家直筆，往往得禍。武帝之盛，[2]於史遷僅削去兩紀，[3]則猶未甚暴。漢代近古，忌諱尤淺也。

馮商所續太史公七篇 亡。

商字子高，陽陵人。事劉向，能屬文。《史通・正史篇》曰：“劉向、向子歆及諸好事者，若馮商、衛衡、揚雄、史岑、梁審、肆仁、晉馮、段肅、金丹、馮衍、韋融、蕭奮、劉恂等，相次撰續。”則續《太史公書》者，非一人也。

太古以來年紀二篇 亡。

王應麟《藝文志考證》引《六藝論》云：“燧人至伏羲，一百八十七代。”[4]又曰：“《春秋緯》云：開闢至獲麟二百七十六萬歲，分爲十紀，大率一紀二十七萬六千年。”

漢著記百九十卷 亡。

師古曰：“若今之起居注。”何焯曰：“‘著’疑作‘注’。”沈欽韓曰：“‘著’與‘注’同。”周壽昌曰：“《律曆志》言‘著記’者十四，《五行志》亦言，是‘著記’名書已久，不能改‘著’爲‘注’。”

---

① “漢”下原衍“書”，據《漢藝文志考證》删。
② “盛”，《漢書藝文志集説》作“威”，於義較勝。
③ “紀”，原脱，據《漢書藝文志集説》補。
④ “七”，原脱，據《漢藝文志考證》補。

漢大年紀五篇　亡。

案,此與《太古以來年紀》皆編年體,或亦譜表之體。蓋旁行斜
上之表,遠自古初。《漢書·溝洫志》引《周譜》,殆此類之書。

凡春秋二十三家,九百四十八篇　省《太史公》四篇。

姚明煇曰:"案,班《志》依《七略》分部,無史部,[1]故《史記》入
春秋類也。其後,晉秘書監荀勗因鄭默《中經》,更著《新簿》,
分爲四部。甲部紀六藝、小學,乙部有諸子、兵書、兵家、術
數,[2]丙部有史記、舊事、皇覽簿、雜事,丁部有詩賦、圖讚、汲
冢書。目之分四部始此。及唐長孫無忌等撰《隋書·經籍
志》,以經、史、子、集分部,遂爲後世所沿用。"

古之王者,世有史官,君舉必書,所以愼言行、昭法式也。

王念孫《讀書雜志》據《左傳序》正義引此作"法戒",以"式"爲
"戒"字之誤。案《史通》尚書家云"魯國孔衍,以國史所以表
言行、昭法式",與此大同,似唐時本作"法式"。

左史記言,右史記事。事爲《春秋》,言爲《尚書》,帝王靡不同之。

《史通·六家篇》云:"《尚書》家者,其先出於太古。至孔子觀
書于周室,得虞、夏、商、周四代之典,乃刪其善者,定爲《尚
書》百篇。《春秋》家者,其先出於三代。案《汲冢瑣語》記太
丁時事,[3]目爲《夏殷春秋》。《國語》曰:'晉羊舌肸習于《春
秋》。'《左傳·昭二年》:'晉韓宣子來聘,見《魯春秋》。'斯則
《春秋》之目,事匪一家,故《墨子》曰:'吾見百國《春秋》。'蓋
指此也。"

---

① "依",原脱,據《漢書藝文志注解》補。
② "術",原作"述",據《集説》及共和版《注解》改。
③ "語",原脱,據上海文瑞樓影印原刻本《史通通釋》補。

周室既微，載籍殘缺，仲尼思存前聖之業，乃稱曰："夏禮吾能言之，杞不足徵也；殷禮吾能言之，宋不足徵也。文獻不足故也。足則吾能徵之矣。"

《論語》文，亦見《中庸》。杞、宋二國，夏、殷之後。包咸云："徵，成也。獻，賢也。孔子言夏、殷之禮，吾能説之。杞、宋之君，不足以成也。"《中庸》鄭注"徵"或爲"證"，訓爲證驗。謂雖能言之，而文獻不足，究無證驗。

以魯周公之國，禮文備物，史官有法，故與左丘明觀其史記，據行事，仍人道，因興以立功，就敗以成罰，假日月以定歷數，藉朝聘以正禮樂。

師古曰："仍亦因也。"姚明煇曰："人道，五倫達道。興，成也。立功、成罰，謂褒、貶之。假、藉，皆借也。立功、成罰、定歷數、①正禮樂，皆所以撥亂反正，此言孔子據史事作《春秋》。《史記》引孔子曰：'吾欲載之空言，不如見之行事之深切著明也。'又謂：'孔子作《春秋》，垂空文以斷禮義，當一王之法。'又曰：'撥亂世，反之正，莫近於《春秋》。'皆以魯文獻徵之也。"

有所褒、諱、貶、損，不可書見，口授弟子，弟子退而異言。丘明恐弟子各安其意，以失其真，故論本事而作傳，明夫子不以空言説經也。

姚明煇曰："意，弟子之意。真，左氏與孔子觀史所據論撰也。自孔子作《春秋》後，弟子所傳口授之義爲今文家，丘明所傳本事爲古文家。古文家以今文家爲空言説經，今文家則斥古學無師傳，故下文復言'事實皆形於傳，隱其書而不宣，所以免時難'，是即古學無師傳之故。"案《儒林傳》，漢張蒼、賈誼、張敞皆傳《左氏》，是非絶無師傳也。

---

① "歷"，原作"律"，據共和版《注解》及上下文意改。

《春秋》所貶損大人當世君臣，有威權勢力，其事實皆形於傳，是以隱其書而不宣，所以免時難也。及末世口説流行，故有《公羊》、《穀梁》、鄒、夾之傳。四家之中，《公羊》、《穀梁》立於學官，鄒氏無師，夾氏未有書。

口説，今文家所重也。劉歆移書讓太常博士云：“信口説而背傳記，是末師而非往古。”即斥今文家也。鄒、夾亦傳口説今文家也。“鄒”，《後漢·范升傳》作“騶”，蓋齊之諸騶也。案，漢儒今、古之訟，盛於西漢，班氏於《春秋》五家，力崇《左氏》之事實，譏四家之口説。雖其書多本劉歆，半爲歆語，要亦由生於東京，[1]是非漸明，私黨漸絀，故能昭晰公允如是耳。不然，王莽、劉歆所以立之古文已見黜於建武之世，班氏猶爲此言，何哉？[2]

論語

論語古二十一篇　出孔子壁中，兩《子張》。亡。

《隋志》：“古《論語》與《古文尚書》同出，章句煩省，與《魯論》不異，惟分《子張》爲二篇，故二十一篇。”梁皇侃《義疏叙》云：“《論語》有三本，一《古論》，二《齊論》，三《魯論》。”

齊二十二篇　多《問王》、《知道》。亡。

王應麟曰：“《説文》、《初學記》等書引《逸論語》言玉事。《問王》疑即《問玉》也，篆文相似。”王先謙引《隋志》“張禹合魯、齊二《論》，除去《問王》、《知道》二篇，號《張侯論》。鄭玄作注，以《張侯論》爲主，何晏又爲《集解》，《齊論》遂亡”。

---

①　“雖其書多本劉歆半爲劉歆語要亦由”十五字，原作“蓋其，”據《集説》改。

②　“不然王莽劉歆所立之古文已見黜於建武之世班氏猶爲此言何哉”二十七字原脱，據《集説》補。

魯二十篇　傳十九篇　存。

《魯》與《齊》皆今文，今存。即張禹傳本，所謂《張侯論》者也。《傳》今佚。

齊説二十九篇　亡。

王先謙曰："下云'傳《齊論》者，惟王吉名家'。《吉傳》云'王陽説《論語》'，即此説也。"

魯夏侯説二十一篇　亡。

《夏侯勝傳》曰："受詔撰《論語説》。"

魯安昌侯説二十一篇　亡。

師古曰："張禹也。"《禹傳》云："張禹，字子文，河內軹人也。從琅玡王陽、膠東庸生問《論語》。初元中，詔令授太子《論語》。以上難數對己問經，爲《論語章句》獻之。始，魯扶卿及夏侯勝、王陽、蕭望之、韋玄成皆説《論語》，篇第或異，禹最後出而尊貴。諸儒爲之語曰：'欲爲《論》，念張文。'由是學者多從張氏。"

魯王駿説二十篇　亡。

師古曰："王吉子。"案，吉傳《齊》説，子傳《魯》説，父子師承不同，如劉向傳《穀梁》，子歆傳《左氏》也。

燕傳説三卷　亡。

議奏十八篇　石渠論。

孔子家語二十七卷　亡。

師古曰："非今所有《家語》。"案，今《家語》十卷，魏王肅注，爲肅所僞作。蓋肅力攻鄭學，取婚喪、郊廟之説與鄭異者，羼入《家語》，以排康成。其古《家語》原本不可見。

孔子三朝七篇　存。

師古曰："今《大戴記》有其一篇，蓋孔子對哀公語也。三朝見公，故曰三朝。"沈欽韓曰："今《大戴記·千乘》、《四代》、《虞戴德》、《誥志》、《小辯》、《用兵》、《少間》七篇是也。顏云一篇，誤。

孔子徒人圖法二卷 亡。

沈欽韓曰：“文翁石室圖七十二弟子。”葉德輝曰：“今漢武梁祠石刻畫像有曾子母投杼、閔子御後母車及子路雄冠佩劍事，即其法。”

凡論語十二家，二百二十九篇。

《論語》者，孔子應答弟子、時人及弟子相與言而接聞於夫子之語也。當時弟子各有所記。夫子既卒，門人相與輯而論篹，故謂之《論語》。

師古曰：“‘輯’與‘集’同。‘篹’與‘撰’同。”顧實曰：“此釋《論語》一書命名之義也。語謂言語也，論謂撰論也。先有孔子與弟子、時人及弟子相與言之語，而後門人論撰以成此書也。”程子曰：“成於有子、曾子之門人，故其書獨二子以‘子’稱。”

漢興，有齊、魯之說。

皇侃《論語疏敘》引《別錄》云：“魯人所學，謂之《魯論》。齊人所學，謂之《齊論》。孔壁所得，謂之《古論》。”

傳《齊論》者，昌邑中尉王吉、少府宋畸、御史大夫貢禹、尚書令五鹿充宗、膠東庸生，唯王陽名家。

師古曰：“吉字子陽，[①]故謂之王陽。”爲昌邑中尉，與貢禹爲友，[②]世稱“王陽在位，貢禹彈冠”者也。貢禹字少翁，瑯琊人，官至御史大夫。五鹿充宗善梁丘《易》，與石顯比爲邪佞。案，張禹與充宗皆非君子，以其長一經而傳，所謂經師非人師也。庸生，邢昺《論語疏》云名譚，蓋古有德者也。宋畸，未詳。

---

① “吉”，原闕，據《集說》及商務版《講疏》補。
② “貢禹”，原誤倒，據上下文意乙正。

傳《魯論語》者，常山都尉龔奮、長信少府夏侯勝、丞相韋賢、魯扶卿、前將軍蕭望之、安昌侯張禹，皆名家。張氏最後而行於世。

夏侯勝字長公，東平人，治《尚書》，稱大夏侯。官至太子太傅，年九十卒。韋賢字長孺，魯國鄒人。爲丞相，致仕，年八十二薨。謚節侯。子玄成。蕭望之字長倩，東海人。爲太子大傅，前將軍，爲弘恭、石顯所害，自殺。張禹，見前。龔奮、魯扶卿二人未詳。

孝經

孝經古孔氏一篇　二十二章。亡。

師古曰："古文字也。《庶人章》分爲二，《曾子敢問章》分爲三，又多一章，凡二十二章。"按《隋志》云："《古文孝經》與《古文尚書》同出，孔安國爲之傳，至梁亂而亡。及隋劉炫得《孔傳》，講於民間，儒者皆云炫自作之。"《四庫》著録有《古文孝經孔氏傳》一卷，歙縣鮑氏云得於日本。《提要》闢爲彼邦僞作，蓋引《孔傳》影附爲之。又案，宋朱子撰《孝經刊誤》，取《古文孝經》分爲經一章、傳十四章，於《孝經》原文多所删節，且多致疑處。後儒多以此深訾朱子，惟陳澧《東塾讀書記》論之平允。蓋朱子非不尊信《孝經》，特疑所不必疑。學者於前賢所論，擇善而從。如朱子，《周易》復古本，梅氏《古文尚書》疑其僞，皆卓然不搖；至於删《孝經》、改《大學》，則不從可也。

孝經一篇　十八章，長孫氏、江氏、后氏、翼氏四家。存。

《隋志》："河間顏芝所藏。漢初，芝子貞出之。劉向以顏本比古文，除其繁惑，以十八章爲定。"

長孫氏說二篇　亡。

王先謙曰："長孫氏，無考。惟《隋志》云'長孫有《閨門》一章'。"

江氏説一篇　亡。

《儒林傳》云："博士江公著《孝經説》。"

翼氏説一篇　亡。

翼奉也。字少君，下邳人，治《齊詩》，好律歷、陰陽之術。

后氏説一篇　亡。

后蒼也。

雜傳四篇　亡。

王應麟曰："蔡邕《明堂論》引魏文侯《孝經傳》，蓋雜傳之
一也。"

安昌侯説一篇　亡。

安昌侯，張禹也。

五經雜議十八篇　石渠論。亡。

王先謙曰："此五經總論也。[①]《爾雅》、《小爾雅》，諸經通訓；
《古今字》，經字異同，皆坿焉。"案，諸經總論不應雜厠於此，
應於諸經後別立一門。《弟子職》則附《孝經》後，《爾雅》、《小
爾雅》、《古今字》則入小學類，如《四庫目録》分類至當。此等
處，大氏後人密於前人也。

爾雅三卷二十篇　存。

《釋文序録》云："《釋詁》一篇，蓋周公所作。《釋言》以下，或
言仲尼所增，子夏所定，[②]叔孫通所益，梁文所補。"葉德輝曰：
"今本三卷十九篇，《漢志》蓋合序篇言之。《詩正義》引《爾雅
序篇》云：'《釋詁》、《釋言》通古今之字，古與今言異也。《釋
訓》言形皃也。'此《爾雅》有序之明證。《孝經序》疏引鄭氏
《六藝論》云：'孔子以六藝題目不同，指意殊別，故作《孝經》

---

① "五"，原脱，據《集説》及王刻《補注》補。
② "定"，《通志堂經解》本《經典釋文》作"足"，於義較勝。

以總會之。'又《大宗伯》疏引鄭氏駁《五經異義》云：'《爾雅》者，孔子門人所以釋六藝之文。'然則《爾雅》與《孝經》同爲釋經總會之書，故列入孝經家。"晁氏曰："《爾雅》，小學之類，附《孝經》非是。"

小爾雅一篇　古今字一卷 存。

錢大昕云："李善《文選注》引《小爾雅》皆作《小雅》。此書依附《爾雅》而作，本名《小雅》。後人僞造《孔叢》，以此篇竄入，因有《小爾雅》之名。"沈欽韓曰："班氏時，《孔叢》未著，已有《小爾雅》，亦孔氏壁中古文也。"

弟子職一篇 存。

應劭曰："管仲所作，在《管子》書，今爲《管子》第五十九篇。"案，《弟子職》本《筦子》書中之一篇，以與《孝經》同類，又與《孝經》比次，此章學誠所謂古史治書裁篇別出之法也。

説三篇 亡。

王先謙曰："此《弟子職》説，各本誤提行。"

凡孝經十一家，五十九篇。

《孝經》者，孔子爲曾子陳孝道也。

晁氏曰："何休稱，子曰：'吾志在《春秋》，行在《孝經》。'則《孝經》乃孔子自著。今首章云'仲尼居，曾子侍'，詳其文義，當是仲尼弟子所爲書。"

夫孝，天之經，地之義，民之行也。舉大者言，故曰《孝經》。漢興，長孫氏、博士江翁、少府后倉、諫大夫翼奉、安昌侯張禹傳之，各自名家。

人皆見前。

經文皆同，唯孔氏壁中古文爲異。"父母生之，續莫大焉"，"故親生之膝下"，諸家説不安處，古文字讀皆異。

孔氏古文説見前。《隋志》云："長孫有《閨門》一章。"《中興藝文志》云：“自唐明皇時，議者排毀古文，以《閨門》一章爲鄙俗，古文遂廢。”案《閨門》章凡二十二字，云：“閨門之内，具禮矣乎，嚴父嚴兄。妻子臣妾，猶百姓徒役也。”語意實爲淺薄不類。“續莫大焉”句，沈欽韓曰：“‘續’，日本古文作‘績’，陸氏《釋文》從鄭本作‘續’。案此言嗣續之事，無大于此，作‘續’是。”“故親生之膝下”句，沈欽韓曰：“言始生在膝下，故親愛。日本古文作‘親生毓之’，無‘膝下’二字，非。”“諸家説不安處”，即謂上“續莫大焉”兩句，諸家説各不能安妥也。“古文字讀皆異”，師古曰：“桓譚《新論》云：《古孝經》千八百七十一字，今異者四百餘字。”朱一新、《考證》作“七十二”。①

小學

史籀十五篇　周宣王大史作大篆十五篇，建武時亡六篇矣。亡。

師古曰：“籀音胄。”《説文序》曰：“宣王太史籀著大篆十五篇，與古文或異。”段玉裁云：“大篆之名，上別乎古文，下別乎小篆。以人名之曰籀篇，以官名之又曰史篇。張懷瓘《書斷》云‘籀文亦名史書’，非也。凡《漢志》中所云‘善史書’、‘能史書’，皆謂隸書，非此史籀也。”

八體六技　亡。

《説文序》：“秦書有八體，一大篆，二小篆，三刻符，四史書，五摹印，六署書，七殳書，八隸書。”又曰：“亡新居攝，改定古文。時有六書，一古文，二奇字，三小篆，四隸書，五繆篆，六鳥蟲書。”即此所謂“六技”。

蒼頡一篇　上七章，丞相李斯作。《爰歷》六章，車府令趙高作。《博學》七篇，太史令胡母敬作。亡。

---

① “考證”，《集説》作“據孝經正義王氏考證引新論”。

王先謙曰："此下文所云'閭里書師合並'者也。近儒馬國翰有輯本。"案，陶方琦有補孫輯本。

凡將一篇 司馬相如作。亡。

顧實曰："其文句可攷者，有曰'黃潤纖美宜制禪'，又曰'鐘磬竽笙筑坎侯'，則與《急就》文句相似矣。"

急就一篇 元帝時，黃門令史游作。存。

晁公武曰："凡三十二章，襍記姓名諸物五官等字，以教童蒙。急就者，謂字之難知者，緩急可就而求焉。"案，古書所引《凡將篇》，皆七字一句，與今存《急就篇》三十一章，亦七字一句，雜記姓名器物。如今俗用襍字之文，四五七言皆有韻，易上口，蓋古代通俗之課本也。今市上襍字中，亦多古言古音。言文字學者，皆宜考究。

元尚一篇[①] 成帝時，將作大匠李長作。亡。

訓纂一篇 揚雄作。亡。

王先謙曰："此下文所謂'作《訓纂》順續《蒼頡》'也。"揚雄曰："史篇莫大于《蒼頡》，作《訓纂》。"[②]

別字十三篇 存。

錢大昕曰："即揚雄所纂《方言》十三卷，本名《釋別國方言》，或稱《別字》。"案，近代吳玉搢著《別雅》，以釋字異義同之例，即所謂別字。

蒼頡傳一篇 亡。

揚雄蒼頡訓纂一篇 亡。

王先謙曰："此合《蒼頡》、《訓纂》爲一。下文所云'又易《蒼

---

① "尚"，原作"上"，據《集說》及商務版《講疏》改。

② "纂"原作"蒼"，據《集說》改。"作訓纂"下，《集說》有"隋志曰三蒼三卷李斯蒼頡篇揚雄訓纂篇後漢郎中賈魴滂喜篇曰三蒼"凡二十九字。

頡》中重複之字，凡八十九章’也。”

杜林蒼頡訓纂一篇　亡。

王先謙曰：“此蓋于揚雄所作外，別有增益，各自爲書。《説文》引杜林説。”

杜林蒼頡故一篇　亡。

王先謙曰：“此下文所云‘杜林爲作訓故’也。”

凡小學十家，四十五篇。　入揚雄、杜林二家三篇。

《易》曰：“上古結繩以治，後世聖人易之以書契，百官以治，萬民以察，蓋取諸《夬》。”“《夬》，揚于王庭”，言其宣揚于王者朝庭，其用最大也。

“《易》曰蓋取諸《夬》”一節，《周易·下繫》之辭。案，作書契取于《夬》，則蒼頡之先，已有六十四卦。前序《易》以爲文王重《易》六爻，非矣。“《夬》，揚于王庭”，《周易·夬卦》之辭，其卦下乾上兑䷪，五陽夬一陰，爲明決之象。

古者八歲入小學，故《周官》保氏掌養國子，教之六書，謂象形、象事、象意、象聲、轉注、假借，造字之本也。

本書《食貨志》：“八歲入小學，學六甲、五方、書、計之事。”蘇林注：“五方之異書，如今祕書學外國書也。”顧炎武曰：“書者，六書。計者，九數。”保氏，地官大司徒之屬。鄭注“六書”：象形、會意、轉注、處事、假借、諧聲。與此文異。許慎《説文叙》亦不同，曰：指事、象形、形聲、會意、轉注、假借。戴震曰：“指事、象形、會意、形聲，四者字之體；轉注、假借，二者字之用。”案，觀蘇林注，可見古者小學不獨教習六書，立文字之基礎，且已有學外國書者。蓋文字者，一民族精神之所寄，而欲求文字之統一，則必先知其不一者而後可一之。古人于文字學，稱之曰小學。于八歲即習之，至一書吏，能諷書萬字，通八體。其立基之固，教育之普，亦其所以卒能同文共軌，而成數千年文化之故也。

漢興，蕭何草律，亦著其法，曰：太史試學童，能諷書九千字以上，乃得爲史。又以六體試之，

> 史，郡縣史，漢之諸曹掾史，即近世府縣署六房書吏，本寒士筆墨之職，惟古代重學，必通曉文字，乃得爲之。今不能及矣。"史"，《説文叙》作"吏"。六體，王先謙訂"六"爲"八"之誤。段氏《説文注》説同。以六體爲王莽時所改定，漢初只有八體，無六體也。

課最者，以爲尚書、御史史書令史。

> 韋昭曰："若今尚書蘭臺令史也。"案漢制，尚書及御史中丞皆有令史。此曰"史書令史"，即主書及掌奏者。史書，謂《蒼頡》、《史籀篇》。《漢書》中多言"善史書"，舊説皆以爲籀文，段玉裁以爲隸書，即此史書也。

吏民上書，字或不正，輒舉劾。

> 葉德輝曰："《東觀漢記·馬援傳》援上言：臣所假伏波將軍印，'伏'字'犬'外嚮。成皋令印'皋'字爲'白'下'羊'；丞印'四'下'羊'；尉印'白'下'人'、'人'下'羊'。一縣長吏，印文不同。恐天下不正者多，所宜齊同。薦曉古文字者。事下大司空，正郡國印章。奏可。'據此，則兩漢正書之嚴可見。"

六體者，古文、奇字、篆書、隸書、繆篆、①蟲書，皆所以通知古今文字，摹印章、書幡信也。

> 師古曰："古文，謂孔子壁中書。奇字，即古文而異者也。篆書謂小篆，蓋秦始皇使程邈所作也。隸書亦程邈所獻，主于徒隸，從簡易也。繆篆，謂其文屈曲纏繞，所以摹印章也。蟲書，謂蟲鳥之形，所以書幡信也。"

---

① "篆"，原作"書"，據商務版《講疏》及上下文意改。

古制，書必同文，不知則闕，問諸故老。至于衰世，是非無正，人用其私，故孔子曰：“吾猶及史之闕文也，今亡矣夫。”蓋傷其寢不正。

　　《論語》包註云：“古之良史，于書字有疑則缺之。”文，即字也。

　　寢，漸也，通作瀋、瀸，《説文》從水㝱聲。

《史籀篇》者，周時史官教學童書也，與孔氏壁中古文異體。

　　許慎曰：“宣王太史籀著大篆十五篇，與古文或異。至孔子書六經，左丘明述《春秋傳》，皆以古文。”

《蒼頡》七章者，秦丞相李斯所作也。《爰歷》六章者，車府令趙高所作也。《博學》七章者，太史令胡母敬所作也。文字多取《史籀篇》，而篆體復頗異，所謂秦篆者也。

　　胡母敬，段玉裁云：“胡母，姓也。《公羊音義》、《史記索隱》毋皆音無。或作父母字，非也。”案《廣韻》，齊宣王母弟封于母鄉，遠本胡公，近娶母邑，爲胡母氏。鄭樵《氏族略》用此説。

　　許慎曰：“諸侯力政，[①]不統于王，惡禮樂之害己而皆去其典籍。分爲七國，田疇異畝，車涂異軌，律令異法，衣冠異制，言語異聲，文字異形。秦始皇初兼天下，丞相李斯乃奏同之。罷其不與秦文合者。[②] 李斯作《蒼頡篇》，中車府令趙高作《爰歷篇》，太史令胡母敬作《博學篇》，皆取史籀大篆，或頗省改，所謂小篆者也。”

是時始造隸書矣，起于官獄多事，苟趨簡易，施之于徒隸也。

　　許慎曰：“秦燒滅經書，滌除舊典，大發隸卒，興役戍。官獄職務繁，初有隸書，以趣約易，而古文由此絶矣。”張懷瓘《書斷》云：“隸者，下邽人程邈所作也。邈字元岑，始爲縣吏，得罪，

---

　　① “政”，原誤作“故”，據清同治陳昌治刻本《説文解字》改。

　　② “與”，原誤作“合”，據清同治陳昌治刻本《説文解字》改。

于獄中覃思十年，益小篆方圓而爲隸書，奏之。”

漢興，閭里書師合《蒼頡》、《爰歷》、《博學》三篇，斷六十字以爲一章，凡五十五章，並爲《蒼頡篇》。

案，此小徐《繫傳》所謂“三蒼”。《隋志》以《蒼頡》、《爰歷》、《博學》並合于《蒼頡》，而與《訓纂》、《滂喜》稱“三蒼”。若分《爰歷》、《博學》出之，則稱“五蒼”。閭里書師能並合三蒼，教于閭巷，是當秦、漢時，委巷小子皆明雅故，是以蕭、曹刀筆吏而能舉先王同文之大經，使西京古學昌明，聖文不墜。然則秦政、斯、高雖有焚、[①]坑之暴，而于先王文字，亦有昭顯之功也。姚明煇曰：“五十五章，章六十字，總凡三千三百字也。後世如周興嗣《千字文》蓋仿此。”案，今人通謂粗淺應用約須三千字，蓋亦始此。

武帝時，司馬相如作《凡將篇》，無復字。元帝時，黄門令史游作《急就篇》。成帝時，將作大匠李長作《元尚篇》，皆《倉頡》中正字也。《凡將》則頗有出矣。至元始中，徵天下通小學者以百數，各令記字于庭中。揚雄取其有用者以作《訓纂篇》，順續《蒼頡》，又易《蒼頡》中重復之字，凡八十九章。臣復續揚雄作十三章，凡一百二章，無復字，六藝群書所載略備矣。

“《凡將》頗出”，王先謙曰：“謂增出于《蒼頡》之外也。”元始，平帝年號。案，此時王莽秉政，劉歆興古文，順續《蒼頡》，此目所謂《訓纂》一篇也。又易《蒼頡》中重復之字凡八十九章，此目所謂揚雄《蒼頡訓纂》一篇，合《蒼頡》、《訓纂》爲一，無復字也。“臣復續揚雄”，臣，班固自稱也。王應麟云：“《隋》、《唐志》：班固《太甲篇》、《在昔篇》各一卷。”案，司馬、揚雄、班固皆小學名家，可知漢人文章之本原矣。

---

①　“雖”，原誤作“斯”，據《集説》改。

《蒼頡》多古字，俗師失其讀。宣帝時，徵齊人能正讀者，張敞從受之，傳至外孫之子杜林，爲作訓故，并列焉。

> 讀，兼音、義而言。稱齊人，失其姓名也。《張敞傳》："敞字子高，河東平陽人也，爲京兆尹，好古文字。"杜林，杜鄴子，鄴母，敞子也。林有雅材，其正文字過于鄴。

凡六藝一百三家，三千一百二十三篇。　入三家，一百五十九篇，出重十一篇。

> 姚明煇曰："如目，實三千八十五篇，圖一。書入劉向《稽疑》一篇，禮入《司馬法》百五十五篇，小學入揚雄、杜林三篇，實四家，一百五十九篇；樂出淮南、劉向等《琴頌》七篇，當是重在詩賦；又春秋省《太史公》四篇。所與重者，疑即《詩賦略》中司馬遷賦也。

六藝之文，《樂》以和神，仁之表也；《詩》以正言，義之用也；《禮》以明體，明者著見，故無訓也；《書》以廣聽，知之術也；《春秋》以斷事，信之符也。

> 姚明煇曰："《禮記・文王世子》：'樂，所以修其内；禮，所以修其外。'案，修内即'和神'，修外即'明體'。子曰：'《詩》三百，一言以蔽之，曰：思無邪。'又曰：'誦《詩》三百，授之以政，不達；使于四方，不能專對，雖多亦奚以爲？'案，無邪即義，故能正言，其用于政則達；使四方則能專對，即所謂'義之用'。禮以明體，甚著明易見。訓，如樂訓仁，詩訓義，禮即訓禮，無須訓矣。廣聽，謂廣其聽聞。術，法也，《禮記・經解》：'疏通知遠，《書》教也。'斷事，斷決其是非，孔子作《春秋》，所褒貶皆斷事也。"

五者蓋五常之道，相須而備，而《易》爲之原。故曰："《易》不可見，則乾坤或幾乎息矣。"言與天地爲終始也。

> 王應麟《考證》引《白虎通》曰："經，常也。有五常之道，故曰

五經。《樂》仁，《書》義，《禮》禮，《易》知，《詩》信也。"與此不同。姚明煇曰："案以五常分配五經，此對言之耳。實則五經各具五常，大小相苞，循環無端也。""《易》不可見"二句，《易·上繫》之辭。

至於五學，世有變改，猶五行之更用事焉。

姚明煇曰："五學，謂《詩》、《書》、《禮》、《樂》、《春秋》。據學者而言，故曰五學。五常至於五行，仁爲木，義爲金，禮爲火，智爲水，信爲土。五學既爲五常之道，則其遞相爲教，亦如五行之更用事也。"

古之學者耕且養，三年而通一藝，存其大體，玩經文而已。

《爾雅》："在、存，察也。"案，古書"存"字多訓"察"。《孟子》"存乎人者"、《莊子》"六合之外，存而不論"，皆"察"義。

是故用日少而畜德多，三十而五經立也。

師古曰："畜，讀曰蓄。蓄，聚也。《易·大畜》卦象辭曰：'君子以多識前言往行，以畜其德。'"三十而五經立，錢大昭曰："三年通一藝，故孔子十五志學，三十而立。"説本《白虎通·辟雍篇》。

後世經傳既已乖離，①博學者又不思多聞闕疑之義，而務碎義逃難，便辭巧説，破壞形體。説五字之文，至於二三萬言。後進彌以馳逐，故幼童而守一藝，白首而後能言。安其所習，毀所不見，終以自蔽，此學者之大患也。

此段爲六藝總結之論。班意主存察大體，通經致用，尤期用日少而畜德多，乃不至爲繁碎無用之學。而西漢末葉，説經者已務碎義巧説，②炫博駭俗，其故蓋以人情厭故喜新，好奇

---

① "離"，原作"立"，據《集説》及商務版《講疏》改。

② "義"，原誤作"用"，據《集説》及文意改。

惡常；經師亦不過藉奇博以投時好。正如近日講古學者務爲
鈎深致遠，索隱行怪；或又憑私逞臆以合時趨，幾欲舉數千年
經術師法而一掃棄之。觀班所舉"碎義逃難，便辭巧説"至
"安其所習，毁所不見"云云，其標新立異之心理，古今何異？
學者苟於班氏此論平心靜察，則於治經之術，必持公平正大
之誼，擇善而從，庶幾乎大義微言與實事求是，兼取今、古文
兩派之長，而不肯爲門户無謂之爭矣。逃難，師古云："避他
人之攻。"難，去聲。破壞形體，師古云："破析文字之形體。"
案，如近儒多有改經字以就其説者，所謂强書就我。説五字
之文至二三萬言，師古引桓譚《新論》云："秦近君説《堯典》篇
目兩字至十餘萬言；但説'曰若稽古'，三萬言。"案，近世漢學
家考訂之文，引據繁冗，多此類。

序六藝爲九種。

王先謙曰："案，序六藝兼及《論語》以下書者，别《論語》於儒
家，尊孔子也；儕《孝經》於六藝，尊其書也。《弟子職》，緣《孝
經》而入者也。《爾雅》、《古今字》，所以通知經義經字，故與
《五經襍義》並坿於此。"

漢書藝文志約説卷二

諸子略

儒

晏子八篇　名嬰，諡平仲。相齊。善與人交，有列傳。存。

柳宗元辨云："疑其墨子之徒有齊人者爲之。墨好儉，晏子以
儉名，故墨子之徒尊著其事。"案，柳説是也。晏子言行見於
《左傳》、《禮記》、《史記》者，大抵有刻苦兼愛之風，而兼有清
淨卑弱之意。考其父名弱，而弱名子曰嬰，是道而兼墨者。
《史記》載其阻齊景用孔子，力攻儒者之短，豈得爲儒家乎？
宋鼂氏、陳氏書目，皆列之墨家，馬氏《經籍考》因之，近是。
《崇文總目》則謂後人採嬰行事爲之，非嬰所撰，是其真僞亦
尚有難定者。清孫星衍獨斥柳宗元説爲文人無識，非確論
也。《法言·五百篇》"墨、晏儉而廢禮"，柳説所本。

子思二十三篇　名伋，孔子孫。爲魯繆公師。殘。

王應麟曰："《隋》、《唐志》：《子思子》七卷。沈約謂《禮記·
中庸》、《表記》、《坊記》、《緇衣》皆取《子思子》。"案，今《禮記》
中四篇俱存，《中庸》則列入四書。

曾子十八篇　名參，孔子弟子。殘。

王應麟曰："今十篇，自《脩身》至《天圓》，皆見《大戴禮》。朱
文公曰：'世傳《曾子》乃獨取《大戴禮》之十篇以充之，其言
語、氣象視《論》、《孟》、《檀弓》所載，相去遠甚。'"

漆雕子十三篇　孔子弟子漆雕啓後。亡。

王應麟曰："《韓非子》：孔子之後，儒分爲八，有子張氏、子思

氏、顏氏、孟氏、漆雕氏、仲良氏、公孫氏、樂正氏之儒。《史記》列傳漆雕開，蓋名啓，字子開，《史記》避景帝諱也。著書者爲其後。”

宓子十六篇 名不齊，字子賤，孔子弟子。亡。

師古曰：“‘宓’讀與‘伏’同。”沈欽韓曰：“《論衡·本性篇》：‘宓子賤、漆雕開、公孫尼子之徒，亦論情性，與世子相出入。’‘宓’，《淮南書》又作‘密’，《齊俗訓》‘宓子’，《趙策》作‘服子’。”

景子三篇 説宓子語，似其弟子。亡。

世子二十一篇 名碩，陳人也。七十子之弟子。亡。

王應麟曰：“《論衡·本性篇》：周人世碩以爲人性有善有惡，善性養而致之則善長，惡性養而致之則惡長。如此則性各有陰陽善惡，在所養焉。”案善惡陰陽之説，實宋程朱大儒理氣之説所自出，許叔重以陰陽言性情，亦一義也。

魏文侯六篇 亡。

李克七篇 子夏弟子，爲魏文侯相。亡。

案，魏文侯師子夏，問子貢樂，式段干木之間，實尊德樂義之賢主。克爲子夏弟子，爲文侯相。《經典釋文》云子夏傳《詩》於魯申，申傳魏人李克，則克爲子夏再傳弟子。觀此而孔門傳授源流可略覩。

公孫尼子二十八篇 七十子之弟子。殘。

葉德輝曰：“《初學記》、《意林》、《北堂書鈔》、《文選》沈休文《三月三日詩》注並引《公孫尼子》。”此則其書唐時猶存。

孟子十一篇 名軻，鄒人。子思弟子。有列傳。存。

師古引《聖證論》“字子車”。王應麟曰：“《傅子》云字子輿，《廣韻》云字子居，趙岐《題辭》云：‘著書七篇，又有《外書》四篇，《性善》、《辯文》、《説孝經》、《爲正》。其書不能弘深，非孟子本真。'《志》云十一篇，並《外書》數之。《外書》今不傳。"案，孝文時《孟子》置博士。

孫卿子三十三篇　名況，趙人。爲齊稷下祭酒。有列傳。存。

王應麟曰："當作三十二篇。"師古曰："本曰荀卿，避宣帝諱，改曰孫。"謝墉云："漢不避嫌名，荀淑、荀爽俱用本字，《左傳》'荀息'以下不改字，何獨於'荀卿'改之？蓋'荀'、'孫'二字同音，語遂移易，如'荆卿'又爲'慶卿'也。"胡元儀云："荀姓，郇伯之後，又稱孫者，蓋郇伯公孫之後。"案，《荀子》書專言禮，其言性惡，乃在以禮義矯正性中之惡；孟子言性善，而宋儒兼言氣質之性，以相參究。是兩家之説，未嘗絶不相容。世子則在孟、荀之間。

芊子十八篇　名嬰，齊人。七十子之後。亡。

師古曰："芊音弭。"案《史記・孟荀列傳》"阿之吁子"，《索隱》曰："吁音芊。《別錄》作'芊'。"《正義》："《藝文志》《芊子》十八篇，顏云音弭。案是齊人，阿又屬齊，恐顏誤也。"王念孫云："《正義》説是。芋有吁音，故作'芋'，亦作'吁'。作'芊'者，字之誤耳。"

內業十五篇　不知作書者。亡。

王應麟曰："《管子》有《內業篇》，[①]此書恐亦其類。"

周史六弢六篇　惠、襄之間，或曰顯王時，或曰孔子問焉。亡。

師古曰："即今《六韜》。'弢'字與'韜'同。"沈濤曰："今《六韜》乃太公言兵事，此《六弢》'六'乃'大'字之誤。《莊子・則陽篇》'仲尼問於太史大弢'，班云'或曰孔子問焉'，是即其人。"

---

①　"內"，原脱，據《漢藝文志考證》補。

周政六篇　周時法度政教。亡。

周法九篇　法天地，立百官。亡。

河間周制十八篇　似河間獻王所述也。亡。

讕言十篇　不知作者。陳人君法度。亡。

如淳曰：“讕音粲爛。”案《説文》：“讕，詆讕。”著書名《讕言》，蓋謙稱如罪言，亦即俗云亂説。

功議四篇　不知作者。論功德事。亡。

甯越一篇　中牟人，爲周威王師。亡。

王應麟曰：“《吕覽》：甯越，中牟之鄙夫也。學十五歲而周威公師之。”案，賈誼《過秦論》稱之。

王孫子一篇　一曰《巧心》。① 亡。

《太平御覽》、《藝文類聚》皆引《王孫子》。沈欽韓云：“《文選·舞賦》注引《王孫子》曰：衛靈公侍御數百，隨珠耀日，羅衣從風。”案，此非周時語，明是六朝人僞作。

公孫固一篇　十八章。齊閔王失國，問之，固因爲陳古今成敗也。

沈欽韓云：“《史記·十二諸侯年表》論公孫固、韓非之徒，各往往捃摭《春秋》之文以著書。”

李氏春秋二篇　亡。

羊子四篇　百章。故秦博士。亡。

董子一篇　名無心。難墨子。亡。

王應麟曰：“《論衡·福虛篇》：儒家之徒董無心、墨家之徒纏子相見論道。”案，《文選·文賦》李善注，又他處注並引《纏子》。② 馬總《意林》亦引《纏子》，或即《董子》。

---

① “心”，原作“志”，據《漢書藝文志集説》及殿本《漢書》改。

② “他”，原闕，據《漢書藝文志集説》補。

侔子一篇 亡。

舊本作"侯子",官本作"侔子"。李奇曰："或作'侔子'。"案，"侔"與"俟"上半形似，與"侯"亦音近。陶憲曾云："《風俗通》有'侔子'。《廣韻》六止有俟姓，作'俟'是。"

徐子四十二篇 宋外黃人。亡。

王應麟曰："《魏世家》有外黃徐子，即此。"

魯仲連子十四篇 有列傳。亡。

魯連事詳《國策》、《史記》。王應麟曰："《隋志》'五卷'。《春秋正義》、《史記正義》、《文選注》、《御覽》並引之。"

平原君七篇 朱建也。亡。

案朱建，初漢人。王先謙云："當次下《高祖傳》後。"

虞氏春秋十五篇 虞卿也。亡。

《史通·六家》云："晏子、虞卿、呂氏、陸賈，其書篇第本無年月，而亦謂之《春秋》。"案陸賈《楚漢春秋》，班氏列春秋家，而《晏子》、《虞氏春秋》列子部儒家，是孟堅例之不純者。

高祖傳十三篇 高祖與大臣述古語及詔策也。亡。

陸賈二十三篇 殘。

今名《新語》，二卷十二篇。王應麟《考證》"存七篇"，今反多於宋時者，顧實引嚴可均云："明弘治間，莆陽李氏得十二篇足本刻之。漢代子書，《新語》最純，貴仁義、賤刑威，紹孟、荀而開賈、董，卓然儒者之言。史遷僅目爲辨士，未足盡之。"

劉敬三篇 亡。

孝文傳十一篇 文帝所稱及詔策。亡。

王應麟云："《史記·文紀》凡詔皆稱'上曰'，以其出於帝之實意也。"顧實云："文帝，黃老之治而入儒家，道、儒固相通也。"

賈山八篇 亡。

本傳載《至言》一篇。

太常蓼侯孔臧十篇　父聚,高祖時以功臣封。臧嗣爵。亡。

顧實云:"《文選·兩都賦序》注引《孔臧集》,是其書唐世猶存。"案,今《孔叢子》後《連叢》爲臧所著書附於後者,然自朱子已疑其僞。

賈誼五十八篇　殘。

錢大昭云:"今《新書》止五十六篇。"章炳麟曰:"賈生引用《左氏》内外傳極多,而其中《道術》、《六術》、《道德説》等篇是訓故之學,有得於正名、爲政之學者也。"案,賈誼傳《左氏春秋》,見《儒林傳》。其學則儒而兼法者,王船山論之詳矣。[①]

河間獻王對上下三雍宮三篇[②]　亡。

獻王對三雍宮事見本傳。三雍:辟雍、明堂、靈臺也。

董仲舒百二十三篇　亡。

王先謙曰:"案本傳,仲舒所著凡百二十三篇,而説《春秋》事《玉杯》、《蕃露》、《清明》、《竹林》復數十篇,是此百二十三篇早亡,不在《繁露》諸書内也。"顧實云:"《賢良三策》當在此内。"

兒寬九篇　亡。

公孫弘十篇　亡。

終軍八篇　亡。

吾丘壽王六篇　亡。

四人,本書皆有傳。其所著,有載入傳中者。

虞丘説一篇　難孫卿也。亡。

王先謙曰:"虞、吾字同。此即吾丘壽王所著雜説。"

莊助四篇　亡。

姚明煇云:"本書列傳稱'嚴助',避後漢明帝諱改也。'此作

---

①　"船",原誤作"傳",據《漢書藝文志集説》改。
②　"對"後原衍"於",據《漢書藝文志講疏》删。

'莊助'，蓋本《七略》原文。"案，此莊助與後縱横家莊安、詩賦家莊夫子，"莊"字蓋均《七略》原文。列傳助、安及《助傳》所云"嚴夫子"，並作"嚴"。此類錢大昭謂之駁文，本顏説也。

臣彭四篇 亡。

鈎盾冗從李步昌八篇 宣帝時，數言事。亡。

　王應麟云："《百官表》注：'鈎盾主近苑囿。'《枚皋傳》'與冗從爭'注：'散職。'"

儒家言十八篇 不知作者。亡。

桓寬鹽鐵論六十篇 存。

　師古曰："寬字次公，汝南人。孝昭帝時，丞相、御史與諸賢良文學論鹽鐵事，寬撰次之。"今本凡十卷。

劉向所序六十七篇 《新序》、《説苑》、《世説》、《列女傳頌圖》也。殘。

　顧實曰："稱'所序'者，蓋猶今之叢書也。"案，今存《新序》、《説苑》、《列女傳》亦有亡佚。

揚雄所序三十八篇 《太玄》十九，《法言》十三，《樂》四，《箴》二。殘。

　今《太玄》十卷，《法言》十三卷，《樂》四佚。《箴》二者，陶憲曾云《州箴》與《官箴》爲二種也。

右儒五十三家，八百三十六篇。 入揚雄一家，三十八篇。

儒家者流，蓋出於司徒之官，助人君順陰陽、明教化者也。游文於六經之中，[①]**留意於仁義之際，祖述堯、舜，憲章文、武，宗師仲尼，以重其言，於道最爲高。孔子曰："如有所譽，其有所試。"唐虞之隆，殷周之盛，仲尼之業，已試之效者也。**

　顧實曰："孔子之學，源於唐虞三代之政治。百家皆政論，而儒其一也。故孔子曰：'能以禮讓爲國乎何有？'其辭雖不驗於當世，而千萬世以後，猶莫能有以易之者。蓋有事實而後

---

　① "經"，原作"藝"，據《漢書藝文志集説》及《漢書藝文志講疏》改。

有理論,理論出於事實,終有不可磨滅之精神。中唐以後,禮教寖衰,而中國亦不振,此又非其已試之效者乎?嗚呼!"爵謹案,顧君他著頗有非毀孔子之説,而此文獨爲正碻醇篤之論。蓋是非之公,良有不容終泯者也。

然惑者既失精微,而辟者又隨時抑揚,違離道本,苟以譁衆取寵,後進循之,是以五經乖析,儒學寖衰,此辟儒之患。

師古曰:"辟讀曰僻。"姚明煇曰:"惑,迷也。辟,邪僻也。僻與迷,一過一不及。隨時抑揚,則枉道徇人,乃賢智之過。違離道本,則流爲方術,蓋由於偏毗趣時也。夫僻儒之患,凡碎義逃難、便辭巧説、破壞形體者,皆是也。"案,姚説可謂痛切,今之時不爲辟者鮮矣。

道

伊尹五十一篇　湯相。亡。

王應麟曰:"《説苑》、《呂氏春秋》皆引伊尹,《志》於兵權謀省《伊尹》、《太公》而入道家,蓋戰國權謀之士著書而託之伊尹也。《孟子》言'伊尹將以道覺斯民'。伊尹所謂道,豈老氏所謂道乎?"葉德輝曰:"《殷本紀》引伊尹從湯言素王九主之事,《齊民要術》引氾勝之述伊尹區田法,《韓詩外傳》引伊尹對湯問,皆王氏所未見。"

太公二百三十七篇　吕望爲周師尚父,本有道者。或有近世又以爲太公術者所增加也。**謀八十一篇　言七十一篇　兵八十五篇**　殘。

沈欽韓曰:"《謀》,即太公之《陰謀》。《言》,即太公之《金匱》,凡善言,書諸金版。《兵》,即太公之《兵法》。"案,隋唐《志》、《通志》著録太公書多種,《通考》僅餘《六韜》而已。又《隋志》有《三宫兵法》、《禁忌立成集》、《枕中記》等名,今流俗新年貼語有所謂"姜太公在此,百無禁忌"者,殆即本此。又案班氏云"或有近世又以爲太公術者所增加也"，小説《鬻子》注亦云後世所加。顧實云："俱明原書而有後之傳學者附益。"爵謂六藝諸子，往往有此。《孟子》書中所云"有爲神農之言者"，即是言其依託神農爲名號。儒言堯、舜，道言黃、老，後世言孔明、劉伯温，一也。

辛甲二十九篇　紂臣，七十五諫而去，周封之。亡。

王應麟曰："劉向《別録》：'辛甲事紂，諫，不聽，去，至周，文王親自迎之，以爲公卿。'《左傳》：'辛甲爲太史，命百官官箴王闕。'"沈欽韓曰："《韓非·説林》作'辛公甲'。"

鬻子二十二篇　名熊，爲周師，自文王以下問焉。周封爲楚祖。殘。

劉勰曰："鬻熊知道，而文王諮謀。餘文遺事，録爲《鬻子》。子之肇始，莫先于斯。"案，此梁代論《鬻子》語，未知當時所存幾卷。今所傳一卷。《隋志》在道家，《舊唐書》在小説家，《新唐書》仍歸道家。自葉正則、高似孫輩皆疑之。嚴可均曰："《史記》鬻熊三傳至熊繹，蓋文王師爲熊，成王問爲繹。《鬻子》非專記鬻熊語，古書不必手箸，《鬻子》蓋後世史臣所録，或子孫所記。今世傳唐逢行珪注本，分十五篇，瑣碎尤甚。"案，嚴説極通，與劉勰"餘文遺事録爲《鬻子》"説合，蓋自孔、孟之書，亦非手著，世之以此而疑古書之僞者，多未達耳。錢坫曰："鬻；《説文》从𩰲米聲。此以米爲聲，讀即同米。楚之姓羋，羋音米，古假借用'鬻'，故稱羋熊爲鬻熊。今讀同'祝'，非也。"案，錢説似創而甚碻。鉉本《説文》鬻音武悲切，云今俗音之六切，是宋以前本爲糜音，"鬻"之借爲"羋"，實非臆説。至《史記》序《楚世家》作"粥子"者，則又因"鬻"字而減省爲之，正錢氏所云"經傳經後代俗手轉寫致誤"耳。

筦子八十六篇　名夷吾，相齊桓公，九合諸侯，不以兵車也。有列傳。殘。

師古曰："'筦'讀與'管'同。"案，《賈誼》書作"筦子"，是漢以前作“筦”也。《七略》：《管子》十八篇，在法家。班氏以入道家。李大防曰：“筦子蓋纘太公之業者也，其《心術》、《白心》諸篇所言無爲之道、静因之理，皆道家御世應變之方。至《内業篇》，則言道術尤備。班氏列之道家，明其與太公相承，其識卓矣。”

老子鄰氏經傳四篇　姓李，名耳。鄰氏傳其學。亡。

王應麟曰：“薛氏曰：‘古文《老子道德上下經》無八十一章之辨，今文有。河上公注，分八十一章。’《志》無《河上公章句》，王弼題曰《道德經》，不析《道》、《德》而上、下之，猶近古。”章學誠曰：“今傳《道德》上、下二篇，共八十一章，《漢志》不載本書篇次，則劉、班之疎也。凡書有諸家離析篇次，則著録者必以本書篇章原數登於首條，使讀者可以考具原委，如《六藝略》之諸經篇目是矣。”案《老子》分章，説各不同。今有開縣李大防所著《老子姚本集注》，以姚鼐《老子章義》本爲主，考訂發揮，多明古義。胡遠濬有《老子述義》。

老子傅氏經説三十七篇　述老子學。亡。

老子徐氏經説六篇　字少季，臨淮人。傳《老子》。亡。

案，顧實於《老子鄰氏經傳》、《傅氏經説》、《徐氏經説》三種，皆著“殘”字，又自注曰鄰、傅、徐説亡，是“亡”而誤爲“殘”也。馬國翰輯道家十七種，三書並無一字。

劉向説老子四篇　亡。

文子九篇　老子弟子，與孔子並時。而稱周平王問，似依託者也。亡。

今本十二卷，章炳麟曰：“今之《文子》，半襲《淮南》，其爲依託甚明。據《文選·奏彈曹景宗》、《天監三年策秀才文》注並引《文子》張湛説，今本疑即張湛偽造，與《列子》同出一手。”李大防曰：“《文子》乃魏、晋人掇拾諸子爲之者，柳子厚已辨之。然其書亦往往有精義，不能概指爲偽作。”

蜎子十三篇　名淵楚人。老子弟子。亡。

王應麟曰：“《史記》‘環淵，楚人。學黃、老道德之術，著上下篇’。《文選》枚乘《七發》‘便蜎、詹何之倫’，李善注引《淮南子》‘詹何、蜎環’，《宋玉集》‘宋玉受釣於玄淵’，《七略》曰：‘蜎子名淵。’三名雖殊，其人一也。”案蜎淵、環淵、便蜎、蜎蠉、玄淵五名，皆疊韻，故可互通。蜎字本同肙，水中小虫名，與蠉爲一字，引申之爲虫動貌。蜎淵之名，義取水虫。《廣韻》有涓姓。

關尹子九篇　名喜，爲關吏。老子過關，喜去吏而從之。亡。

舊説皆以爲關令尹喜。《莊子·天下篇》言“關尹、老聃，古之博大真人”。姚鼐云：“關尹，古有道者，在列子前。列子又在老子前。”王闓運云：“《莊子》稱關尹在老聃前，別有書。蓋老子前人也。班《志》九篇，《隋》、《唐志》皆不著録。今所傳本，出於南宋孫定家，疑其偽作。”李大防曰：“其精語‘在己無居，形物自著’十一句，已在《天下篇》。”

莊子五十二篇　名周，宋人。殘。

《七略》曰：“莊子，宋之蒙人。作人姓名，使相與語，寄辭於其人，故有《寓言篇》。”陸德明《叙録》云：“《莊子》辭趣華深，正言若反。後人增足，漸失其真，惟郭子玄所注，特會莊生之旨。其內篇衆家並同，自餘注者以意去取。”案，今郭注本內篇七，外篇十五，雜篇十一，凡三十三篇。

列子八篇　名圄寇，先莊子，莊子稱之。亡。案，“亡”字當作“疑”。

劉向校定八篇，稱爲鄭繆公時人，柳子厚考辨疑其時代舛誤，高似孫以太史公不傳列子，疑並無其人。《四庫提要》據《尸子》言“列子貴虛”，是當時實有列子，信其確爲秦以前書。張湛注序自述其學出于王弼，近儒遂疑其爲王弼之徒偽作，或即湛所偽作。案，《列子》書真偽未可遽斷，顧實直注曰“亡”，非也。以其例當曰"疑"。

老成子十八篇 亡。

《列子·周穆王篇》："老成子學幻於尹文先生。冬起雷,夏造冰。"案,幻者,蓋道家幻形之術。《説文》"真"字説云："仙人變形登天也。"後世道書幻説尤多。

長盧子九篇 楚人。亡。

《史記·孟荀列傳》"楚有長盧"。

王狄子一篇 亡。

公子牟四篇 魏之公子也。先莊子,莊子稱之。①

《荀子·非十二子》言"縱情性,安恣睢,禽獸行,是它囂、魏牟"。《列子·仲尼篇》稱牟爲魏國賢公子。案,牟蓋道家別派,放恣任情,若劉伶裸體之類者,故斥爲禽獸行。夫戰國之時,世禄之勢已破,貴族子弟才智者爭爲趨時,如韓非、衛鞅、周最之倫皆是,牟亦其一也。

田子二十五篇 名駢,齊人游稷下,號"天口駢"。亡。

錢大昭曰："《呂氏春秋》言'陳駢貴齊','田'、'陳'古通用。貴齊,齊生死、等古今也。"案,據《國策》齊人譏駢不仕之語,駢之爲人亦猾黠之流。

老萊子十六篇 楚人,與孔子同時。亡。

《史記》："老萊子亦楚人,著書十五篇,孔子同時。"《七略》曰："老萊子,古之壽者。"畢沅曰："古有萊姓,《左傳》有'萊駒'。"

黔婁子四篇 齊隱士。守道不詘,威王下之。亡。

師古曰："黔音其炎反。"葉德輝據《廣韻》平聲十九候"婁"字注引《漢志》作"贛婁子",言宋代《漢書》不作"黔"。今案,顏注既音黔爲其炎反,是師古時《漢書》固作"黔",不作"贛"。

---

① 據《漢書藝文志講疏》及本書體例,"之"下當補"亡"字。

《廣韻》作“贛”，必是形誤。元稹《遣悲懷詩》“自嫁黔婁百事乖”，尤唐人作“黔”之証。葉説好奇之過。

宮孫子二篇 亡。

師古曰：“宮孫，姓也，不知名。”

鶡冠子一篇 楚人，居深山，以鶡爲冠。疑。

《後漢書·續輿服志》：“鶡者，勇雉，爲武冠。”案，本志兵權謀家原有《鶡冠子》，省去入道家。是鶡冠之書本在道家、兵家之間。沈欽韓曰：“其中龐煖論兵法，《漢志》在兵家，爲後人傅合。”王應麟云：“柳宗元辨此書非古，謂好事者僞爲。而韓愈獨稱焉，謂詞雜黃老刑名。”

周訓十四篇 亡。

師古引《別録》云：“人間小書，其言俗薄。”案“人間”即“民”，猶鄉曲也。

黃帝四經四篇 亡。

黃帝銘六篇 殘。

王應麟曰：“《史記正義》：《黃帝道書》十卷。東萊呂氏曰：‘漢初，黃老世有傳授，觀《樂毅傳》贊可考。《皇覽》記武王問尚父，言黃帝之戒，爲金人，三封其口。’蔡邕《銘論》：‘黃帝有巾机之法。’”《文心雕龍》曰：“帝軒刻輿几以弼違。”顧實曰：“今黃帝書雖亡，凡見引於《韓非》、《呂覽》、《賈子》、《淮南》、《列子》、《文子》、《六韜》、《漢書》者，率多透宗之語，不愧道家鼻祖。”李大防曰：“班以黃帝書次《老》、《莊》後者，以其書多出後人所撰述，非自著也。”

黃帝君臣十篇 起六國時，與《老子》相似也。亡。

雜黃帝五十八篇 六國時賢者所作。亡。

力牧二十二篇 六國時所作，託之力牧。力牧，黃帝相。亡。

孫子十六篇 六國時。亡。

顧實曰：“班注云六國時，則非兵權謀家之吳、齊二孫子也。”
案，齊孫臏在六國時，則此孫子但可言非吳孫子耳。

捷子二篇　齊人。亡。

　　班注原有“武帝時説”四字。王念孫據《史記·田完世家》云
　　“田駢、接子、慎到”正義云：“接子，齊人。《藝文志》在道家。”
　　《孟荀列傳》正義同。接子即捷子，六國時人，非武帝時人。
　　“武帝時説”四字乃涉下《曹羽》二篇注文而衍。

曹羽二篇　楚人，武帝時説於齊王。亡。

郎中嬰齊十二篇　武帝時。亡。

　　師古曰：“劉向云：故待詔，不知其姓，數從游觀，名能爲文。”

臣君子二篇　蜀人。亡。

鄭長者一篇　六國時，先韓子，韓子稱之。亡。

　　沈欽韓曰：“《韓非·外儲説右》兩引鄭長者説。”陶憲曾曰：
　　“《華嚴經音義》引《風俗通》云：‘春秋末，鄭有賢人，著書一
　　篇，號《鄭長者》，謂年高德艾爲長者也。’”

楚子三篇　亡。

道家言二篇　近世，不知作者。亡。

右道三十七家，九百九十三篇。

道家者流，蓋出於史官，歷記成敗存亡禍福古今之道，然後知秉
要執本，清虛以自守，卑弱以自持，此君人南面之術也。

　　王念孫曰：“‘君人’當作‘人君’，據《穀梁傳序》疏、《爾雅序》
　　疏引此不誤。”案，《左·隱三年》、《桓二年》兩云“君人者”，言
　　君臨國人，似無誤。

合於堯之克攘，

　　師古曰：“《堯典》曰‘允恭克讓’，攘，古‘讓’字。”錢大昕曰：
　　“《説文》揖攘字從手，責讓字從言，敚奪字從攴。”

《易》之嗛嗛，一謙而四益。此其所長也。

　　師古曰：“四益，謂天道虧盈而益謙，地道變盈而流謙，鬼神害

盈而福謙，人道惡盈而好謙也。此《謙卦》象辭。'嗛'字與
'謙'同。"錢大昕曰："古書'言'旁字多與'口'旁通，故'謙'或
爲'嗛'。"案，嗛義爲不足，亦與歉、慊通。惟不敢自足，故卑
以自牧。

**及放者爲之，則欲絶去禮學，兼棄仁義。曰獨任清虚，可以
爲治。**

《老子》云："禮者，忠信之薄，而亂之首也。"此後世放任之流
廢棄禮法之所本。古今論者甚多，今略舉數人之説以明之。
吳澄云："禮者，欲其理而不亂也，而適以基亂，故曰亂首。"高
延第云："禮之興，尚矣。老子安得薄之？此斥當時誠信不
足，而以繁文爲禮，無益於治，反以生亂云爾。"李大防曰："聖
人因世運日降，人心日偷，詐僞競爭，故以禮束縛之，使不至
於亂。從之則治，違之則亂。治亂之機，間不容髮，故曰'禮
者，忠信之薄而亂之首'。老子最精於禮，即此言可見。"胡遠
濬云："《記》言'忠信之人，可以學禮'，而《老子》則云'禮者，
忠信之薄'。看似相左，其實此所云禮，乃斥世之以'禮'自名
者之非禮耳。太史公談論道家'其實易行，其詞難知'。實者
忠信，故曰易行；正言若反，故曰難知也。"案，數家説並明白，
而李君"老子最精於禮"一語，尤爲精要。班氏於禮曰禮學即
以明禮，亦道家之學所兼貫也。

陰陽

宋司星子韋三篇 景公之史。亡。

沈欽韓曰："《吕覽·制樂篇》：'宋景公時，熒惑在心，公懼，
召子韋而問焉。'《論衡·變虚篇》亦引此事。"案，景公當春秋
末。子韋事，《史記·宋世家》亦詳。

公檮生終始十四篇　傳鄒奭《始終書》。① 亡。

師古曰：“檮音疇，其字从木。”錢大昭曰：“注云‘傳鄒奭《始終書》’，據下文鄒子《終始》五十六篇爲鄒衍作，此‘奭’字誤。‘始終’當作‘終始’。”

公孫發二十二篇　六國時。亡。

鄒子四十九篇　名衍，齊人。爲燕昭王師。居稷下，號“談天衍”。亡。

王應麟曰：“《史記》：‘鄒衍深觀陰陽消息，而作怪迂之變，②《終始》、《大聖》之篇十餘萬言，其語閎大不經。’《封禪書》言：‘騶子著終始五德之運，及秦帝而齊人奏之，始皇采用。文帝時，公孫臣上書，推漢當土德。’《鹽鐵論》及《論衡》並以衍爲迂怪虛妄。”

鄒子終始五十六篇　亡。

乘丘子五篇　六國時。亡。

沈欽韓據《隋志》有楊偉撰《桑丘先生書》，本此“乘”字當作“桑”。葉德輝據邵思《姓解》引《漢志》正作“桑丘”。

杜文公五篇　六國時。亡。

師古曰：“《別録》云韓人也。”

黃帝泰素二十篇　六國時，韓諸公子所作。亡。

師古曰：“劉向《別録》云：或言韓諸公孫之所作也。言陰陽五行以爲黃帝之道也，故曰泰素。”

南公三十一篇　六國時。亡。

王應麟曰：“《項羽紀》‘楚南公曰：楚雖三户，亡秦必楚’，正義引虞喜《志林》云：‘南公者，道士，識廢興之數。’徐廣云楚人也。”

---

① “書”，原作“篇”，據《漢書藝文志集説》及《漢書藝文志講疏》改。

② “迂”，原作“邅”，據《漢書藝文志集説》及《漢藝文志考證》改。

容成子十四篇 亡。

王應麟引《吕覽·勿躬篇》"容成作曆"。朱一新云："《志》次於《南公》後，當是六國時人，言陰陽以爲容成之道，如《黄帝泰素》之比。"案，朱説是也。凡諸子術數，[①]皆依托前哲，如《孟子》所稱"有爲神農之言者許行"之類，後房中術亦有《容成陰道》。

張蒼十六篇 丞相、北平侯。亡。

王應麟曰："本傳：著書十八篇，言陰陽律曆事。"[②]

鄒奭子十二篇 齊人，號曰"雕龍奭"。亡。

師古曰："奭音試亦反。"《文選·別賦》注引《七略》"奭"字作"赫"。汲古閣本作"㶆"。沈欽韓云赫、奭通用。案《毛詩傳》，奭訓赤皃。《爾雅·釋訓》"赫赫"亦作"奭奭"，赫、奭互訓，或名奭字赫也。雕龍，明監本作"彫"。王先謙云："監本訛，從宋本改雕。"今案，彫刻之彫依《説文》從彡，作"彫"爲正。雕爲雕鶚，假借通用。

閭丘子十三篇 名快，魏人，在南公前。亡。

馮促十三篇 鄭人。亡。

將鉅子五篇 六國時，先南公，南公稱之。亡。

五曹官制五篇 漢制，[③]似賈誼所條。亡。

王應麟曰："《賈誼傳》：以爲宜當改正朔，易服色，定官名，迺草具其儀法，色上黄，數用五。"案，誼亦爲陰陽五行之學，又不僅儒而兼法矣。色上黄、數用五，是用公孫臣漢當土德説。沈欽韓云："《筭經》：一田曹，次兵曹，次集曹，次倉曹，次金曹。"

---

① "術"，原作"述"，據《漢書藝文志集説》改。
② "曆"，原脱，據《漢藝文志考證》補。
③ "制"，原作"志"，據《漢書藝文志講疏》改。

周伯十一篇 齊人，六國時。亡。

衛侯官十二篇 近世，不知作者。亡。

　　錢大昭曰：“‘侯’當作‘候’，衛尉屬官有諸屯衛候司馬。”案，錢說‘侯’當作‘候’是，而以爲衛候司馬則非。衛候司馬乃武職斥候之候，此當爲候天象之官。衛者其國，候字史籍屢見，衛候官如宋司星。

于長天下忠臣九篇 平陰人，近世。亡。

　　師古曰：“劉向《別録》云：傳天下忠臣。”陶憲曾曰：“長書今不傳，其列陰陽家，自別有意，惜後人不見其書，無從臆測。”姚明煇引章一山云：“此傳天下忠臣之以陰陽風鑑而殺身者。”

公孫渾邪十五篇 平曲侯。亡。

　　王應麟曰：“《公孫賀傳》：祖父昆邪，著書十餘篇。”錢大昭曰：“《史記·表》亦作‘昆’，‘渾’聲相近。”

雜陰陽三十八篇 不知作者。亡。

　　姚明煇曰：“今流傳不知作者之陰陽書甚衆，是否漢以前書皆不可考矣。”

右陰陽二十一家，三百六十九篇。

陰陽家者流，蓋出於羲和之官，

　　姚明煇曰：“陰陽家書皆佚，其詳不甚可考。羲和，見《尚書》，鄭君曰：‘高辛氏之世，命重爲南正司天，黎爲火正司地。堯育重黎之後，羲氏、和氏之子賢者，使掌舊職。’”

敬順昊天，歷象日月星辰，敬授民時，此其所長也。

　　《堯典》文。今注疏本作“人時”，乃唐時諱“民”字，改“民”爲“人”，後世因之。阮氏《校勘記》已詳。

及拘者爲之，則牽於禁忌，泥於小數，舍人事而任鬼神。

　　案司馬談《論六家要旨》言陰陽家“使人拘而多畏”，又云：“序四時之大順,不可失。”班氏即本其義。案《帝典》“敬授民時”四字,實陰陽家當守之軌則,末流則舍人事而任鬼神,正《左氏》所譏“天道遠,人道邇”,孔子所云“未能事人,焉能事鬼”者。班氏論斷簡嚴,西京一代諸儒陰陽悠謬之説,可置之不論已。

附章學誠《校讐通義》論陰陽家一條　節録。

陰陽二十一家,與兵書十六家,同名異術。第諸子陰陽之本叙,以謂出於羲和之官;數術七種之總叙又云“皆明堂羲和史卜之職也”。是則劉、班叙例之不明,不免後學之疑惑矣。蓋《諸子略》中,陰陽家乃鄒衍談天、鄒奭彫龍之類,空論其理,而不徵其數者也。《數術略》之天文曆譜諸家,乃泰一、五殘、日月星氣,以及黄帝、顓頊日月宿曆之類,顯徵度數,而不衍空文者也。莊周《天下篇》叙列古今學術,稱述六藝,云“《易》以道陰陽”,是《易》爲陰陽諸書之宗主也。今爲陰陽家叙例,當云其原蓋出於《易》。星曆司於保章,卜筮存乎官守,聖人因事而明道,於是爲之演《易》而繫辭。後世富、司失守,聖教不得其傳,則有談天雕龍之説,破碎支離,去道愈遠,是其弊也,則陰陽家之原委明矣。今乃云“出於羲和之官,歷象日月星辰,敬授民時”,此乃術數曆譜之叙例,於衍奭諸家何涉歟?案章氏此説持之有故,言之成理,尤爲班氏諍友。又案燕齊怪迂之説,其後流爲秦漢方士,觀封禪書甚明,誠破碎支離之尤。

法

李子三十二篇　名悝。相魏文侯,富國強兵.亡。

沈欽韓曰:“《食貨志》:‘李悝爲魏文侯作盡地力之教。’《晉書·刑法志》:‘律文起自李悝,悝撰次諸國法,著《法經》六篇,商君受之以相秦。”顧實云《李子》書亡。此與儒家《李克》

七篇、兵權謀家《李子》十篇蓋俱非同書。

商君二十九篇　名鞅，姬姓，衛後也。相秦孝公，有列傳。

《四庫提要》曰："鞅事具《史記》，鞅封於商，號商君。書其稱商子，則自《隋志》始，其開卷第一篇即稱孝公之諡。殆法家者流，掇鞅餘論以成編。猶管子卒于齊桓公前，而書中疊稱桓公耳。諸子之書，如是者多。"案，宋晁公武、陳振孫兩本，晁二十六篇，陳二十七篇。今本二十六篇，又佚二篇，實二十四篇。吾友長沙王時潤君著有《商君書斠詮》五卷，攷訂精確，具有家法。其書已爲荷蘭國萊登大學教授戴聞達（譯音）君譯成英文，爲彼中參攷重要本。"

申子六篇　名不害，京人，相韓昭侯，終其身諸侯不敢侵韓。殘。

王應麟曰："《史記》：'申子之學，本於黃老而主刑名。'劉向《別錄》云：'刑名者，以名責實，尊君卑臣。宣帝好觀其《君臣篇》。'韓非子曰：'申不害徒術而無法。'"案，《申子書》久佚，馬國翰有輯本，王時潤又增輯。《群書治要》所引《大體篇》，文義完備，附《商君書》後。

處子九篇

師古曰："《史記》云'趙有處子'。"王應麟曰："《史記》'趙有劇子之言'，《風俗通》'漢有北海太守處興'，蓋處子之後。《史記正義》'趙有劇孟、劇辛'，是有劇姓。"案，王氏於處、劇二說未證其孰是。考《廣韻》，處、劇實爲二姓，而字形相似，故傳寫有異。顧實云'處即是劇'，似爲失考。

慎子四十二篇　名到，先申、韓，申、韓稱之。殘。

《史記》："慎到，趙人，學黃老道德之術。"《荀子》楊倞注云："其術本黃老，歸刑名，多明不尚賢、不使能之道。"[1]今本五篇

---

① "之"，原作"知"，據《漢書藝文志集說》及《漢書藝文志講疏》改。

爲一卷，《四庫》入雜家類。

韓子五十五篇　名非，韓諸公子。使秦，李斯害而殺之。存。①

《史記》：“非喜刑名法術，而其歸本於黄老，作《孤憤》、《五蠹》、《内外儲》、《説林》、《説難》十餘萬言。人或傳其書至秦，秦王見《孤憤》、《五蠹》之書。”又曰：“韓非囚秦，《説難》、《孤憤》。”顧實云以前説爲是。今書五十五篇俱存，有顧千里校本、王先慎《集解》。

游棣子一篇　亡。

鼂錯三十一篇　亡。

王應麟曰：“《史記》：‘錯學申、商刑名於軹張恢生所，與洛陽宋孟、劉帶同師。’吕氏云：‘申、商之學，亦世有傳授。’《唐志》：《晁氏新書》七卷。《隋志》：梁有三卷。② 太史公曰：‘賈生、晁錯明申、商。’”案，“鼂”通作“晁”。“劉帶”音與上“游棣”近，沈欽韓以爲即游棣，存參。

燕十事十篇　不知作者。亡。

法家言二篇　不知作者。亡。

右法十家，二百一十七篇。

法家者流，蓋出於理官，信賞必罰，以輔禮制。

顧實曰：“賈誼云‘夫禮者，③禁於將然之前；而法者，禁於已然之後’。是禮、法二者，猶今言道德、法律。二者譬猶國家之兩輪，廢一而不行。抑所云輔者，其視禮過重而以法爲輔助，微異於今之説。今禮、法皆衰，而人心輕法尤甚，所以有隻輪不進之象歟！”④案，顧君説韙矣。然今人寔輕禮尤甚，猖

① “存”，原作“亡”，據《漢書藝文志集説》及《漢書藝文志講疏》改。
② “卷”，原作“傳”，據《漢藝文志考證》改。
③ “賈”，原誤作“古”，據《漢書藝文志集説》及《漢書藝文志講疏》改。
④ “歟”，原誤作“猖”，據《漢書藝文志集説》及《漢書藝文志講疏》改。

狂横決,公言毀棄禮教,而政府乃徒持偏畸不中、掩耳盜鐘之虛法以支拄之,其危何異積薪厝火哉!

《易》曰:"先王以明罰飭法。"此其所長也。

師古曰:"《噬嗑》之象辭也。飭,整也,讀與'敕'同。"

及刻者爲之,則無教化,去仁愛,專任刑法而欲以致治。至於殘害至親,傷恩薄厚。

師古曰:"變厚爲薄。"周壽昌曰:"顔解未晰,此即《大學》所云'於所厚者薄'之意。"

名

鄧析二篇 鄭人,與子産並時。疑。

師古曰:"《列子》及《孫卿子》並云子産殺鄧析。據《左傳》,昭公二十年子産卒,定公九年駟歂殺鄧析而用其竹刑,則非子産所殺也。"王應麟曰:"《隋志》:一卷,《無厚》、《轉辭》二篇。其論無厚者,言之異同,與公孫龍同類。《韓非子》曰:'堅白、無厚之辭章,而憲令之法息。'《淮南子》曰:'鄧析巧辯而亂法。'"《四庫提要》云:"其言'天於人無厚,君於民無厚,父於子無厚,兄於弟無厚',旨同於申、韓。又云'令煩則民詐,政擾則民不定',旨同於黄老。而其大旨主於勢,統於尊,於法家爲近。"案,老子薄仁義,又云天地、聖人不仁,故其變爲申、韓。而鄧析在春秋時即有此學説,是又申、韓之先河,真老氏之別子。當時儒、道兩家,分道揚鑣可見已。

尹文子一篇 説齊宣王。先公孫龍。亡。案,"亡"字當作"疑"。

師古曰:"劉向云與宋鈃俱游稷下。"《莊子》曰:"宋鈃、尹文接萬物以別宥爲始。"《四庫提要》云:"其言出入於黄、老、申、韓之間。"案其首篇云:"名以檢形,形以定名,名以定事,事以檢名。""檢"猶"檢察"之"檢",謂証驗也。名家循名責實,故曰檢。然物情巧幻，亦假名以售欺。故司馬談又云："使人儉而善失真。"①"儉"借爲"檢"，如"証讞"之"讞"，今作"驗"，亦借字也。王君時潤有《尹文子校録》二卷，精覈與《商君書》相埒。

公孫龍子十四篇　趙人。殘。

王應麟曰："《史記》：'趙有公孫龍，爲堅白、同異之辯。'《列子釋文》'龍字子秉'。莊子謂惠子曰：'儒、墨、杨、秉四，與子爲五。'秉即龍也。《淮南子》曰：'公孫龍粲於辭而貿名。'"陳澧曰："《墨子·大取》、《小取篇》語有與公孫龍相似。龍之學蓋出於墨子，然墨子言'白馬，馬也'，龍則云'白馬非馬'。其説云：'求馬，黃、黑馬皆可致；求白馬，黃、黑馬不可致。'又云：'堅、白、石三可乎？曰不可。視不得其所堅，拊不得其所白。'皆較墨説更轉而求深。然其末篇云'古之明王審其名實，慎其所謂'，其大旨不過如是。"王君時潤有《公孫龍子校録》。

成公生五篇②　與黃公等同時。亡。

師古曰："姓成公。劉向云：'與李斯子由同時。由爲三川守，成公生游談不仕。'"

惠子一篇　名施，與莊子並時。亡。

王應麟曰："《莊子·天下篇》：'惠施多方，其書五車，其道舛駁，其言也不中。'《荀子》曰：'惠子蔽於辭而不知實。'《德充符》云：'天選子之形，子以堅白鳴。'"案，《荀子》以惠施、鄧析並稱，《莊子》又言惠施"以堅白鳴"，是惠子與公孫龍同術，諸子爭鳴，一時可想。

黃公四篇　名疵，爲秦博士，作歌詩，在秦時歌詩中。亡。

---

① "善失"，原誤倒，據《漢書藝文志集説》乙正。
② "生"，原作"孫"，據《漢書藝文志集説》及《漢書藝文志講疏》改。

毛公九篇 趙人,與公孫龍等並游平原君趙勝家。亡。

　　師古曰:"劉向《別録》云:'論堅白、同異,以爲可以治天下。'此蓋《史記》所云'藏於博徒'者。"

右名七家,三十六篇。

名家者流,蓋出於禮官。古者名位不同,禮亦異數。孔子曰:"必也正名乎! 名不正則言不順,言不順則事不成。"此其所長也。

　　案《禮記·祭法》曰:"黃帝正名百物。"《左傳》曰:"惟器與名,不可以假人。"《孟子》云:"五百年必有王者興,其間必有名世者。"《荀子》有《正名篇》。是正名之學,百家所同。而儒家六藝言名者,尤不可更僕數。

及譥者爲之,則苟鈎䣺析亂而已。

　　晉灼曰:"譥,訐也。"師古曰:"音工釣反。"《廣韻》音叫。案,即《論語》"惡徼以爲知"之"徼"。徼,孔訓"抄也",抄即《趙廣漢傳》"鈎距"之術,所謂苟察繳繞者。徼、繳、譥字異義同,並以"敫"爲聲,故可通用。王氏《補注》依宋本作"譑",特書法之異體耳。鈎䣺,師古曰:"䣺,破也。音普革反。又音普狄反。"案,"䣺"依字書形義當从爪,有爬揚分破之意。此从瓜,乃形近之誤。《廣韻》在二十三錫,作"𥷚",从辰音霹。《王制》云"析言破律,亂名改作",司馬談所云"使人儉而善失真",皆此所謂譥者。苟鈎䣺析亂之爲,今世之假美名大公以行其私惡狂慾者類如此。

墨

尹佚二篇 周臣,在成、康時也。亡。

　　王應麟曰:"《左傳》稱'史佚有言'、'史佚之志',《晉語》'胥臣曰:文王訪於辛、尹',注:'辛甲、尹佚,皆周太史。'《說苑·政理篇》引'成王問政於尹逸',尹佚,①周史也,而爲墨家之祖。今書亡不可考。《呂覽·當染篇》稱'周史角之後在魯,墨子學焉',意者史角之後,託於佚歟?"汪中曰:"古之史官,實秉禮經以成國典,其學皆有所受。劉向以墨家爲出於清廟之守。夫有事於廟者,非巫則史,史佚、史角皆其人也。"葉德輝曰:"《左傳》僖十五年、文十五年、成四年、襄十四年、昭元年、《晉語》均引史佚,其言合於儒術,而《志》入墨家者,意以其爲太史守清廟,故從其朔而言之歟?"

田俅子三篇　先韓子。亡。

沈欽韓曰:"《隋志》:梁有《田俅子》一卷。《呂覽·首時篇》、《韓非·外儲説右上篇》作'田鳩子'。"葉德輝曰:"《藝文類聚》、《白帖》及《文選·東京賦》注、王元長《曲水詩序》注所引多言符瑞,殆亦明鬼之意歟?"俅音求。

我子一篇　亡。

師古曰:"劉向《別録》云:爲墨子之學。"葉德輝曰:"《元和姓纂·哿韻》引《風俗通》云:我子,六國時人。"

隨巢子六篇　墨翟弟子。亡。

葉德輝曰:"《史記·太史公自序》正義引韋昭曰:'墨翟後有徐巢子。'徐、隨音近,疑即一人。《意林》一引《隨巢子》言:'鬼神爲四時八節以化育之,乘雲雨潤澤以繁長之,皆鬼神所能也。'"案,隨巢論鬼神與張子所云造化之迹、天地之功用、二氣之良能諸語一意,是論鬼神之最古者。河間紀氏爲筆記諸書,肆口詆嘲宋儒鬼神之説,甯非不學之過!

胡非子三篇　墨翟弟子。亡。

沈欽韓曰:"《隋》、《唐志》:一卷。"葉德輝曰:"《元和姓纂·

---

① "尹",原作"引",據《集説》及浙局本《漢志考》改。

模韻》胡非姓云：'陳，胡公後，有公子非，後子孫爲胡非氏。'《御覽》、《藝文類聚》諸書所引，大指與《貴義》、《上同》相近。"

墨子七十一篇　名翟，爲宋大夫，在孔子後。殘。

七十一篇，今存五十三篇，爲十五卷。墨子姓名、事蹟，古今考者繁多，惟孫詒讓最翔實。其略云：墨子名翟，姓墨氏，魯人。蓋生於周定王時，在孔子後。其學出於史角，非樂、節用、兼愛、尚賢、右鬼、非命，背周道，用夏政，又善守禦。爲世顯學，弟子充滿天下。孫君治《墨子》法，以爲"《墨子》多古字，或爲後人竄亂，今依《爾雅》、《説文》正其訓故，古文、篆、隸校其文字"，所著名《墨子閒詁》，凡十九卷。又長沙曹鏡初先生名耀湘，著《墨子箋》十五卷，於墨學大義發揮精透。其時在孫氏前，其精有過於孫氏者。又黟縣王集成著《説墨》一篇，於墨子法禹之道，博徵古籍。謂墨爲學名，非其姓氏；以"黑"爲水色，"黑"下加"土"爲"墨"，取禹平水土之義。《吕氏春秋》稱禹顏色黎黑，《墨子·貴義篇》言"先生之色黑"。墨子色黑，亦與禹同，故名其道曰墨。此説似創而有據，足資博證也。

右墨六家，八十六篇。

墨家者流，蓋出於清廟之守。茅屋采椽，是以貴儉；

師古曰："采音千在反，柞木也，字作"採"，本從木。以茅覆屋，以採爲椽，言其質素。"周壽昌曰："《左·桓二年》臧哀伯曰：'是以清廟茅屋，大路越席，太羹不致，粢食不鑿，昭其儉也。'《志》蓋以墨之儉出於此也。"

養三老五更，是以兼愛；選士大射，是以上賢；宗祀嚴父，是以右鬼；

師古曰："右猶尊尚也。"《墨子》有《明鬼篇》，言鬼神報應。

順四時而行，是以非命；

蘇林曰："言儒者執有命而反勸人修德積善，政教與行相反，故譏之也。"如淳曰:"言無吉凶之命,但有賢、不肖之善惡。"曹耀湘曰:"非樂所以教儉,非命所以教勤。躭於樂則必費,委於命則必怠。然孔子罕言命,又曰:'不知命,無以爲君子。'蓋富貧、貴賤、窮達、死生實有命焉,人不得以力而强爲之也。惟君子有必盡之職分,不可委之於命而怠惰不修耳。此則孔、墨之道,未嘗不同。《列子》有《力命篇》,[①]以力與命相較而力終不如命之權,是蓋道家爲此説以詰墨之非命者。"

以孝視同"示"。**天下是以上同,此其所長。**

案,《尚同篇》言:"亂生於無政長,天下之百姓皆上同於天子,且上同於天,若絲縷之有紀,網罟之有綱,則天下治。"

及蔽者爲之,見儉之利;因以非禮;推兼愛之意,而不知別親疏。

王念孫曰:"《羣書治要》引'非禮'下有'樂'字,是也。《穀梁序》疏引此已脱'樂'字。"朱一新曰:"《志》意蓋譏其儉不中禮也。《治要》引誤衍'樂'字。《穀梁序》疏引是也。"案,朱説爲精。校勘家喜據它書所引以改本書文字,亦得失參半之事。

附孫星衍《墨子注·後叙》論墨家法禹

司馬遷、班固皆不知墨學之所出。淮南王知之,《要略訓》云:"墨子學儒者之業,受孔子之術,以爲其禮煩擾而不説,_{王念孫}曰:"'説'當爲'悦'。悦,簡易也。厚葬靡財而貧民,久服傷生而害事,"久"字,據王念孫説補。故背周道而用夏政。"其識過於遷、固。古諸子之教,或本夏,或本殷。故韓非著書,亦載棄灰之法;殷人之法。墨子節用、明鬼、兼愛、節葬,皆用禹之教也。孔子稱"禹菲飲食而致孝鬼神,惡衣服而致美黻冕,卑宮室而盡力溝洫"。莊子稱"禹腓無胈,脛無毛,沐甚風,櫛甚雨"。列子稱"禹身體偏枯,手足胼胝"。吕不韋稱"禹顔色黎黑,步不相

---

① "列",原誤作"劉",據《集説》改。

過”。尸子称“禹之喪法，死陵葬陵，死澤葬澤，桐棺三寸，制喪三日”。_{當作“月”。}《淮南》、《韓非》説略同，是皆墨子法禹之明證。_{原文頗繁，約舉其概。}

又案，孫詒讓《墨子緒聞》引《晏子春秋》兩條，言墨子稱晏子知道。晏子所言，大抵薄身厚民、慈愛利澤，合於墨子之道。又《墨學通論》引《孔叢子・詰墨篇》兩條辨晏子毀孔子事，其稱晏子毀孔子，謂儒家喪禮無補於死者，亦墨家之義，而可與《史記》相證。即可證晏子之不得爲儒家，而在道與墨之間矣。

從橫

蘇子三十一篇 _{名秦，有列傳。殘。①}

沈欽韓曰：“今見於《史記》、《國策》，灼然爲蘇秦者八篇，其短章不與。秦死後，蘇代、蘇厲等並有論説，《國策》通謂之蘇子，又誤爲蘇秦。此三十一篇，容有厲、代并入。”案，沈説明塙，又《隋》、《唐志》有《鬼谷子》，《唐志》云蘇秦撰。《漢書・杜周傳》贊“業因勢而抵陒”，②服虔注謂蘇秦書有“抵陒法”，師古云即《鬼谷・抵戲篇》。是諸家多以《鬼谷》爲即蘇秦書，然《鬼谷》僞書，本志不録。蘇秦説諸國，文具載《國策》、《史記》，則昭然無可疑也。

張子十篇 _{名儀，有列傳。亡。}

姚明煇云佚，顧實云亡。案，儀書蓋亦即《國策》、《史記》中游説之文，並非亡佚。蘇、張以及蒯通、鄒陽諸人，皆如是；儒家賈誼、兒寬、終軍亦皆如是。後世名臣政書、文集，實出於此。

龐煖二篇 _{爲燕將。亡。}

---

① “殘”，原脱，據《集説》及商務版《講疏》補。
② 自“入”至“業因勢”，二十九字原脱，據《集説》補。

師古曰："煖音許遠反。"錢大昭曰："兵權謀家亦有《龐煖》
三篇。"

闕子一篇 亡。

王應麟曰："《御覽》、《藝文類聚》並引《闕子》。"周壽昌曰：
"《後漢·獻帝紀》注引《風俗通》：闕姓，闕党童子之後。縱橫
家有闕子。"

國筮子十七篇 亡。

秦零陵令信一篇[①] 難秦相李斯。亡。

陶紹曾曰[②]："信，令名。"

蒯子五篇 名通。亡。

王應麟曰："本傳：論戰國時説士權變，亦自叙其説，凡八十
一首，號曰《雋永》。"案，雋，鳥肥也。言之有味，如肥鳥。[③]

鄒陽七篇 亡。

姚明煇曰："《史記》、本書並有列傳，載諫吳王書一篇、獄中上
梁王書一篇。"

主父偃二十八篇 亡。

姚明煇曰："《史記》、本書並有列傳，載其上武帝書一篇。"

徐樂一篇 亡。

姚明煇曰："本書有列傳，亦見《史記·公孫弘主父偃傳》，皆
載其上武帝書一篇。"

莊安一篇 亡。

姚明煇曰："本書列傳稱嚴安，避後漢明帝諱也。亦見《史記·
公孫弘主父偃列傳》，皆載其上武帝書一篇。"案，《鄒陽》、《主

---

① "信"，原脱，據商務版《講疏》改。
② "紹"，原作"憲"，據王刻《補注》改。
③ "肥鳥"，《集説》作"鳥肥"。

父偃》當云殘，《徐樂》、《莊安》當云存。姚注明。顧注概云亡，誤也。

待昭金馬聊蒼三篇　趙人，武帝時。亡。

　　師古曰："《嚴助傳》作'膠蒼'，而此志作'聊'，未知孰是。"錢大昭曰："《廣韻》二蕭聊下引《風俗通》有聊倉，'爲漢侍中，著子書'，據此則作'膠'者非。"案，"聊"、"膠"音近，或可通假，如荆卿、慶卿之類。

右從橫十二家，百七篇。

從橫家者流，蓋出於行人之官。

　　《周禮·秋官》有大行人、小行人，蓋掌使之官。《韓非·五蠹篇》："從橫之黨，借力於國。從者，合衆弱以攻一强也；橫者，事一强以攻衆弱也。皆非所以持國也。"

孔子曰："誦《詩》三百，使於四方，不能專對，雖多亦奚以爲？"又曰："使乎！使乎！"言其當權事制宜，受命而不受辭，此其所長也。

　　姚明煇曰："受命不受辭，爲其能專對也。《史記·仲尼弟子列傳》：'子貢一出，存魯、亂齊、破吳、强晋而霸越；子貢一使，使勢相破。十年之中，五國各有變。'此孔門之從橫也。"爵案子貢使吳事，殆出從橫家傅會，不足信。孔門諸弟子忠於魯國，事詳《左傳》。余於《讀左隨筆》中已詳考之。《史記》、《越絕書》諸書皆未可信。

及邪人爲之，則上詐諼而棄其信。

　　師古曰："諼，詐言也。音許遠反。"顧實曰："邪人，蘇、張是也。春秋交聘，猶賦詩斷章，口道禮義忠信。及戰國，而此風絕矣。六國之士，懷才無所用，輒求逞於異邦。既逞矣，又復借異邦之力以反噬祖國。如蘇、張、商鞅之徒，類是其人也。豈非君子之道，淪喪已盡哉！故夫孔子遠矣，玄聖素王，將以自立也，奸七十二君而不遇，則退老尼山，制經立教，以待諸千萬世之後。"

雜

孔甲盤盂二十六篇 黃帝之史，或曰夏帝孔甲，似皆非。亡。

王應麟曰："《文選注》《七略》曰：'《盤盂書》者，其傳言孔甲爲之。孔甲，黃帝之史也。書盤盂中爲誡法。或於鼎，名曰銘。'蔡邕《銘論》：'黃帝有巾机之法，孔甲有盤杅之誡。'"案，《盤盂書》皆法誡之辭，爲韻文。蔡邕以爲銘文之祖，是當入之詩賦之類歌詩之首。漢時蘇伯玉《盤中詩》，蓋亦此體之遺也。

大帝三十七篇 傳言禹所作，其文似後世語。亡。

師古曰："帝，古'禹'字。"葉德輝曰："《説文》'禹'古文作'帝'，即此字。"顧實曰："《賈子·修政》與《周書·大聚》引'禹之禁'、《文傳篇》引夏箴，文俱相似，蓋皆在大禹書中。"王集成曰："雜家兼儒、墨，合名、法，而所録第二家即《大帝》三十七篇。夫禹之與名、法無關，不待言；觀其所事，亦墨多而儒少。班《志》録入雜家，蓋已以禹爲墨行矣。"

伍子胥八篇 名員，春秋時爲吳將，忠直遇讒死。疑。

周壽昌曰："兵技巧又有《伍子胥》十篇。"顧實曰："《越絕書》一說爲子胥作，其《内傳》八篇，今存六篇。審其文字，當即雜家之《伍子胥》書，而餘爲後漢袁康作也。"案，姚際恒《僞書考》引胡元瑞説已如此，存以備考。

子晚子三十五篇 齊人，好議兵，與《司馬法》相似。亡。

由余三篇 戎人。秦穆公聘以爲大夫。亡。

顧實曰："《史記·秦本紀》：由余，其先晉人，亡入戎。戎王使觀秦，秦繆公問曰：'中國以詩書禮樂法度爲政，然尚時亂，今戎夷無此,何以爲治?'由余曰'此乃中國所以亂也'云云,皆黃老淳樸清净之旨。是黃老之治,即戎夷之道,而雜家以道德爲歸,亦自由余啓之。"

尉繚子二十九篇　六國時。亡。

師古曰:"尉,姓;繚,名,音了,又音聊。劉向《別録》云:'繚爲商君學。'"[①]顧實曰:"兵形勢家有《尉繚》三十一篇,蓋非同書。《始皇本紀》'大梁人尉繚説秦王散財物,賂諸侯强臣',當爲雜家尉繚。"

尸子二十篇　名佼,魯人。秦相商君師之。鞅死,佼逃入蜀。亡。

王應麟曰:"《史記·孟荀列傳》'楚有尸子',注:'尸子,晋人,秦相衛鞅客。鞅死,亡入蜀。'《穀梁傳》、《爾雅疏》、《宋書·禮志》並引《尸子》。"王先謙曰:"班注'魯'字乃'晋'之譌。"顧實曰:"隋、唐《志》並著録,宋時亡。清汪繼培有輯本,孫星衍有校本。"

吕氏春秋二十六篇　秦相吕不韋輯智略士作。存。

《史記·吕不韋傳》:"是時諸侯多辯士,如荀卿之徒,著書布天下。吕不韋乃使其客人人著所聞,集論以爲八覽、六論、十二紀,二十餘萬言。以爲備天地萬物古今之事,號曰《吕氏春秋》。"高誘曰:"此書所尚,以道德爲標的,以無爲爲綱紀,以忠義爲品式,以公方爲檢格,與孟軻、荀卿、淮南、揚雄相表裏也。"案《史記》云"人人著所聞集論",集者,合也,合即雜也。雜家之義,本取集合。畢沅云"其書沈博絶麗,彙儒、墨之怡,合名、法之源",是其誼也。

淮南内二十一篇　王安。存。

師古曰:"内篇論道,外篇雜説。"沈欽韓曰:"其《要略》一篇,

---

① "繚",原作"繆",據《集説》改。

自叙也。《隋志》許慎、高誘兩家注並列，今惟存高注。《景十三王傳》云'淮南王安好書，所招致率多浮辯'，則是書之定評也。"案，今存内書二十一篇，其外書甚衆，此志云三十三篇，劉向校定。又稱十九篇，又有中篇八卷，言神仙黃白之術。今皆不傳。高誘《叙》云："安與蘇飛等八人及諸儒大山、小山之徒，講論道德，總統仁義而著此書，其旨近《老子》。"通行莊逵吉校本。近有劉文典《淮南鴻烈集解》本。

淮南外三十三篇 亡。

東方朔二十篇 殘。

《朔傳》曰："朔之文辭，《客難》、《非有先生論》最善，其餘有《封泰山》等，凡劉向所録具是矣。"師古云："向《别録》所載也。"顧實曰："本傳具述劉向所録朔書，無《七諫》。本志《詩賦略》亦無東方朔賦，蓋有漏略。"

伯象先生一篇 亡。

應劭曰："蓋隱者也。故公孫敖難以無益世主之治。"沈欽韓曰："公孫敖難伯象先生，見《御覽》八百十一引《新序》，今本無之。"王先謙曰："王氏《攷證》引此作《新序》，是宋末《新序》尚有之也。"

荆軻論五篇 軻爲燕刺秦王，不成而死，司馬相如等論之。亡。

王應麟曰："《文章緣起》'司馬相如作《荆軻讚》'，《文心雕龍》'相如屬筆，始讚荆軻'。"案，此論讚之文，與前《盤盂書》、後臣説所作賦，皆有韻之文，似皆宜入雜賦類，不當入雜家。

吳子一篇 亡。

公孫尼一篇 亡。

顧實曰："儒家《公孫尼子》蓋非同書。"

博士臣賢對一篇 漢世，難韓子、商君。亡。

臣説三篇 武帝時，作賦。亡。

師古曰:"説者,其人名,讀曰悦。"案班注云"武帝時所作賦",
此與《盤盂書》、《荆軻論》皆辭賦之文。沈濤乃以"賦"字爲誤
衍,非也。

解子簿書三十五篇　亡。

推雜書八十七篇　亡。

雜家言一篇　王伯,不知作者。亡。

班注"王伯",師古曰:"言伯王之道,伯讀曰霸。"案,伯,正字;
霸,借字。

右雜二十家,四百三篇。　入兵法。

陶憲曾曰:"'入兵法'三字上脱'出蹵鞠'三字。兵書四家,惟
兵技巧入《蹵鞠》一家二十五篇,而諸子家下適注'出蹵鞠一
家二十五篇',是《蹵鞠》正從此出而入兵法也。今脱'出蹵
鞠'三字,文法遂不可解,而諸子中所出《蹵鞠》,亦不知其出
自何家矣。"

雜家者流,蓋出於議官。

沈欽韓引《隋志》"雜家,蓋出史官之職"。説者謂《周禮》無議
官也。今案《周禮》,小司寇"致萬民而詢。一曰詢國危,二曰
詢國遷,三曰詢立君";又斷獄訟,亦有訊羣臣、訊羣吏、訊萬
民之法,是即古議官所始。本書《百官公卿表》,博士、郎中令
皆秦官。郎中令屬官有大夫,大夫掌論議,郎有議郎,[①]是皆
議官之職。而國有大禮、大政,往往諮於博士,是議官之由來
尚矣。又案《説文》"襍,五采相合也",今隸作"雜"。襍本會
合之義,凡《史》、《漢》言訟獄曰雜治之,猶今云會審也。雜家
之義,則取其會合衆家之説。

① "郎",原作"官",據《集説》及殿本《漢書》改。

兼儒、墨，合名、法，知國體之有此，見王治之無不貫，此其所長也。

> 師古曰：“治國之體，亦當有此襍家之説。王者之治，於百家之道無不綜貫。”案，曰國體、曰王政，知古之王政，綜貫百家，而議官之職，惟在博備，襍家之所從出益明矣。

及盪同“蕩”。**者爲之，則漫羨而無所歸心。**

> 錢大昭曰“漫衍”，案“漫羨”、“漫衍”皆疊韻辭。《天下篇》云“以卮言爲曼衍”，又云“其書雖瓌瑋，而連犿無傷也”。曼衍、連犿，皆放浪無涯之意。蓋爲雜家之學者，必中有所主，如高誘之論《吕覽》曰“標的”、曰“綱紀”，論《淮南》曰“總統”，皆雜而有宗主之義。雜而無主，則泛亂而無歸，其害深中於人心。故曰“無所歸心”，言心之不可不一也。

農

神農二十篇　六國時，諸子疾時急於農業，道耕農事，託之神農。亡。

> 師古曰：“劉向《別録》云：疑李悝及商君所説。”王應麟曰：“《孟子》‘有爲神農之言者許行’。《淮南子》曰：‘世俗尊古而賤今，故爲道者必託之神農、黄帝，而後人説。’本書《食貨志》、《管子》、《吕氏春秋》、《氾勝之書》皆引‘神農之教’，《劉子》引‘神農之法’。”案，神農《易》曰《連山》，《連山》首《艮》，《艮》象止。農者，安土重遷。黄帝《易》曰《歸藏》，《歸藏》首《坤》，《坤》性吝嗇。其理皆通轉交絡。是農亦原於道，其託之神農宜矣。

野老十七篇　六國時，在齊、楚間。亡。

> 王應麟曰：“《真隱傳》：六國時人，遊秦、楚間，年老隱居，著書言農事，因以爲號。”

宰氏十七篇　不知何世。亡。

葉德輝曰：“《史記·貨殖傳》集解云：‘計然者，葵丘濮上人，姓辛氏，字文子。其先晉國亡公子，南遊於越，范蠡師事之。’《元和姓纂》十五海宰姓下引此文作‘宰氏’，是唐時《史記集解》本作‘宰氏’。宰氏即計然，故農家無計然書。《志》云‘不知何世’者，蓋班所見乃後人述宰氏之説，非計然本書也。”案李暹注《文子》云：“姓辛，號曰計然。本受業於老子。”是計然即道家之學。①

董安國十六篇　漢代内史，不知何帝時。亡。

尹都尉十四篇　不知何世。亡。

王應麟曰：“劉向《別録》云：‘《尹都尉書》有《種芥》、《葵》、《蓼》、《韭》、《葱》諸篇。’《北史》蕭大圜云：‘穬菽尋氾氏之書，露葵徵尹君之録。’《唐志》有《尹都尉書》三卷。”沈欽韓曰：“《齊民要術·種穀篇》引氾勝之曰：‘區種驗美田、中田、薄田。尹澤取減法。’澤似其名也。”

趙氏五篇　不知何世。亡。

沈欽韓曰：“疑即《食貨志》趙過教田三輔者。《齊民要術》引崔實《政論》云：‘趙過教民，三犁共一牛，一人將之，日種一頃。至今三輔猶賴其利。’”

氾勝之十八篇　成帝時爲議郎。亡。

師古曰：“劉向《別録》云：‘使教田三輔，有好田者師之。’氾音凡，又敷劍反。”王應麟曰：“皇甫謐云：‘本姓凡氏，遭秦亂，避地氾水，因改焉。’《周禮·草人》注疏云：‘漢時農書有數種，《氾勝》爲上。’《月令》注、《後漢·劉般傳》注、《文選注》、《爾雅釋文》、《初學記》、《御覽》皆引之。”案，《齊民要術》

---

①　“學”，《集説》作“文子”。

尤多引之。周壽昌曰："《文獻通考》無其書，殆亡於宋末。近人洪頤煊有輯本。"

王氏六篇 不知何世。亡。

蔡癸一篇 宣帝時，以言便宜，至弘農太守。亡。

師古曰："劉向《別録》云邯鄲人。"

右農九家，百一十四篇。

農家者流，蓋出於農稷之官。播百穀，勸耕桑，以足衣食。故八政，一曰食，二曰貨。

姚明煇曰："《左傳》：烈山氏之子曰柱，[①]爲稷。自夏以上祀之。周棄亦爲稷，自商以來祀之。《國語》有農大夫、農正、農師，皆農官也。而稷爲大官。"案烈山，《禮記·祭法》作"厲山"，又作"連山"。

孔子曰"所重民食"，此其所長也。

師古曰："《論語》載孔子稱殷湯伐桀告天辭也。"何焯曰："顏注誤以武爲湯。"案《論語》文，人人所見，而小顏竟誤而不覺，[②]此等亦著書者所不免。

及鄙者爲之，以爲無所事聖王，欲使君臣並耕，誖上下之序。

師古曰："誖，亂也。音布內反。"案，"誖"爲《説文》本字，今經典通作"悖"。姚明煇曰："鄙者，如孟子所載許行是。"案，許行並耕之説，爲事理所必不能行。孟子闢之，已無可復立。今世社會學者"共產"之説，乃極與之相似，而其手段則暴虐殘忍，宜乎世界咸嚴厲以防遏之。顧其説標揭平民化，最使人心醉，是其與許行本論甚合也。然一考其行政，實則專制

---

① "之"，原作"死"，共和版《注解》同，中華書局 1980 年影印清阮元校刊《十三經注疏》本《春秋左傳正義》作"之"，今據改。

② "顏"，原誤作"言"，據《集説》改。

集權，刑法苛厲，有十百於君主時代者。然則班氏論鄙者並耕之説，無事王治，誖上下之序者，但即其所標揭之名論之。其實彼之爲政，仍尊無二上，而使億萬人屈伏乎其下，何嘗欲誖上下之序哉！

小説

伊尹説二十七篇　其説淺薄，似依託也。亡。

鬻子説十九篇　後世所加。亡。

顧實曰："道家名《伊尹》，名《鬻子》，此名《伊尹説》、《鬻子説》，必非一書。然亦可明道家、小説一本矣。"案，顧説甚塙，但"一本"二字尚未安。大抵古之小説家，多託於道家神仙之事，傅會詭異，以動人觀聽。所謂某某説者，即如近世所謂"演義"。其事既託於古，仍號爲伊尹、鬻子、天乙、黄帝。班氏云"淺薄似依託"、云"後世所加"、云"迂誕"，於小説深察其本矣。

周攷七十六篇　攷周事也。亡。

青史子五十七篇　古史官，記事也。亡。

王應麟曰："《風俗通義》引《青史子書》，《大戴禮·保傅篇》：'青史氏之《記》曰古者胎教。'《文心雕龍》曰：'青史由綴於街談。'"[1]周壽昌曰："賈執《姓氏英賢録》：晋太史董狐之子，受封青史之田，因氏焉。"

師曠六篇　見《春秋》，其言淺薄，本與此同，似因託之。

顧實曰："兵陰陽家有《師曠》八篇，蓋非同書。"錢大昭云："《説文》鳥部'南方有鳥，名曰羌鷖'條，疑出此書。"案，今世

---

　①　"由"，浙局本《漢志考》同，清成都勵志勉學講舍重刊本《文心雕龍》作"曲"，於義較勝。

《師曠禽經》雖疑唐代人作,①或亦有所本。

務成子十一篇　稱堯問,非古語。亡。

沈欽韓曰:"《韓詩外傳》五'堯學於務成子附'。"依《韓外傳》本文補。錢大昭曰:"《荀子·大略篇》:'舜學於務成昭。'《尸子》云:'務成昭教舜。'"又五行家有《務成子災異應》,房中家有《務成子陰道》。案,此皆依託道家之名也。

宋子十八篇　孫卿道宋子,其言黃、老意。亡。

王應麟曰:"《荀子》云'宋子有見於少,無見於多',注:'宋鈃,宋人也。'《孟子》作'宋牼'。"顧實曰:"《天下篇》與尹文並稱,其上説下教,强聒不舍,正小説家之模範也。《逍遥遊篇》又作'宋榮子'。'鈃'、'牼'、'榮'音近,古字通用。"

天乙三篇　天乙謂湯,其言非殷時,皆依託也。亡。

王應麟曰:"《賈誼書·修政語》'湯曰'云云,《史記·殷本紀》'湯曰予有言'云云。"顧實謂:"此賈誼、司馬遷所述也。使亦在此《天乙》書中者,班氏此注爲不辭。"案,古籍衆矣,賈、馬所引,未知所本,豈必在此小説篇中?

黃帝説四十篇　迂誕,依託。亡。

封禪方説十八篇　武帝時。亡。

沈欽韓曰:"此方士所本,史遷所云'其文不雅馴'。"案,《封禪書》備載諸方士祠神儀物,多爲儒士所不道,而此志列《封禪方説》於小説,其流別益明矣。

待詔臣饒心術二十五篇　武帝時。亡。

師古曰:"劉向《別録》云:饒,齊人,不知其姓,作書,名曰《心術》。"案,蓋言養心之術。

---

① "代",《集説》作"宋"。

待詔臣安成未央術一篇 亡。

應劭曰："道家也。好養生，爲未央之術。"案，蓋長生未央
之意。

臣壽周紀七篇 項國圉人，宣帝時。亡。

錢大昭曰："項國，疑'淮陽國'之譌。"

虞初周説九百四十三篇 河南人，武帝時以方士侍郎，號"黃車使者"。亡。

應劭曰："其説以《周書》爲本。"師古曰："初，洛陽人，即張衡
《西京賦》'小説九百，本自虞初'者也。"王應麟曰："《郊祀
志》：雒陽虞初等以方祠詛匈奴、大宛。"李善注《西京賦》引
曰："以方士侍郎，乘馬，衣黃衣，號黃車使者。"今本注有脱
落。案，虞初以方士侍天子，爲祠詛，其人之詭黠誕謾可知。
小説家奉以爲祖本，遂無不託爲神怪幽靈者。故於此察之，
一足覘當時社會心理，大多趨重於黃老、神仙、小説家，專以
投時尚、迎合心理爲務；一足考後代小説，必託之神仙、鬼怪
之所自來。沿及近世，小説一家遂專以迎合社會心理，轉移
一世矣。其力詎不大哉！

百家百三十九篇① 亡。

沈欽韓曰："《御覽》引《風俗通》'案《百家書》'，《後書·仲長
統傳》'百家褢説，今《統傳》作"百家褢碎"。請用從火'。"案《史記》
云"百家言黃帝，其文不雅馴"，蓋所謂《百家書》，亦必褢合諸
子怪異之談，而其旨亦託之黃老道術也。

右小説十五家，千三百八十篇。

小説家者流，蓋出於稗官。街談巷語，道聽塗説者之所造也。

如淳曰："《九章》'細米爲稗'。街談巷説，其細碎之言也。②
王者欲知閭巷風俗，故立稗官，使稱説之。"師古曰："稗，音稊

---

① "篇"，原作"卷"，據商務版《講疏》改。

② "言"，原作"甚"，據商務版《講疏》改。

稗之稗。稗官,小官,《漢名臣奏》'唐林請省置吏,公卿大夫至都官稗官各減什三'是也。"姚明煇曰:"古者聖人在上,史爲書,瞽爲詩,工誦箴諫,大夫規誨,士傳言而庶人謗。孟春,徇木鐸以求歌謠,道聽塗説,靡不畢紀。"案古制,瞽矇、賤工、野人、女子皆可爲詩歌謠諺,獻之采詩之官。此等細微末職,以及采詩之官,皆可謂之稗官。其職雖微末,而爲國家觀風俗、維教化、勸導齊民、諷諭君上,其用甚大。而其用一託之於小説,故曰"街談巷語,道聽塗説者之所造也",一"造"字説出作小説之真相。然則小説之本義,實爲國家教化之輔助。若其荒誕神怪之類,亦後來末流之弊耳。

孔子曰:"雖小道,必有可觀者焉。致遠恐泥,是以君子弗爲也。"然亦弗滅也。閭里小知者之所及,亦使綴而不忘。如或一言可採,此亦芻蕘狂夫之議也。

師古曰:"《論語》載孔子之言。泥,滯也,音乃細反。"周壽昌曰:"今《論語》作子夏語,此或是齊、古兩《論語》也。《後書》蔡邕上封事亦云:'孔子以爲致遠恐泥。'《隋志》亦引此語,作孔子不作子夏。"顧實曰:"子夏亦述孔子語,如'有子曰:君子務本,本立而道生',《説苑·建本篇》引作'孔子曰',是其例也。"

凡諸子百八十九家,四千三百二十四篇。 出蹵鞠一家,二十五篇。

凡本志亡佚之書,歷城馬國翰多有輯本,自儒家《漆雕子》起至小説家《宋子》止,具載《玉函山房叢書》,兹不備列。

諸子十家,其可觀者九家而已。

不數小説,一稱九流。

皆起於王道既微,諸侯力政,時君世主,好惡殊方。是以九家之術蠭出並作,各引一端,崇其所善,以此馳説,取合諸侯。其言雖殊,辟猶水火,相滅亦相生也。

師古曰:"辟讀曰譬。"

仁之與義,敬之與和,相反而皆相成也。

胡致堂謂:"仁義發端非異道,法則慘刻,名則苛繞,墨則二本,從橫則妾婦之道。其歸豈足要乎?"王應麟取其説以著班氏之言多舛。今案,仁義發端非異道,而其用則相反,一主愛,一主嚴;一如春,一如秋。雖一氣,而温、肅則異。至敬之與和,一禮一樂,禮主減,樂主盈;禮辨異,樂統同。其異用也,尤顯然。二者相與並行,無須臾而可離。班氏以水火相滅亦相生爲喻,可謂親切有味。至所舉法刻、名苛、墨二本、從橫妾婦云者,亦自其弊言之耳。若其本皆出古之官守,政令所施,師儒所習,何一而可廢乎?且法、名之用,近義與禮;墨之用,近義與仁;從橫之用,近智與信;而道則抱一秉要,運行百家。無爲無名之悟,孔子屢稱,故於《易大傳》著之曰:"天下同歸而殊塗,一致而百慮。"司馬談取之以論六家要指,班氏又用司馬之説,夫何間然?

《易》曰:"天下同歸而殊塗,一致而百慮。"今異家者各推所長,窮知究慮,以明其指。雖有蔽短,合其要歸,亦六經之支與流裔。使其人遭明王聖主,得其所折中,皆股肱之材已。

師古曰:"裔,衣末也。其於六經如水之下流,衣之末裔。"

仲尼有言:"禮失而求諸野。"方今去聖久遠,道術缺廢,無所更索。彼九家者,不猶痏於野乎?若能修六藝之術,而觀此九家之言,舍短取長,則可以通萬方之略矣。

漢書藝文志約説卷三

詩賦略

屈賦

屈原賦二十五篇　楚懷王大夫,有列傳。存。

沈欽韓曰:"自《離騷》至《大招》適二十五篇。《隋志》專列'楚詞'一家:'至漢王逸集屈原以下,迄於劉向。逸又自爲一篇,并序而注之,今行於世。隋時,有釋道騫善讀之,能爲楚聲,音韻清切。至今傳《楚詞》者,皆祖騫公之音。'"

唐勒賦四篇　楚人。亡。

《史記·屈賈列傳》:"屈原既死之後,楚有宋玉、唐勒、景差之徒者,皆好辭而以賦見稱。"案,宋玉、景差賦並見《楚辭》,勒賦今佚。

宋玉賦十六篇　楚人,與唐勒並時,在屈原後也。存。

《楚辭》:《九辨》、《招魂》。《文選》:《風賦》、《高唐賦》、《神女賦》、《登徒子好色賦》。《古文苑》:《大言》、《小言》、《釣》、《笛》、《諷賦》。張惠言謂《古文苑》所載出後人假託。《隋志》:《宋玉集》三卷。

趙幽王賦一篇　疑。

沈欽韓曰:"本傳作'歌'。"案趙幽王友,高帝諸姬之子。友以諸呂女爲后,不愛,爲呂后所囚,餓而作歌。而《志》云賦,歌詩類又不載,蓋古歌辭,與短篇賦體固相近。

莊夫子賦二十四篇　名忌,吳人。殘。

錢大昭曰:"即嚴夫子。此獨不諱,史駁文。"《楚辭》王逸云:

"《哀時命》者,嚴夫子所作也。游於梁,梁孝王甚重之。"

賈誼賦七篇 殘。

王應麟曰:"朱文公云:'賈太傅以卓然命世之材,俯就騷律,所出《惜誓》、《弔屈原》、《鵩鳥賦》三篇,皆非一時諸人所及。'《古文苑》有《旱雲》、《筍虡賦》。《隋志》:梁有《賈誼集》四卷。"

枚乘賦九篇 殘。

王應麟曰:"《文選》有《七發》。王粲《七哀詩》注有《臨霸池遠訣賦》。《隋志》:乘集二卷。"姚明煇曰:"《古文苑》載《梁王菟園賦》、《忘憂館柳賦》二篇。"案,《七發》亦賦類。

司馬相如賦二十九篇 殘。

王應麟曰:"《隋志》:集一卷。"葉德輝曰:"本傳有《子虛賦》、《哀二世賦》、《大人賦》。《文選》分《子虛》篇中'亡是公'以下爲《上林賦》。《文選》有《長門賦》。《藝文類聚》有《美人賦》。《文選‧魏都賦》注有《黎賦》。《北堂書鈔》有《魚葅賦》。"陶紹曾云:"《玉篇‧石部》有《梓桐山賦》。"案,見"礌碣"字下注。

淮南王賦八十二篇 殘。

王應麟曰:"《隋志》:集一卷。劉向《別錄》:淮南王有《熏籠賦》。"案,此王氏《攷證》文,王先謙《補注》引作周壽昌,誤。又《古文苑》有《屏風賦》一篇。

淮南王羣臣賦四十四篇 殘。

王應麟曰:"《楚辭‧招隱士》,淮南小山之所作也。淮南王安招致賓客八公之徒,分造詩賦,以類相從,或稱大山,或稱小山,如《詩》之有《大》、《小雅》。"

大常蓼侯孔臧賦二十篇 亡。

顧實曰:"《孔臧集》見儒家。偽《孔叢子》曰:'臧嘗爲賦二十四篇,四篇不在集。'末附《連叢》,載其四篇,未審何出。"

陽丘侯劉隁賦十九篇 亡。

齊召南曰:"案《王子侯表》,'陽'應作'楊','隁'應作'偃',齊悼惠王之孫,共安侯之子。"

吾丘壽王賦十五篇 亡。

王應麟曰:"《隋志》:梁有《虞丘壽王集》二卷。"案,儒家有《吾丘壽王》六篇,又《虞丘説》一篇,與此互見。壽王爲賦,見於孟堅《兩都賦序》。

蔡甲賦一篇 亡。

上所自造賦二篇 存。

王應麟曰:"《外戚傳》有《傷悼李夫人賦》,《文選》有《秋風辭》,《溝洫志》有《瓠子歌》。《隋志》:《武帝集》一卷。《唐志》:二卷。"

兒寬賦二篇 亡。

寬賦亦見稱於《兩都賦序》。

光禄大夫張子僑賦三篇 與王褒同時也。亡。

《王褒傳》:"上令褒與張子僑等並待詔。"子僑,《蕭望之傳》作"子蟜"。

陽成侯劉德賦九篇 亡。

錢大昭曰:"劉向之父。"王先謙曰:"表、傳俱作'陽城'。"案,《兩都賦序》稱宗正劉德,楚元王後。

劉向賦三十三篇 殘。

王應麟曰:"《楚辭》有《九歎》。《別録》曰:'向有《芳松枕賦》。'《古文苑》:《請雨華山賦》。《文選注》:《雅琴賦》。《隋志》:集六卷。《唐志》:五卷。"顧實曰:"《雅琴賦》疑即樂家所出之《琴頌》。"

王褒賦十六篇　殘。

本傳：字子淵，蜀人，有《聖主得賢頌》。又云："太子喜褒《甘泉》、《洞簫頌》，令後宮誦讀之。"案《洞簫頌》，《文選》作"賦"，可見賦、頌之名可通。又《駢體文鈔》有《僮約》及《責髯奴文》。

右賦二十家，三百六十一篇。

陸賦

陸賈賦三篇　亡。

顧實曰："《文心雕龍·才略篇》曰：漢室陸賈，首發奇采，賦《孟春》而選典、誥，其辨之富矣。"

枚皋賦百二十篇　亡。

乘之子。本書附《乘傳》云："皋爲文疾，爲賦頌好嫚戲，可讀者百二篇；其尤嫚戲不可讀者，尚數十篇。"

朱建賦二篇　亡。

儒家有《平原君》七篇，即建也。

常侍郎莊忽奇賦十一篇　枚皋同時。亡。

師古曰："《七略》云：忽奇者，或言莊夫子，或言族家子莊助昆弟也。從行至茂陵，告作賦。"

嚴助賦二十五篇　亡。

本書列傳："會稽吳人嚴夫子子，或言族家子也。"師古曰："上言莊忽奇，下言嚴助，史駁文。"案，儒家有《莊助》四篇。

朱買臣賦三篇　亡。

本書傳在《嚴助傳》後。

宗正劉辟彊賦八篇　亡。

楚元王孫，本書附《元王列傳》。

司馬遷賦八篇　殘。

王應麟曰："《藝文類聚》有《悲士不遇賦》。《隋》、《唐志》：遷集一卷。"

郎中臣嬰齊賦十篇 亡。

　道家有《郎中嬰齊》十二篇。

臣說賦九篇 亡。

　襍家亦有《臣說》三篇，互詳彼注。

臣吾賦十八篇 亡。

遼東太守蘇季賦一篇 亡。

蕭望之賦四篇 亡。

河南太守徐明賦三篇 字長君，東海人。元、成世歷五郡太守，有能名。亡。

　陶憲曾曰："徐明見《王尊傳》。"

給事黃門侍郎李息賦九篇 亡。

　錢大昭曰："非《衛霍傳》之李息。"

淮陽憲王賦二篇 亡。

　名欽，宣帝子。

揚雄賦十二篇 存。

　姚明煇曰："本書列傳載《反離騷》、《甘泉》、《河東》、《校獵》、
　《長楊》四賦及《解嘲》、《解難》二篇，《趙充國傳》載《趙充國頌》
　一篇。《文選》載《劇秦美新》一篇。《古文苑》載《太玄賦》、《蜀
　都賦》、《逐貧賦》三篇。《全上古三代秦漢六朝文》載《酒賦》一
　篇。"陶紹曾曰："《說文》氏部引揚雄賦'響若氏隤'，蓋《解嘲》古
　亦謂之賦也。"案《十二州箴》、《百官箴》亦當在賦類。賦者，古
　詩之流，凡主文託喻而行以韻者，古皆可名之曰賦爾。

待詔馮商賦九篇 亡。

　周壽昌曰："《藝文類聚》引《別錄》云：馮商作《鐙賦》。"案，商
　即續《太史公書》者，已見前春秋家。

博士弟子杜參賦二篇 亡。

　師古曰："劉向《別錄》云與長社尉杜參校中祕書。劉歆又云：

參,杜陵人,以陽朔元年病死,年二十餘。"

車郎張豐賦三篇　張子僑子。亡。

驃騎將軍朱宇賦三篇　亡。

師古曰:"《別録》云驃騎將軍史朱宇。"劉奉世云:"班《志》脱一'史'字。"

右賦二十一家,二百七十四篇。　入揚雄八篇。

荀賦

孫卿賦十篇　存。

王應麟曰:"《荀子·賦篇》:《禮》、《知》、《雲》、《蠶》、《箴》,又有《佹詩》。"案,荀賦止此五篇,爲賦家之椎輪。顧實云:"其《成相篇》亦賦之流也。"章學誠云:"荀卿《賦篇》列於三十二篇之内,不知所謂十篇者,取其《賦篇》與否? 曾用裁篇别出之法否? 著録不明,亦其疏也。"

秦時雜賦九篇　亡。

沈欽韓曰:"《文心雕龍·詮賦篇》云'秦世不文,頗有雜賦',本此。"

李思孝景皇帝頌十五篇[①]　亡。

廣川惠王越賦五篇　亡。

景帝子,有列傳。

長沙王群臣賦三篇　亡。

魏内史賦二篇　亡。

東暆令延年賦七篇　亡。

師古曰:"東暆,縣名。暆,音移。"案《地理志》,屬樂浪郡,今朝鮮也。王先謙曰:"延年亦見《溝洫志》。"

———————

① "思",原誤作"斯",據《集説》及商務版《講疏》改。

衛士令李忠賦二篇　亡。

張偃賦二篇　亡。

賈充賦四篇　亡。

張仁賦六篇　亡。

秦充賦二篇　亡。

李步昌賦二篇

　　錢大昭曰：“儒家有《鉤盾冗從李步昌》，疑即其人。”

侍郎謝多賦十篇　亡。

平陽公主舍人周長孺賦二篇　亡。

雒陽錡華賦九篇　亡。

　　師古曰：“錡，姓；華，名。”王應麟曰：“《左傳》‘殷民七族’有
　　錡氏。”葉德輝曰：“邵思《姓解》三有錡業，‘華’、‘業’字形近，
　　疑即此人。”案劉向外家封事，“葉陽”爲“華陽”之誤，可證
　　“華”、“業”形近易誤。

眭弘賦一篇　亡。

　　師古曰：“即眭孟也。眭音先隨反。”案，眭弘字孟，以言《春
　　秋》符讖誅。本書有傳。

別栩陽賦五篇　亡。

　　服虔曰：“栩音詡。”王應麟曰：“庾信《哀江南賦》‘栩陽亭有
　　離別之賦’，蓋亭名也。”沈濤云：“別栩陽當是姓別而封栩陽
　　亭侯者，若以爲別離之別，則當列之雜賦家矣。《志》兵陰陽
　　家有《別成子望軍氣》六篇。古有別姓，《姓苑》云京兆人。”王
　　先謙曰：“前漢無亭侯之制，沈説非。庾賦當有所本。”

臣昌市賦六篇　亡。

臣義賦二篇　亡。

黃門書者假史王商賦十三篇　亡。

侍中徐博賦四篇　亡。

黃門書者王廣呂嘉賦五篇　亡。

各家無注。案《百官表》，黃門與中書謁者、鈎盾皆宮中給事之官，有黃門令。此黃門書者，假史與黃門書者，當爲黃門官署掌書史文牘之小吏，如前"驃騎將軍史朱宇"爲驃騎將軍府中之史也。縱觀諸賦，作者多王侯公卿，惟博士弟子杜參、車郎張豐、驃騎將軍史朱宇、鈎盾冗從李步昌與此黃門書者、後左馮翊史路恭數人爲微官末職。然則士之卑賤，能奮起爭名於卿相大夫之林，亦難矣。

漢中都尉丞華龍賦二篇　亡。

王應麟曰："《蕭望之傳》：龍，宣帝時與張子蟜等待詔。"案，子蟜即前之張子僑。子僑名見《王褒傳》，其子名豐，爲車郎。

左馮翊史路恭賦八篇　亡。

右賦二十五家，[①]百三十六篇。

雜賦

客主賦十八篇　亡。

沈欽韓曰："子墨，客卿；翰林，主人。兼用其體。"案，昌黎《進學解》、近世鄭子尹《隸對》皆客主體。

雜行出及頌德賦二十四篇　亡。

雜四夷及兵賦二十篇　亡。

雜中賢失意賦十二篇　亡。

王先謙曰："'中'字同'忠'。《古文苑》有董仲舒《士不遇賦》，當即此類。"

雜思慕悲哀死賦十篇　亡。

---

① "家"，原脱，據《集說》及商務版《講疏》補。

雜鼓琴劍戲賦十三篇① 亡。

雜山陵水泡雲氣雨旱賦十六篇 亡。

師古曰：“泡，水上浮漚也。音普交反。”沈欽韓曰：“《古文苑》有董仲舒《山川頌》。”

雜禽獸六畜昆蟲賦十八篇 亡。

王應麟曰：“劉向《別錄》有《行過江上弋雁賦》、《行弋賦》、《弋雌得雄賦》。”

雜器械草木賦三十三篇 亡。

大雜賦三十四篇 亡。

“大”字，明本作“文”。

成相雜辭十一篇 亡。

王應麟曰：“《荀子·成相》注：‘亦賦之流也。’朱文公曰：‘凡三章，雜陳古今治亂興亡之效，②託聲詩以諷時君。相者，助也。舉重勸力之歌，史所謂五羖大夫死，舂者不相杵是也。’《淮南》亦有《成相篇》，見《藝文類聚》。”案，成相即今彈詞之祖，句皆三言、七言，便於瞽者彈唱。成相名義，朱子所説最爲精塙。王先謙《荀子集解》所引盧文弨、王引之、俞樾諸家之説，繁稱博引而不出朱子數言之範圍。然則漢學家動詡宋學，豈通識哉？

隱書十八篇 亡。

師古曰：“隱書者，疑其言以相問，對者以慮思之，可以無不諭。”王應麟曰：“《文心雕龍·諧讔篇》：‘讔者，隱也。遯辭以隱意，譎譬以指事也。楚莊、齊桓，性好隱語。至東方曼

---

① “鼓”，原誤作“古”，據商務版《講疏》改。
② “陳”，原誤作“成”，據浙局本《漢志考》及上下文意改。

倩，尤巧辭述。'《晋語》：'有秦客廋辭於朝。'①《新序》：'齊宣王發《隱書》而讀之。'"案，隱書即今謎語、燈虎之祖，俗曰猜謎。

右雜賦十二家，二百三十三篇。

歌詩

高祖歌詩二篇　存。

王應麟曰："《大風歌》、《鴻鵠歌》。《大風歌》亦名《三侯之章》。"案《樂書》名《三侯之章》，《索隱》云：②"侯與兮皆語辭。"歌有三兮，故名三侯。

泰一雜甘泉壽宮歌詩十四篇　存。

王應麟曰："《史記·樂書》：'今上即位，作十九章。令侍中李延年次序其聲，拜爲協律都尉。通一經之士，不能得知其辭，皆集會五經家，相與共講習讀之，乃能知其意，多爾雅之文。'本書《禮樂志》：'多舉司馬相如等數十人，造爲詩賦，略論律呂，以合八音之調，作十九章之歌。'"案，十九章之歌，見《禮樂志》；泰一、甘泉、壽宮，並見《郊祀志》，皆神君祠名。神君最貴者曰泰一。

宗廟歌詩五篇　存。

漢興以來兵所誅滅歌詩十四篇　疑。

王先謙曰："疑即《漢鼓吹鐃歌》諸曲也。《宋書·樂志》所錄十八曲，多舊題被新聲，蓋擬古樂府之祖。其中《戰城南》、《遠如期》等曲，當是原歌詩。"馬氏《文獻通考》曰："後漢明帝改樂爲四品，其四曰短簫鐃樂，軍中用之。魏晋以來，倣其制

---

① "廋"，原作"庚"，據《漢藝文志考證》改。
② "索"，原誤作"家"，據清同治金陵書局本《史記》改。

而易其名，專敘伐叛討亂之如魏短簫鐃歌有《戰滎陽》、《克官渡》之類。"案，短簫鐃歌二十二曲，半漢之軍樂，此所云兵所誅滅歌詩，即誇美軍功之詩。後漢所改者大氐即本於此。鐃，《說文》"小鉦也"，《廣雅》"鈴也"。《周禮·鼓人》注："如鈴。無舌而有秉，執而鳴之，以止擊鼓。"《廣韻》：女交切，音呶。

出行巡狩及游歌詩十篇 疑。

王先謙曰："蓋武帝《瓠子》、《盛唐》、《樅陽》等歌，鐃歌《上之回》曲，當亦在内。"案，《通考》云："鐃歌不僅爲軍中樂，若《上之回》則巡幸之事也。"又案，《瓠子》等歌爲武帝所作，似與《上所自造賦》相複。此類似當爲羣臣紀巡幸之作，如唐人應制詩之類。

臨江王及愁思節士歌詩四篇 亡。

王應麟曰："陸厥《擬臨江王節士歌》。"沈欽韓曰："當爲臨江閔王榮作。"王先謙曰："李白亦有《擬臨江王節士歌》，但陸、李專詠節士，而不及臨江。庾信《哀江南賦》'臨江王有愁思之歌'，則似王思節士，而于志文'及'字未合，疑皆未見本詩者。"案，陸厥，齊人；李白，唐人，皆深于樂府者，必得本題原意。臨江閔王榮爲武帝異母兄，以侵廟壖地爲宮，爲中尉郅都簿責，自殺。當時帝尊酷吏，殘骨肉至冤痛，觀本傳言"江陵父老流涕"，又云"百姓憐之"，知當時多有痛之者。韓安國亦言之悲悼，語見《安國傳》。所謂節士，殆爲王之忠臣。正如韓安國之於梁王、欒布之於彭王者爾。

李夫人及幸貴人歌詩三篇 疑。

沈欽韓曰："《外戚傳》有《是耶非耶詩》，《拾遺記》有《落葉哀蟬曲》，①未審其真偽。"王先謙曰："《樂府》有陸厥《擬李夫人

---

① "蟬"，原作"悼"，據《漢書疏證》改。

及貴人歌》。"①

詔賜中山靖王子噲及孺子妾冰未央材人歌詩四篇　亡。

師古曰："孺子，王妾之有品號者。妾，王之衆妾也。冰，其名。才人，天子内官。"王先謙曰："《樂府》有陸厥《擬中山孺子妾歌》，郭茂倩云：'歌詩賜中山王及孺子妾、未央才人等爾。累言之，故云及。而陸謂之中山孺子妾，失之遠矣。'案，孺子妾疑即中山王宫人。《文選》陸厥歌注：'孺子，幼少稱也。'"

吳楚汝南歌詩十五篇　疑。

王先謙曰："《晋志》'吳歌雜曲，並出江南'，《宋志》'南'作'東'。《文選·吳都賦》'荆艷楚舞'，劉注：'艷，楚歌也。吳趨、楚艷並以音調言。'"案，古之江南爲今之湖、湘間，江水之南也。"江南可采蓮"，皆謂此。後世所謂江南者，蓋起于唐人之江南道，並江東亦入之，于地形爲舛。《晋志》以吳爲江南，唐人語也。《宋志》尚稱江東，齊、梁人猶古名也。又案《史記》，吳爲東楚，彭城爲西楚，汝南故與吳、楚一類，《樂府·鷄鳴歌》云"汝南晨鷄登壇唤"，即此歌也。

燕代謳雁門雲中隴西歌詩九篇　亡。

王先謙曰："曹植、陸機《擬出自薊北門行》。薊，故燕國也。"沈欽韓曰："《宋志》有《雁門太守行》，《樂府·瑟調曲》有《隴西行》。"

邯鄲河間歌詩四篇　疑。

沈欽韓曰："崔豹《古今注》'《陌上桑》，邯鄲女名羅敷作'。《琴操》有《河間雜歌》。"王先謙曰："《禮樂志》有邯鄲鼓員。陸厥有《擬邯鄲行》。"

---

① "歌"，原作"賦"，據《漢書補注》及上下文意改。

齊鄭歌詩四篇 亡。

沈欽韓曰："《禮樂志》有齊四會員、齊謳員、鄭四會員，《樂府》有《齊謳行》。"

淮南歌詩四篇 亡。

《禮樂志》有淮南鼓員。

左馮翊秦歌詩三篇 亡。

京兆尹秦歌詩五篇 亡。

《禮樂志》有秦倡員。《樂府》有《擬左馮翊歌》、《擬京兆歌》。案，馮翊、京兆而無扶風，當爲缺佚。晋劉昆有《扶風歌》，當是舊題。

河東蒲反歌詩一篇 亡。

王先謙曰："郭茂倩《樂府》引《古今樂録》云'王僧虔《技録》有《蒲坂行》'，陸厥、刘遵並擬之。"案，"反"同"坂"，借字也。

黃門倡車忠等歌詩十五篇 疑。

《通考》："東漢定樂四品，三曰黃門鼓吹樂，天子宴羣臣用之。"案，本書《禮樂志》言武帝時，有黃門名倡，丙彊、景武之屬。此車忠，亦當時名倡也。

雜各有主名歌詩十篇 亡。

雜歌詩九篇 亡。

沈欽韓曰："《樂府》有《襍曲歌辭》。吴兢舉《樂府·襍題》有不知所起者，又有無本詞者。"

雒陽歌詩四篇 亡。

河南周歌詩七篇 亡。

河南周歌聲曲折七篇 亡。

王先謙曰："聲曲折即歌聲之譜。唐云樂句，今曰板眼。《宋書·樂志》云：'詩章辭異，興廢隨時，至其韻逗曲折，皆繫於舊，是以一皆因就，不敢有所改易。'又云：'今既散亡，音韻曲

折,又無識者。'其載今鼓吹鐃歌詞三曲,即歌聲譜式,所謂樂
人以聲音相傳詁,不可復解者也。"

周謠歌詩七十五篇 亡。

周謠歌詩聲曲折七十五篇 亡。

諸神歌詩三篇 亡。

送迎靈頌歌詩三篇[①] 亡。

沈欽韓曰:"後之迎送神弦歌本此。"

周歌詩二篇 亡。

南郡歌詩五篇 亡。

王先謙曰:"《樂府》有陸厥《擬南郡歌》。"案,《南郡歌詩》當在
前《淮南歌詩》之前後,此錯簡也。

右歌詩二十八家,三百一十四篇。

凡詩賦百六家,千三百一十八篇。 入揚雄八篇。

傳曰:"不歌而頌謂之賦,登高能賦,可以爲大夫。"

姚明煇曰:"歌,詠也。言引其聲以詠也。誦,諷也。倍文曰
諷,以聲節之曰誦。《毛詩·定之方中》傳曰:'建邦能命龜,
田能施命,作器能銘,使能造命,升高能賦,師旅能誓,山川能
説,喪紀能誄,祭祀能語:君子能此九者,可以爲大夫。'"案,
此原賦之名所自始。賦本詩之流,六義之一,賦之言鋪也,敷
也,義主鋪陳,故其後遂衍爲巨製。

言感物造耑,材知深美,可與圖事,故可以爲列大夫也。古者諸
侯卿大夫交接鄰國,[②]**以微言相感,當揖讓之時,必稱《詩》以諭**
其志,[③]**蓋以別賢、不肖而觀盛衰焉。故孔子曰"不學《詩》,無以**

---

① "詩",原脱,據《漢書藝文志集説》及《漢書藝文志講疏》補。
② "交",原脱,據《漢書藝文志講疏》補。
③ "諭",原作"輸",據《漢書藝文志集説》及《漢書藝文志講疏》改。

言”也。春秋之後，周道寖壞，聘問歌詠不行於列國。學《詩》之士，逸在布衣，而賢人失志之賦作矣。大儒孫卿及楚臣屈原，離讒憂國，皆作賦以風，咸有惻隱古詩之義。[①]

> 師古曰：“離，遭也。風讀曰諷，次下亦同。”王念孫曰：“‘風’下原有‘諭’字，下文云‘没其風諭之義’，正承此言之。《文選》皇甫謐《三都賦》序注、《藝文類聚》、《御覽》引此並作‘風諭’。”案，此著荀、屈爲賦家之始。

其後宋玉、唐勒。漢興，枚乘、司馬相如，下及揚子雲，競爲侈麗閎衍之詞，没其風諭之義，是以揚子悔之，曰：“詩人之賦麗以則，辭人之賦麗以淫。如孔氏之門人用賦也，則賈誼登堂，相如入室矣。如其不用何？”

> 文見《揚子法言・吾子篇》。王念孫云：“‘門’下‘人’字，涉上文兩‘人’字而衍。此文出《法言・吾子篇》，《法言》亦無‘人’字。”

自孝武立樂府而採歌謡，於是有代、趙之謳，秦、楚之風，皆感於哀樂，緣事而發，亦可以觀風俗、知厚薄云。

> 本書《禮樂志》：“乃立樂府，采詩夜誦，有趙、代、秦、楚之謳，以李延年爲協律都尉。”案，自《國風》響息，而樂府采郡國歌謡，各以其地係之，如本志所列吴楚汝南、燕代，以至南郡。其區域分合，與《地志》山川形勢相符，是儼如三百篇之十五國風，而又分置謳員，以肄習之，是亦三百篇皆被弦歌之遺制。學者以此志與《禮樂志》比而觀之，漢代樂府可略見矣。

序詩賦爲五種。

> 屈原、陸賈、荀卿、襍賦、歌詩五種也。[②] 前三種區别之義例，

---

① “詩”，原脱，據《漢書藝文志集説》及《漢書藝文志講疏》補。
② “歌詩”，原誤倒，據上下文意乙正。

《志》未明著。今取各家所説，略述於下。章氏《校讐通義》曰：“《漢志》‘詩賦’一略，區爲五種，而每種之後，更無叙論，不知劉、班之所遺耶？抑流傳之脱簡耶？今觀《屈原賦》以下二十家爲一種，[①]《陸賈賦》以下二十一家爲一種，《孫卿賦》以下二十五家爲一種，當日必有其義例，今闕焉無聞，非著録之遺憾歟？”案，荀卿、屈原，賦家之祖，而華樸不同，其區別當以此。惟荀賦之屬二十四家全佚，其文既不可見；若陸賈之作，尤無可考。其間如賈誼、枚乘、司馬相如、劉向、王襃之倫，屬之屈賦一種，而枚皋、司馬遷、揚雄乃屬之陸賦一種，其區別之義例殊未可曉。據班氏《兩都賦序》云：“言語侍從之臣，若司馬相如、虞丘壽王、東方朔、枚皋、王襃、劉向之屬，朝夕論思，日月獻納。而公卿大臣御史大夫兒寬、太常孔臧、大中大夫董仲舒、宗正劉德、太子太傅蕭望之等，時時間作。”西漢賦家略具梗概，而未見區分之意。清張惠言《七十家賦鈔序》則云：“趙人荀卿、楚人屈原，引辭表指，譬物連類，不謀同稱，並名爲賦。其稱賈誼，原出於屈平，相如原出於宋玉，揚雄則恢，司馬相如之爲賈、馬、揚。三家之不可分，而當同屬于屈之類，亦明矣。”劉師培《南北文學不同論》云：“屈原、陸賈，籍隷荆南，一主抒情，一主騁辭，皆爲南人之作。[②] 荀卿生長趙土，所作之賦，偏于析理，則爲北方之文。”斯固得其崖略，然要亦未可定爲置易。蓋以賈誼之文，剛健篤實；劉向之文，樸厚衍夷者，皆列于南派，屈賦家又不可通也。吾是以折衷諸家，遠則仍據孟堅，而近取皋文、實齋，以爲得其真際。至若

---

① “下”，原脱，據民國嘉業堂劉氏《章氏遺書》本《校讐通義》及上下文意補。

② “作”，原誤作“侣”，據民國《劉申叔先生遺書》本《南北文學不同論》及上下文意改。

編列次第,《校讐通義》援班氏“賦者,古詩之流”、劉勰“六義附庸,蔚爲大國”之語以爲義,當列詩于前,叙賦於後。抑知時有禪代,體異洪纖,宣尼編《詩》,殿《商頌》于《周》、《魯》;《戴記·經解》,後《易》教於《詩》、《書》,各有取義,未容膠柱。又況趙幽王之賦,傳乃名歌;王子淵之賦,傳亦稱頌。是則體有殊別,而名或相通,尤宜于支派分歧之中,討尋其波瀾莫二者已。

漢書藝文志約説卷四

兵書略

兵權謀

吳孫子兵法八十二篇　圖九卷。殘。

師古曰："孫武也。臣于闔廬。"《史記》："孫武子者,齊人也,以兵法見于闔廬。闔廬曰:'子之十三篇,吾盡觀之矣。'太史公曰:世俗所稱師旅,皆道《孫子》十三篇。"《正義》引《七録》云:"《孫子兵法》三卷,十三篇爲上卷,又有中、下二卷。"王先謙曰:"十三篇,蓋以吳王言得名,而中、下卷文多見于諸家徵引,[①]蓋唐、宋時書尚存也。"

齊孫子八十九篇　圖四卷。亡。

師古曰孫臏。王應麟曰:"《通典》引孫臏曰:'用騎有十利。'《吕氏春秋》云:'孫子貴勢。'"案,《史記》附見《孫武傳》。顧實曰:"道家《孫子》,蓋非同書也。"案,兵家原出於道,道家孫子,班云六國時。安知與此非一人互見之事乎?[②]

公孫鞅二十七篇　亡。

王先謙曰:"《荀子·議兵篇》:'秦之衛鞅,世俗所謂善用兵者也。'章學誠云:'《商君·開塞》、《耕戰》諸篇可互見于兵書之權謀條,此古史治書裁篇別出之法。'"王時潤云:"商君以法家而兼兵、農,故務驅民于耕、戰。"

---

①　"諸",原作"襟",據《漢書補注》改。
②　"事",原作"書",據《漢書藝文志集説》改。

吴起四十八篇　有列傳。疑。

《史記》曰：“《吴起兵法》世多有，故弗論。”沈欽韓曰：“今存者六篇，《文選注》兩引，俱作三十八篇。”

范蠡二篇　越王句踐臣也。亡。

王應麟曰：“《甘延壽傳》‘投石拔距’注引《范蠡兵法》，《左傳·桓五年》疏引《范蠡兵法》作飛石。吕東萊云：‘《越語》下篇所載范蠡之詞，多與《管子·勢篇》相出入。’”

大夫種二篇　與范蠡俱事句踐。亡。

沈欽韓曰：“《吴越春秋》‘大夫種言滅吴者有九術’，《越絶書》同。《史記》作‘七術’。”

李子十篇　亡。

沈欽韓曰：“疑李悝。”王時潤云：“農家《神農》二十篇，劉向《别録》以爲疑李悝、商君所説。然則謂商君法家而兼兵、農，信而有徵。”今案，此《李子》與上《公孫鞅》，一爲李悝，一爲商君，確然無疑。汲古閣本“李”作“季”者，誤也。

娷一篇　亡。

師古曰：“娷音女瑞反，蓋説兵法者人名也。”

兵春秋三篇　亡。

龐煖三篇　疑。

沈欽韓曰：“《鶡冠子》言龐子問兵法，疑即煖書。又有悼襄王、武靈王問。武靈王問作‘龐焕’，注云煖兄。”今案，古縱横家有《龐煖》，班注云燕將，與此蓋一人一書。古人學術相通，劉、班著録例有互見，如《鶡冠子》亦道家互見者也。又案《史記·孫武傳》有龐涓，爲魏將，在惠王時，死於馬陵。煖與兄焕或其後歟？

兒良一篇 _{亡。}

師古曰：“六國時人也。兒音五溪反。”王先謙云：“《呂覽·慎勢篇》‘王廖貴先，兒良貴後’[1]，亦見《賈誼傳》。”

廣武君一篇 _{李左車。亡。}

沈韓欽曰：“疑即《淮陰侯傳》中問對事。”

韓信三篇 _{亡。}

師古曰：“淮陰侯。”

右兵權謀十三家，[2]**二百五十九篇。** _{省《伊尹》、《太公》、《管子》、《孫卿子》、《鶡冠子》、《蘇子》、《蒯通》、《陸賈》、《淮南王》二百五十九種，出《司馬法》入禮也。}

案目，《吳孫子兵法》八十二篇下注“圖九卷”，《齊孫子》八十九篇下注“圖四卷”，此總目二百五十九篇，下當有“圖十三卷”四字。以下形勢、陰陽兩家例之，此處當補班注“二百五十九種”。劉奉世曰：“‘種’字誤，當作‘二百五十九篇重’。”案，今《伊尹》、《太公》、《管子》、《鶡冠子》在道家，《孫卿》、《陸賈》在儒家，《蘇子》、《蒯通》在縱橫家，《淮南》在襍家。陶憲曾云：“蓋《七略》中《伊尹》以下九家，其全書入儒、道、縱橫、襍各家，又擇其中之言兵謀者，重入於此，共得二百五十九篇。班氏存其專家各書，而於此則省之。故云省二百五十九篇重也。”案，兵家本道家之支流，儒家亦重言兵，縱橫與襍更不待言。劉向父子于九家重複箸錄，正所以申明學術源流與其互通之故，章氏《校讎通義》論之詳矣。至《司馬法》出於兵家，入於禮家，冠以“軍禮”二字，尤爲班氏特識。説已見前。鄭樵、焦竑反議其失，此非知班氏者。

---

① “貴”，原誤作“最”，據《漢書補注》改。

② “謀”，原誤作“襍”，據《漢書藝文志講疏》改。

權謀者，以正守國，以奇用兵，先計而後戰，兼形勢，包陰陽，用技巧者也。

《老子》"以正治國，以奇用兵"，姚鼐云："清淨爲天下正，故以正治國。奇者，餘也，零餘之道，備而不施，以是用兵。世以奇譎解之，大謬。"姚鼐氏説固善，顧老氏静重守雌之術，自古善用兵者皆師之，況伊尹、太公爲兵權謀之祖，寔三代以來相傳之學術。韓非刑名而其歸本於黄老，是皆古人辨章學術之至明者。

兵形勢

楚兵法七篇　圖四卷。亡。

沈欽韓曰："孫叔敖稱《軍志》，楚之兵法尚矣。"

蚩尤二篇　見《吕刑》。亡。

王應麟曰："《高帝紀》'祠黄帝、祭蚩尤于沛庭'，注應劭曰：'蚩尤，古天子，好五兵。'臣瓚曰[①]'蚩尤，庶人之貪者。'《管子・五行篇》'黄帝得蚩尤而明于天道'，則黄帝六相，亦有蚩尤。"朱駿聲曰："鄭注《吕刑》云：'蚩尤霸天下，黄帝所伐者。學蚩尤者，九黎之君，在少昊之代。'是黄帝擒于涿鹿者，一蚩尤；九黎之君，又一蚩尤。如堯時有羿，夏時亦有羿。蚩尤造兵，羿善射，慕此相襲爲名。"[②]案，朱説蚩尤甚明晰，此志云"蚩尤見《吕刑》"，是少昊時九黎之君也。《天文志》有"蚩尤之旗見則王者征伐四方"。蓋蚩尤暴亂，人久而畏之，且傳其兵法也。

---

① 《漢書藝文志集説》及《漢藝文志考證》無"臣"。
② "慕"，原作"萊"，據《漢書藝文志集説》及《漢書補注》改。

孫軫五篇　圖五卷。亡。

繇叙二篇　亡。

王應麟曰：“《古今人表》‘繇余’即‘由余’，此‘叙’疑當作‘余’。李筌《太白陰經》云：‘秦由余，有陣圖。’”案，襍家有《由余》，與此一人。

王孫十六篇　圖五卷。亡。

沈欽韓曰：“太史公《律書》自序‘《司馬法》所從來尚矣。太公、孫、吳、王子能紹而明之’，徐廣云王子成甫。此王孫，疑王子也。”①案，《左傳》作“城父”。

尉繚三十一篇　疑。

沈欽韓曰：“《隋志》襍家《尉繚子》五卷，梁惠王時人。今案，其書自《天官》至《兵令》二十四篇，並言兵形勢，②不當入襍家。《隋志》蓋誤承《漢志》兩見，不知襍家者先亡耳。”襍家尉繚當爲《始皇本紀》所稱大梁人尉繚。

魏公子二十一篇　圖十卷。名無忌，有列傳。亡。

王應麟曰：“《史記》：‘諸侯之客，各進兵法，公子皆名之，故世俗稱《魏公子兵法》。’《集解》引《七略》云圖七卷。”案，七、十字形似，未知孰是。

景子十三篇　亡。

沈欽韓曰：“《楚策》‘楚王使景陽將’。③《淮南‧氾論》：‘景陽淫酒，被髮而御于婦人，威服諸侯。’”

李良三篇　亡。

良爲趙將，降於秦章邯，事見《張耳陳餘傳》。

---

① “疑”，原誤作“發”，據《漢書藝文志集説》及《漢書疏證》改。

② “並”，原誤作“至”，據《漢書藝文志集説》及《漢書疏證》改。

③ 該引文實在《燕策》。

丁子一篇　<small>亡。</small>

　　沈欽韓曰：“疑即丁固。”案，丁固即丁公，爲高帝所斬，未必有
書。《儒林傳》“丁寬爲梁將，號丁將軍”，丁子或即寬也。

項王一篇　<small>名籍。亡。</small>

右兵形勢十一家，九十二篇，圖十八卷。

　　案目，當作二十四卷。①

形勢者，靁動風舉，後發而先至，離合背鄉，變化無常，以輕疾制
敵者也。

　　師古曰：“鄉讀曰嚮。”

兵陰陽

太壹兵法一篇　<small>亡。</small>

　　王應麟曰：“《隋》、《唐志》：《黃帝太一兵曆》一卷。《武經總
要》：‘太一者，天帝之神也。’”即帝星。

天一兵法三十五篇　<small>亡。</small>

　　王先謙曰：“天一亦星名，見《天文志》。”

神農兵法一篇　<small>亡。</small>

　　沈欽韓曰：“《越絕》風胡子曰：‘神農以石爲兵。’”

黃帝十六篇　<small>圖三卷。亡。</small>

　　沈欽韓曰：“《太白陰經》云：‘黃帝設八陣之形。’《隋志》：《黃
帝問玄女兵法》四卷、《黃帝兵法襐要訣》一卷。”

封胡五篇　<small>黃帝臣，依託也。亡。②</small>

　　王應麟曰：“《通典》：‘《衛公兵法·守城篇》云：禽滑釐問墨

---

　　①　“作”後疑脱“圖”字。
　　②　“亡”，原脱，據《漢書藝文志集説》及《漢書藝文志講疏》補。

翟守城之具，墨翟答以五十六事，[①]皆煩冗不便于用。其後韋孝寬守晉州、羊偘守臺城，皆約封胡子伎巧之術。’”

風后十三篇　圖二卷。黃帝臣，依託也。亡。

王應麟曰：“鄭康成云：‘風后，黃帝之三公也。’《館閣書目》：《風后握機》一卷。《李靖問對》曰：‘黃帝兵法，世傳《握奇》。’《武經總要》云：‘風后演遁甲，究鬼神之奧。’”《四庫》著録《風后握奇經》一卷，《提要》謂唐、宋以後晚出僞書。

力牧十五篇　黃帝臣，依託也。亡。

道家亦有《力牧》二十二篇。沈欽韓云：“《淮南·覽冥訓》：‘黃帝治天下，而力牧、太山稽輔之。’《抱朴子》云：‘黃帝精推步，則訪山稽、力牧。’”案，此與道家《力牧》，蓋亦互見之書。

鵊冶子一篇　圖一卷。亡。

晉灼曰：“鵊音夾。”沈欽韓曰：“《抱朴子·極言篇》：黃帝救傷殘，則綴金冶之術。”案，據此則“冶”或作“治”者誤也。

鬼容區三篇　圖一卷。黃帝臣，依託也。亡。

師古曰：“即鬼臾區也。”王應麟曰：“《封禪書》‘鬼臾區號大鴻’。容、臾聲相近。”案，鵊冶救傷殘，鬼臾區與黃帝論醫術，風后、力牧之倫，並爲推步占候。大氏古行軍必有醫，而醫必通於巫。近代軍中猶然，如湘人辰州祝由科。他書記載蒙古神醫，皆類此。

地典六篇　亡。

王應麟曰：“《後漢·張衡傳》‘師天老而友地典’，注引《帝王世紀》：‘天老、地典皆賢人之名。’”

孟子一篇　亡。

沈欽韓曰：“下五行家有《猛子閭昭》，疑此是《猛子》。”

---

① “五十六”，《漢藝文志考證》作“五六十”。

東父三十一篇　亡。

沈欽韓曰：“《續天文志》星官之書，有魏石申父。東父，無攷，疑即申父也。”

師曠八篇　晉平公臣。亡。

王應麟曰：“《後漢·蘇竟傳》云《師曠襃事》，注：‘襃占書也。’”

萇弘十五篇　周史。亡。

王應麟曰：“《淮南子》：‘萇弘、師曠先知禍福。’《史記·天官書》：‘昔之言天數者，周室史佚、萇弘。’《封禅書》：‘周人之言方怪者自萇弘。’”

別成子望軍氣六篇　圖三卷。亡。

王先謙曰：“別成子，蓋別姓。望軍氣，略見《天文志》。”案，望氣聽律，《左氏》均有之，其傳古矣。

辟兵威勝方七十篇　亡。

沈欽韓曰：“《隋志》：梁有《辟兵法》一卷。《抱朴子·襃應篇》‘或問辟兵’。”案，辟者，壓勝之意。

右陰陽十六家，二百四十九篇，圖十卷。

錢大昭曰：“陰陽上當有‘兵’字，下文‘陰陽者’亦脫‘兵’字。前諸子十家已有陰陽家，此兵陰陽家，故當有‘兵’字。”

陰陽者，順時而發，推刑德，

王應麟曰：“《尉繚子·天官篇》對梁惠王問刑德云：‘刑以伐之，德以守之，非所謂天官、時日、陰陽、向背也，人事而已矣。’《淮南·兵略訓》‘順招搖，挾刑德’，注：‘刑，十二辰；德，十日也。’”案趙注《孟子》：“天時，謂時日、①支干、五行、王

---

①　“時”，原誤作“十”，據《漢書藝文志集說》及清阮元校刻《十三經注疏》本《孟子注疏》改。

相、孤虛之屬也。"焦氏《正義》云："時，十二辰，地支也；日，十日，①天干也。"此皆五行生剋之説。

隨斗擊，

姚明煇曰："《淮南·天文訓》曰：'北斗所擊，不可與敵。'又《尉繚·天官篇》：'楚與齊戰，時有彗星出，柄在齊。柄所在勝，不可擊。'此皆斗擊之説。"案《淮南》所云"順招搖"，蓋即"隨斗擊"之説。古陰陽術數皆尊北斗，《王莽傳》"鑄作威斗"，"莽旋席隨斗柄而坐"，"之漸臺，猶抱持符命、威斗"。莽好古兵法，此即"順招搖隨斗擊"之實事。諸家説均未明。

因五勝，假鬼神而爲助者也。

師古曰："五行相勝也。"

兵技巧

鮑子兵法十篇 圖一卷。亡。

五子胥十篇 圖一卷。亡。

錢大昕曰："五，古'伍'字。《吕氏春秋》'伍員亡荆'。"王先謙曰："《文選》顔延年詩注、張協《七命》注、《御覽》並引子胥水戰法，言出《越絶書》，今《越絶書》無。"

公勝子五篇 亡。

姚明煇曰："疑即公輸子。勝、輸雙聲。"葉德輝曰："次《五子胥》後，疑楚昭王時之白公勝也。"

苗子五篇 圖一卷。亡。

逢門射法二篇 亡。

師古曰："即逢蒙。"王應麟曰："《龜策傳》注引《七略》，有《逢門射法》。後之言姓者，皆作'逢'。"朱駿聲曰："《孟子》'逢

---

① "十"下原衍"二"，據《漢書藝文志集説》及《皇清經解》本《孟子正義》删。

蒙’,《莊子》作‘蓬蒙’,《吕覽》作‘蠭蒙’,《龜策傳》作‘蠭門’,
《漢志》作‘逢門’。”

陰通成射法十一篇 亡。

李將軍射法三篇 亡。

《李廣傳》“世世受射”。

魏氏射法六篇 亡。

彊弩將軍王圍射法五卷 亡。

師古曰：“圍,郁郅人也。見《趙充國傳》。”

望遠連弩射法具十五篇 亡。

王應麟曰：“《李廣傳》注‘《太公》有大黄參連弩’。《周官》五
射,參連其一。”葉德輝曰：“漢郭氏孝堂山畫像,獵者以弓仰
地,一弓三矢,以足踏之。蓋古連弩射法之遺。”案《李陵傳》
“李陵發連弩”,服虔注云：“三十弩共一弦。”

護軍射師王賀射書五篇 亡。

沈欽韓曰：“《後漢書》順帝永建元年,調五營弩師,郡與五
人,令教習戰射。”案,如今之教練官。王賀,則射師之有名
者也。

蒲苴子弋法四篇 亡。

師古曰：“苴音子余反。”王應麟曰：“《列子·湯問篇》‘蒲苴
子之弋也,弱弓纖繳,乘風振之,連鸗鵝於青雲之際,用心專、
動手均也’。《淮南子》‘蒲苴子連鳥於百仞之上’。張茂先詩
‘蒲盧縈繳’,即蒲苴。”案,苴、盧聲近。

劍道三十八篇 亡。

王應麟曰：“《史記·自序》‘司馬氏在趙者,以傳劍論顯’。又
序《孫吳傳》曰：‘非信、廉、仁、勇,不能傳兵論劍。’”

手搏六篇 亡。

王應麟曰：“《哀帝紀》‘時覽卞射武戲’[①]，注：‘手搏爲卞，角力爲武戲。’《刑法志》：‘戰國稍增講武之禮，以爲戲樂，用相夸視。秦更名角抵。”亦作“觝”。

襍家兵法五十七篇 亡。

沈欽韓曰：“《隋志》：《襍兵書》十卷。《文選注》、《太平御覽》均有引之。”

蹵鞠二十五篇 亡。

師古曰：“鞠以韋爲之，寔以物，蹵踏之以爲戲也。”王應麟曰：“劉向《別録》云：‘蹵鞠者，傳言黄帝所作。或曰起戰國之時。蹋鞠，兵勢也，所以練武士，知有材也。’皆因嬉戲而講練之。《史記》‘霍去病穿域踏鞠’。”案，即今之打毬也。域即毬場，蹵鞠亦起於黄帝，蓋有養生之術焉。

右兵技巧十三家，百九十九篇。　省《墨子》重，入《蹵鞠》也。

姚明煇曰：“如目，實二百七篇，圖三卷。《墨子》末十二篇言技巧攻守，《七略》所重，當即此也。蹵鞠出于諸子。”

技巧者，習手足，便器械，積機關，以立攻守之勝者也。

凡兵書五十三家，七百九十篇，圖四十三卷。　省十家二百七十一篇重，入《蹵鞠》一家二十五篇，出《司馬法》百五十五篇入禮也。

姚明煇曰：“如目，實八百八篇，圖五十卷。”省十家者，陶憲曾云：“權謀九家，又技巧墨家也。二百七十一篇，去權謀二百五十九篇，餘十二篇，當是所省墨家篇數。”《校讎通義》云：“任宏兵書一略，鄭樵稱其最優。今觀劉《略》重複之書，僅止十家，皆出《兵略》。其申明流別，而不避重複著録，善矣。自班固併省部次，而後人不復知有家法矣。”

---

① “卞”，原誤作“下”，據《漢書藝文志集說》及《漢藝文志考證》改。

兵家者，蓋出古司馬之職，王官之武備也。《洪範》八政，八曰師。孔子曰"爲國者，足食，足兵"，"以不教民戰，是謂棄之"，明兵之重也。《易》曰："古者弦木爲弧，剡木爲矢。弧、矢之利，以威天下。"其用上矣。

　師古曰："《下繫》之辭也。弧，木弓。剡，銳之也，弋冉反。"

後世燿金爲刃，割革爲甲，器械甚備。

　師古曰："'燿'讀與'鑠'同，①謂銷也。"

下及湯、武受命，以師克亂而濟百姓。② 動之以仁義，行之以禮讓，《司馬法》是其遺事也。

　姚明煇曰："以師克亂而安百姓，《司馬法》所謂'殺人安人，殺之可也。攻其國，愛其民，攻之可也'。仁義禮讓之説，略見《司馬法》五篇中，即《穰苴兵法》。"

自春秋至於戰國，出奇設伏，變詐之兵並作。漢興，張良、韓信序次兵法，凡百八十二家，删取要用，定著三十五家。諸吕用事而盜取之。

　王應麟曰："《高帝紀》'韓信申軍法'。李靖曰：'張良所學，《六韜》、《三略》是也。韓信所學，《穰苴》、《孫武》是也。然大體不出三門四種。'"姚明煇曰："《六韜》舊題太公撰，《三略》舊題黄石公撰，今皆存，而《志》未載。《四庫提要》謂爲後人所依託。又《素書》一卷，亦題黄石公撰。《提要》疑是宋人僞書。"③三十五家，顧實曰："張良、韓信定著三十五家，任宏論次爲五十三家。其後王莽又徵天下能明兵法六十三家，皆天下遺書續出之證。"

---

① "鑠"，原作"録"，據《漢書藝文志集説》及殿本《漢書》改。
② "濟"，原作"齊"，據《漢書藝文志集説》及《漢書藝文志講疏》改。
③ "宋"，原作"家"，據《漢書藝文志集説》及《漢書藝文志注解》改。

**武帝時,軍政楊僕捃摭遺逸,紀奏兵録,猶未能備。至於孝成,
命任宏論次兵書爲四種。**

軍政即軍正。軍正有丞,見《胡建傳》。案,僕爲樓舩將軍,見
《南粤傳》。捃摭,師古曰:"謂拾取之。捃音九問反,摭之石
反。"四種,權謀、形勢、陰陽、技巧也。《校讐通義》曰:"權謀,
人也;形勢,地也;陰陽,天也。《孟子》曰:'天時不如地利,
地利不如人和。'此三書之次第也。權謀,道也;技巧,藝也。
以道爲本,以藝爲末,此始末之部秩也。"

漢書藝文志約説卷五

數術略

天文

泰壹雜子星二十八卷 亡。

五殘雜變星二十一卷 亡。

王先謙曰：“泰壹，星名，即太一也，見《天文志》。五殘，星名，亦見《天文志》。襍子星者，蓋襍記諸星，以太一冠之。襍變星，則以五殘冠之也。”

黃帝雜子氣三十三篇 亡。

沈欽韓曰：“《御覽》引《黃帝占軍氣訣》。”

常從日月星氣二十一卷 亡。

師古曰：“常從，人姓名也。老子師之。”王應麟曰：“《説苑·敬慎篇》：常樅有疾，老子往問之。”周壽昌曰：“《文子·上德篇》‘老子學於常樅’，樅即從也。”案，常樅、項槖恰相類。

皇公雜子星二十二卷 亡。

淮南雜子星十九卷 亡。

泰壹雜子雲雨三十四卷 亡。

國章觀霓雲雨三十四卷 亡。

王先謙曰：“國章，人姓名。國姓出鄭國僑，亦云齊國氏之後。見《元和姓纂》。”姚明煇曰：“保章氏以五雲之物，辨吉凶水旱。《春秋傳》曰：‘凡分至啓閉必書雲物，爲備故也。’”

泰階六符一卷 亡。

李奇曰：“三台謂之泰階，兩兩成體，三台故六。觀色以知吉凶,故曰符。”沈欽韓曰:“東方朔陳《泰階六符》。《郎顗傳》注引《黃帝泰階六符經》。”姚明煇曰:“三台,今太微垣星。”案,三台六星在太微垣西北,又曰三能,三公之位,諸侯大臣之象。紫微,天子之大内;太微,天子之南宮。

金度玉衡漢五星客流出入八篇　亡。

王先謙曰:“《律曆志》:‘度用銅,故曰金度。’玉衡,斗杓也。”姚明煇曰:“五星:歲星,木;熒惑,火;太白,金;辰星,水;填星,土。”《御覽》引京房《易五星占》。《志》凡漢代事,以漢總之。五星或爲客,或爲流,及出入,皆有占。

漢五星彗客行事占驗八卷　亡。

王先謙曰:“彗、客,五星之變。”

漢日旁氣行事占驗三卷　亡。

姚明煇曰:“《史記·天官書》‘漢之爲天數者,星則唐都,氣則王朔’。本書《天文志》‘王朔所候,決于日旁’。”案,《左傳》記楚昭王時,有雲如衆赤鳥夾日以飛。太史占辭,昭王力闢其謬,孔子以爲知天道。知日旁氣占術甚古,而《左傳》之論,尤得其正也。

漢流星行事占驗八卷　亡。

姚明煇曰:“本書《天文志》‘彗孛飛流’,注孟康曰:‘飛,絕迹而去也;流,光迹相連也。’”此專占流星。

漢日旁氣行占驗十三卷　亡。

漢日食月暈雜變行事占驗十三卷　亡。

海中星占驗十二卷　亡。

王應麟曰:“即張衡所謂‘海人之占’也。”沈欽韓曰:“海中混茫,比平地難驗。著海中者,言其術精,算法亦有《海島算經》。”

海中五星經雜事二十二卷　亡。

海中五星順逆二十八卷

海中二十八宿國分二十八卷 亡。

姚明煇曰："《周禮》保章氏以星土辨九州之地。二十八宿國分,當即《周官》之'星土',《國語》之'分野'。自《淮南·天文訓》、《史記·天官書》、本書《地理志》説各不同。其書既亡,無可折衷,竊謂國分非漢一隅之封,既屬海中,疑爲鄒衍所説大九洲之分。古今論分野者,多指中國小九洲分域,不可通。"

海中二十八宿臣分二十八卷 亡。

沈欽韓曰："張衡云:'在野象物,在朝象官,在人象事。'《隋志》有《二十八宿二百八十三官圖》一卷。"

海中日月彗虹雜占十八卷 亡。

圖書祕記十七篇① 疑。

葉德輝曰："《説文》引祕書説'日月爲易,象陰陽也'。《後書·鄭玄傳》戒子書云:'時覿祕書緯術之奧。'"姚明煇曰："今傳《推背圖》疑此之流。沈祖緜曰:'圖,河圖。書,洛書。古人讖緯皆從河、洛而生也。'"

右天文二十一家,四百四十五卷。

天文者,序二十八宿,步五星日月,以紀吉凶之象,聖王所以參政也。《易》曰:"觀乎天文,以察時變。"然星事殞悍,非湛密者弗能由也。

"《易》曰"句,《賁卦》之象辭也。② 殞、湛,③師古曰:"殞讀與凶同。湛讀曰沈。由,用也。"姚明煇曰:"謂不知而妄測之,則搖動天下。"案殞悍如今云危險。

---

① "七",原誤作"三",據《漢書藝文志集説》及《漢書藝文志講疏》改。

② "彖",原誤作"象",據《漢書藝文志集説》改。

③ "湛",原脱,據《漢書藝文志集説》補。

夫觀景以譴形，非明王亦不能服聽也。以不能由之臣，諫不能聽之主，此所以兩有患也。

顧實曰："《易》曰：'天垂象，見吉凶。'然孔子晚而讀《易》，性命天道不可得而聞。子產曰：'天道遠，人道邇，非所及也。'司馬遷曰：'天道、命不傳，傳其人不待告，告非其人，雖言不著。'蓋自古聖哲難言之。"案，班氏于漢儒膠固不解之天文五行學，昌言正辭，闢除不遺餘力，而所據皆聖言古訓。此志與劉向、眭、夏、京、翼諸傳通觀，若日星之明炳矣。

曆譜

黃帝五家歷三十三卷 亡。

《史記·天官書》："自初生民以來，世主曷嘗不歷日月星辰？及至五家三代，紹而明之。"《索隱》："五家，謂五紀，歲、日、月、星辰、歷數，各有一家顓學習之。"《正義》："五家，黃帝、高陽、高辛、唐虞、堯舜也。"王先謙曰："黃帝與顓頊、夏、殷、周、魯共稱，爲六家。顓頊以次五家，《志》文明列於下，則此五家當如《索隱》説爲安。"案《説文》，"歷"訓"過"也，從止秝聲。秝從厂下秫，爲治事條列疏朗之意。歷學積閱歷而成，尤貴條晰，故曰歷。《説文新附》又有"曆"字，從日。

顓頊歷二十一卷 亡。

顓頊五星歷十四卷 亡。

王應麟曰："漢興，襲秦正朔，以張蒼言用顓帝歷。蔡邕論曰：'《顓帝歷術》曰：天元正月己巳朔旦立春，俱以日月起於天廟營室五度。'"劉師培曰："顓頊歷及夏歷均用夏正，秦及漢初用顓頊歷。"案，漢正承秦制，以建亥月爲歲首，而歷仍用夏正，以建寅月爲正月。秦但諱"正"曰"端"，見《史記·月表》。此可見夏時之不可易。

日月宿歷十三卷　亡。

沈欽韓曰："《後志》賈逵論'願請太史官日月宿簿'。"

夏殷周魯歷十四卷　亡。

王應麟曰："《書正義》云：古時真歷遭戰國及秦而亡，漢存六
歷，雖詳于劉向《五紀》之論，皆秦漢之際假託爲之。"案，六歷
名見本書《律歷志》。

天歷大歷十八卷　亡。

漢元殷周諜歷十七卷　亡。

沈欽韓曰："此以漢元上推殷周。"顧實云："猶今言'紀元前'
也。"王先謙曰："《後書·張衡傳》注云：'諜譜，第也。'史文
或單稱譜、單稱諜，或連稱譜諜，其義一也。《史記·三代世
表》、《十二諸侯年表》皆云'歷譜諜'，此'諜歷'當爲'歷諜'，
文偶誤倒。"

耿昌月行帛圖二百三十二卷　亡。

耿昌月行度二卷　亡。

王應麟曰："《後書志》賈逵論曰：甘露二年，大司農耿壽昌
奏，以圖儀度日月行，考驗天運狀。"顧實曰："帛圖，蓋記之于
帛者。中國重月，故專門精考且卷多。"

傳周五星行度三十九卷　亡。

王念孫曰："'傳'當爲'傅'。傅周，上姓下名。"沈欽韓曰：
"《後志》賈逵論有傅安，此傅周或世相傳授也。"

律歷數法三卷　亡。

《律歷志》曰："唐都分天部而落下閎運算轉歷，其法以律起
歷。"姚明煇曰："律、歷相表裏也。"

自古五星宿紀三十卷　亡。

沈欽韓曰："《律歷志》'劉向總六歷，列是非，作《五紀論》'，此
蓋其類。"

太歲謀日晷二十九卷　亡。

王引之曰："'謀'當爲'謀'。"沈欽韓曰："《律曆志》：議造漢曆，乃定東西，立晷儀，[①]下漏刻。"

帝王諸侯世譜二十卷　亡。

古來帝王年譜五卷　亡。

沈欽韓曰："《隋志》：漢初得《世本》，叙黄帝以來祖世所出，而漢又有《帝王年譜》。《溝洫志》大司空掾王横言引《周譜》。"是古譜非一。

日晷書三十四卷　亡。

許商算術二十六卷　疑。

王應麟曰："《溝洫志》：博士許商治《尚書》，善爲算，能度功用。"亦見《儒林傳》。

杜忠算術十六卷　疑。

《廣韻》二十九换"算"注云："《説文》曰'算長六寸，計曆數'者也。又有《九章術》，漢許商、杜忠、吳陳熾、魏王粲並善之。"

沈欽韓曰："此許商、杜忠所爲，即是《九章術》。《後書》：馬續、鄭氏並善《九章算術》。"

右曆譜十八家，六百六卷。

曆譜者，序四時之位，正分至之節，會日月五星之辰，以攷寒暑殺生之實。故聖王必正歷數，以定三統服色之制。

會日月五星之辰，《左·昭七年傳》"日月之會，是謂辰"。《説文》作"曆"，日月合宿爲曆，从會从辰，會意。三統，王應麟曰："劉歆作《三統曆》及《譜》，三代各據一統。天統，子；地統，丑；人統，寅。"

---

① "晷"，原誤作"鬼"，據《漢書藝文志集説》及《漢書疏證》改。

又以探知五星日月之會，凶阨之患，吉隆之喜，其術皆出焉。

姚明煇曰：“五星日月之會有吉有凶，其于人或爲喜，或爲患。今星命家蓋出此術。西人穆尼閣著《天步真原》，以太陽、太陰、官禄、宫命、宫福星爲照星，而以木金水土火五星本體及其絡照爲許星。照星每年各右行一度，其行值木、金、水爲吉，行值土、火爲凶。”

此聖人知命之術也，非天下之至材，其孰與焉！

師古曰：“與讀曰豫。”姚明煇曰：“知命，如‘堯曰：咨！爾舜。天之曆數在爾躬’是也。《左·成十三年傳》劉康公曰：‘民受天地之中以生，所謂命也。’天有歷數而民生其中，無所逃命。古聖王正三統，定服色之制，知天命也。術者用人生年、月、日、時八字推其强弱，又於行運視窮通，於流年視隆阨，於天星視吉凶，亦以知命。第僅屬方術之所爲耳。”

道之亂也，患出於小人，而强欲知天道者，壞大以爲小，削遠以爲近，是以道術破碎而難知也。

姚明煇曰：“天道全體至遠至大，得其一端者爲方術，得其全體者爲道術。壞大爲小、削遠爲近，皆方術之所爲。今之星命家，皆所謂小人而强欲知天道者。蓋自孔子五十知命以來，未有能知天道之全體者也。”

五行

泰一陰陽二十三卷　亡。

沈欽韓曰：“《隋志》：[1]《太一龍首式經》一卷。”

黄帝陰陽二十五卷　亡。

沈欽韓曰：“《隋志》：《黄帝陰陽遁甲》六卷。”[2]

---

① “隋志”，原脱，據《漢書藝文志集説》補。

② “六”，原誤作“一”，據《漢書疏證》及殿本《隋書》改。

黃帝諸子論陰陽二十五卷　亡。

諸王子論陰陽二十五卷　亡。

太元陰陽二十六卷　亡。

三典陰陽談論二十七卷[①]　亡。

神農大幽五行二十七卷　亡。

四時五行經二十六卷　亡。

猛子閭昭二十五卷　亡。

　　王先謙曰："猛子、閭昭，二人。《元和姓纂》有猛氏、閭氏。"

陰陽五行時令十九卷　亡。

堪輿金匱十四卷　亡。

　　師古曰："許慎云：堪，天道；輿，地道。"姚明煇曰："沈祖緜
　　曰：'此書列入五行家，疑今之《紫白圖》。'《史記·日者傳》
　　'娶婦謀於堪輿家'，可類推。今曆書僅載年月紫白，不載時
　　日之紫白矣。此圖爲天道地道之玄關。"

務成子災異應十四卷　亡。

　　姚明煇曰："《呂氏春秋》：務成子，堯師也。"

十二典災異應十二卷　亡。

鍾律災異二十六卷　亡。

　　王應麟曰："《隋·牛弘傳》引劉歆《鍾律書》。"沈欽韓曰："此
　　蓋京房之術，《後志》：'黃鍾自冬至始，及冬至而復，陰陽寒燠
　　風雨之占出焉。'"

鍾律叢辰日苑二十二卷　亡。

　　姚明煇曰："叢辰略見《協紀辨方》，蓋即星命家所論星宿也。"
　　案日苑，蓋擇日叢書。

鍾律消息二十九卷　亡。

黃鍾七卷 亡。

天一六卷 亡。

沈欽韓曰："《淮南·天文訓》：'天神之貴者，莫貴於青龍。或曰天一，或曰太陰。太陰所居，不可背而可向。'《太白陰經》：'黃帝征蚩尤，夢天帝授符，於是設九宮，置八門，布三奇六儀，制陰陽二遁，凡千八十局，名曰天一遁甲式。'"案術數家奇門遁甲，蓋源於此。

泰一二十九卷 亡。

沈欽韓曰："《乾鑿度》'太一取其數以行九宮'。《隋志》：《太一》、《九宮》十卷。"案《說文》甲部引《太一經》曰："人頭宜爲甲。"①與前《泰一陰陽》、天文家《泰壹雜子星》殆皆一類。

刑德七卷 亡。

刑德之說，具見《淮南·天文訓》。五行家歲月皆有刑德，互詳兵陰陽家注。

風鼓六甲二十四卷 亡。

沈欽韓曰："《後書·方術傳》注：遁甲，推六甲之陰而隱遁也。"葉德輝曰："《世本》'共鼓、貨狄作舟船'。共鼓、貨狄，黃帝二臣名。共、風聲近，風鼓疑即共鼓。"王先謙曰："遁甲演於風后，'風鼓'疑爲'風后'之譌。"

風后孤虛二十卷 亡。

孤虛之說，詳《史記·龜筴傳》注、《孟子》"天時不如地利"章注。

六合隨典二十五卷 亡。

沈欽韓曰："《隋志》：《六合婚嫁歷》一卷。"案，子與丑合，寅與亥合，卯與戌合，辰與酉合，巳與申合，午與未合。

---

① "宜"，原誤作"空"，據清同治陳昌治刻本《說文解字》改。

轉位十二神二十五卷　亡。

沈欽韓曰："《隋志》：梁有《十二屬神圖》一卷。"案，說亦見《淮南·天文訓》。

羨門式法二十卷　亡。

王應麟曰："《日者傳》'分策定卦，旋式正棊'。《唐六典》：'三式曰雷公、太一、六壬，其局以楓木爲天，棗心爲地，刻十二神，下布十二辰。'《月令》正義按《陰陽式法》。梁元帝《洞林序》云'羨門五將'，'韓終六壬'。"羨門子高，古仙人名，見《郊祀志》及《司馬相如傳》。

羨門式二十卷　亡。

文解六甲十八卷　亡。

文解二十八宿二十八卷　亡。

五音奇胲用兵二十三卷　亡。

胲，如淳曰音該。王念孫曰："《說文》'奇侅，非常也'。《淮南·兵略篇》'明於奇賌、陰陽、刑德、五行、望氣、候星、龜策、機祥'。《史記·倉公傳》'奇咳術'，奇侅者，非常也。侅，正字；胲、咳、賌，皆借字也。"《周禮·大師》"執同律以聽軍聲"，注引《兵書》曰："大師吹律合音。"《左傳》亦有吹律聽聲之說，師曠歌北風、歌南風是也。

五音奇胲刑德二十一卷　亡。

五音定名十五卷　亡。

顧實曰："《論衡·詰術篇》：五音之家，用口調姓名及字，口有張歙，聲有内外，以定五音。"案，《京房傳》"京房本姓李，推律自定爲京氏"。蓋古有此術，然如房之爲，究何益乎？

右五行三十一家，六百五十二卷。

五行者，五常之形氣也。

形，舊本如此，官本作"刑"，非。姚明煇曰："《中庸》注：'木

神,仁。金神,義。火神,禮。水神,信。土神,智。'蓋五常
者,五行之神也。五行爲物質,五常爲精神,有形有氣,是有
質也。"

《書》云:"初一曰五行,次二曰羞用五事。"言進用五事以順五
行也。

　　師古曰:"《周書·洪範》之辭也。"今《書》梅賾本"羞"作"敬"。
　　錢大昭曰:"《五行傳》及《孔光傳》並作'羞',師古曰:'羞,
　　進也。'"

貌、言、視、聽、思心失而五行之序亂,五星之變作,皆出於律曆
之數,而分爲一者也。

　　師古曰:"説在《五行志》也。"姚明煇曰:"律曆之學,天數之
　　學也。五行各家,皆分於律曆而自爲一家,其原皆出於天。"

其法亦起五德終始,推其極則無不至。

　　姚明煇曰:"五德終始,蓋秦漢以前專門之學也。其詳見本書
　　《律曆志》、《易緯·乾鑿度》及《周髀算經》甄鸞注。沈約云:
　　'五德更王,有二家之説,鄒衍以相勝立體,劉向以相生
　　爲義。'"

而小數家因此以爲吉凶,而行於世,寖以相亂。

　　案,小數家即前論陰陽家,所謂牽于禁忌,泥于小數者,亦即
　　《論語》所謂"小道,致遠恐泥,君子不爲"者,《日者列傳》褚先
　　生曰:"孝武時,聚會占家,問之:'某日可娶婦乎?'五行家曰
　　可,堪輿家曰不可,建除家曰不吉,叢辰家曰大凶,曆家曰小
　　凶,天人家曰小吉,太一家曰大吉。辨訟不決,以狀聞。制
　　曰:'避諸死忌,以五行爲主。'人取於五行者也。"姚明煇曰:
　　"天人疑即天一。"[1]案,諸家並見本志,可見此等術數相傳,雖

----

　　[1]　"天一"原作"太乙",據《漢書藝文志注解》"天一六卷"條改。

古而其實爲小數，不必信。然至今力除迷信，猶弗能滅者，則以其亦往往而驗，非盡誣也。

蓍龜

龜書五十二卷 亡。

沈欽韓曰：“《史記》褚先生補《龜筴傳》所載，其大略也。《隋志》：《龜經》一卷。”

夏龜二十六卷 亡。

王應麟曰：“太史公曰：‘三王不同龜。’《龜筴傳》：‘塗山之兆從而夏啓世。’《墨子·耕柱篇》：‘夏后開使蜚廉鑄鼎，使翁難乙灼白若之龜。繇曰：逢逢白雲，一南一北，一西一東，九鼎既成，遷於三國。’此夏龜之見於書者。”

南龜書二十八卷 亡。

沈欽韓曰：“《周禮·龜人》‘南龜曰獵屬’。《龜筴傳》：‘余至江南，觀其行事，問其長者，云龜千歲乃游蓮葉之上。’《抱朴子·對俗篇》《玉策記》曰：‘千歲之龜，游於蓮葉之上，或在叢蓍之下。’”案，《玉策記》爲古書名，今流俗所用禳占書有《玉匣記》，名或本此。

巨龜三十六卷 亡。

雜龜十六卷 亡。

蓍書二十八卷 亡。

《説文》草部“蓍”云：“蒿屬，生千歲，三百莖，《易》以爲數。天子蓍九尺，諸侯七尺，大夫五尺，士三尺。”《龜筴傳》云：“天下和平，而王道得，而蓍莖長丈，其叢生滿百莖。”

周易三十八卷 亡。

王應麟曰：“《史記·大宛傳》‘天子發書《易》，云：神馬當從西北來’。《隋志》京房有《周易占》、《守林》、《飛候》諸名，焦贛、費直並有《易林》。本志不著録。《左氏》所載筮辭，皆有韻，如《焦氏易林》之類。"顧實曰："《晋書・束晳傳》言汲冢得《易經》二篇，與《周易》上下經同。又，《易繇》、《陰陽卦》二篇，與《周易》略同。繇辭則異。由此言之，繇辭，古蓋別爲一書，故《左》引《易》繇辭，多不在今《易》中，或當在《周易》中歟？"

周易明堂二十六卷　亡。

沈欽韓曰："蓋即明堂陰陽之説。"案，《明堂陰陽》已見禮十三家中。

周易隨曲射匿五十卷[①]　亡。

王應麟曰："《隋志》有《易射覆》二卷。又一卷。《東方朔傳》云：'臣嘗受《易》，請射之。乃別著布卦而對。'"沈欽韓曰："《魏志》'管輅射覆，卦成'，此皆先有卦辭，占者以卦推之。"

大筮衍易二十八卷　亡。

大次雜易三十卷　亡。

鼠序卜黄二十五卷　亡。

《抱朴子・對俗篇》："鼠壽三百歲，滿百歲則色白，善憑人而卜，能知一年中凶吉及千里外事。"姚明煇曰："術家有《五鼠遁》，蓋日上起時法。"

於陵欽易吉凶二十三卷　亡。

王先謙曰："《元和姓纂》引《風俗通》云：陳仲子灌園于於陵，子孫氏焉。"

任良易旗七十一卷　亡。

周壽昌曰："任良當即京房弟子，見《房傳》。"

易卦八具　亡。

---

① "隨"，原作"隋"，據《集説》及商務版《講疏》改。

沈欽韓曰:"《士冠禮》'所卦',鄭注:'所卦者,所以畫地記
爻。'《少牢禮》'書卦於木',鄭注云:'每一爻畫地以識之,六
爻備書於板。'《東觀漢記》:'永平五年秋,御雲臺,詔尚席取
卦具。'"是東漢時尚有此卦具也。

右蓍龜十五家,四百一卷。

沈欽韓曰:"《隋志》併入五行家。"姚明煇曰:"如目,實四百
七十七卷,又八具。"

蓍龜者,聖人之所用也。《書》曰:"汝則有大疑,謀及卜筮。"

師古曰:"《周書·洪範》之辭也。龜曰卜,蓍曰筮。"案,今卜
亡筮存。

**《易》曰:"定天下之吉凶,成天下之亹亹者,莫善於蓍龜。""是故
君子將有為也,將有行也,問焉而以言。其受命也如嚮,無有遠
近幽深,遂知來物。非天下之至精,其孰能與於此?"**

師古曰:"皆《上繫》之辭也。亹亹,深遠也。受命如嚮者,謂
示以吉凶,其應速疾,如嚮之隨聲也。遂,猶究也。來物,謂
當來之事也。嚮與響同。與讀曰豫。"錢大昭曰:"'莫善',今
《易》作'莫大',陸《釋文》作'莫善',何休注《公羊》亦引作
'莫善'。"

及至衰世,解於齊戒,而婁煩卜筮,神明不應。

師古曰:"解讀曰懈,齊讀曰齋,婁讀曰屢。"

故筮瀆不告,《易》以為忌;

師古曰:"《易·蒙卦》之辭。"

龜厭不告,《詩》以為刺。

師古曰:"《小雅·小旻》之詩。"案,齊戒,所以一人之精神也。
精神專一,以我之神明接天地、祖宗之神明,是以有神。而受
命如響,其理至精微,讀《禮記·祭義》、《中庸》諸篇可悟。

雜占

黃帝長柳占夢十一卷　亡。

　　王應麟曰："《史記·五帝本紀》正義：《帝王世紀》言黃帝因夢求風后、力牧，因著《占夢經》十一卷。"

甘德長柳占夢二十卷　亡。

　　沈欽韓曰："即占星之甘公。"

武禁相衣器十四卷　亡。

　　沈欽韓曰："《論衡·譏日篇》'裁衣有書'。"王先謙曰："武禁，人姓名。《隋志》：《褖相書》九卷，梁有《裁衣書》一卷。"案，近世歷書，亦載裁衣、剃頭宜忌。此類雖宜爲君子弗道，然書傳所言，如邵康節能知宮室器具成毀之時日，其數固皆出於《易》也。

嚏耳鳴雜占十六卷　亡。

　　師古曰："嚏音丁計反。"王應麟曰："《隋志》：梁有《嚏書》、《耳鳴書》各一卷。"案，今流俗《玉匣記》所記正此類。

禎祥變怪二十一卷　亡。

　　沈欽韓曰："《中庸》疏：本有今異曰禎，如本有雀，今有赤雀來，是禎也；本無今有曰祥，本無鳳，今有鳳來，是祥也。"

人鬼精物六畜變怪二十一卷　亡。

　　沈欽韓曰："《先天紀》：'黃帝登桓山，於海濱得白澤神獸，能言，因問天下鬼神之事，凡萬一千五百二十種。帝令以圖寫之。'《隋志》有《白澤圖》一卷。《筦子·水地篇》、《小問篇》、《莊子·達生篇》並言怪物甚衆。然則知鬼神之情狀，固有譜錄矣。"

變怪誥咎十三卷　亡。

　　沈欽韓曰："《周禮·太祝》'六辭'，三曰誥。誥，告於神；咎，自刻責也。曹子建《誥咎文》序：'五行致災，先史咸以爲應政而作。天地之氣，自有變動，未必政治之所興致也。'"案，子建生東漢末，於漢人五行災異之説，已不信。其意與今人一也。

執不祥劾鬼物八卷 亡。

沈欽韓曰："《抱朴子·論仙篇》有召神劾鬼之法，《遐覽篇》有《收山鬼老魅治邪精經》三卷。"

請官除訞祥十九卷 亡。

師古曰："'訞'字與'妖'同。"姚明煇曰："《周官》'眠祲掌安宅'，注：'人見妖祥則不安，主安其居處也。'"案，與今俗奠土安宅神同。"

禳祀天文十八卷 亡。

《説文》："禜，設綿蕝爲營，以禳風雨雪霜、水旱癘疫於日月星辰、山川也。"案，此與今俗建醮禳祈同。

請禱致福十九卷 亡。

沈欽韓曰："《隋志》：梁有《董仲舒請禱圖》。《太祝》注引仲舒救日食祝辭。"

請雨止雨二十六卷 亡。

董仲舒亦有其術，見本傳及《春秋繁露》，蓋古農神法。

泰壹雜子候歲二十二卷 亡。

王應麟曰："《天官書》：言候歲美惡。漢之爲天數者，占歲則魏鮮。"案，天文家首《泰壹雜子星》，五行家亦有《泰壹陰陽》，皆一術也。

子贛襍子候歲二十六卷 亡。

葉德輝曰："此因子貢貨殖依託而作。"案，與下《五法積貯寶藏》，[①]皆商賈占候財殖之事，俗猶多有。

---

① "寶"，原作"家"，據上下文意改。

五法積貯寶藏二十三卷　亡。

　　沈欽韓曰：“《越絕·計倪内經》‘人之生無幾，必先憂積蓄以備妖祥’。漢耿壽昌亦精其術。”案，耿昌亦曆譜家。

神農教田相土耕種十四卷。

　　顧實曰：“不入農家，亦主占候。”案，此類無非依託，班不復一一注者，前見其概，不更舉耳。

昭明子釣種生魚鱉八卷

　　沈欽韓曰：“《齊民要術》有《陶朱公養魚經》。”

種樹臧果相蠶十三卷

　　沈欽韓曰：“《齊民要術》有《栽樹篇》，《食經》有種名果法、作乾棗法、蜀中藏梅法、藏乾栗法、藏柿法、藏木瓜法。《唐志》：《蠶經》一卷。《崇文總目》：三卷，劉安撰。”

右襍占十八家，三百一十三卷。

襍占者，紀百事之象，候善惡之徵。《易》曰：“占事知來。”

　　師古曰：“《下繫》之辭。”姚明煇曰：“《上繫》曰：‘極數知來謂之占。’又‘神以知來’。”

衆占非一，而夢爲大，故周有其官。

　　師古曰：“謂太卜掌三夢之法。又占夢中士二人。”案，《左傳》有衞侯占夢。占夢，官名也。

而《詩》載熊羆、虺蛇、衆魚、旟旐之夢，著明大人之占，以考吉凶，蓋參卜筮。

　　師古曰：“《小雅·斯干》之詩。”

《春秋》之説訞也，曰：“人之所忌，其氣炎以取之。訞由人興也。人失常則訞興，人無釁焉，訞不自作。”

　　師古曰：“申繻之辭也，事見莊公十四年。炎謂火之光始燄燄也。人之所忌，其氣燄引致於災也。釁，瑕也。失常，謂反五常之德也。炎讀與燄同。”王應麟曰：“《左傳》‘失’作‘棄’。”

故曰："德勝不祥，義厭不惠。"

師古曰："厭音伊葉反。惠，順也。"案，厭即壓勝之壓，湘俗語
云"一正壓百邪"。不惠猶不若。

桑穀共生，太戊以興。雊雉登鼎，武丁爲宗。

師古曰："説在《郊祀》、《五行志》。"案，穀，木名，即楮也，字從
木㲉聲，與禾穀字從禾者異。

**然惑者不稽諸躬，而忌祆之見，是以《詩》刺"召彼故老，訊之
占夢"，**

師古曰："《小雅·正月》之詩。言不能修德以禳災，但問故老
以占夢之吉凶。"今案"召彼故老，訊之占夢"二句對文，言問
之故老與占夢之官也。

傷其舍本而憂末，不能勝凶咎也。

班氏之言切矣，皆聖人之大道。其引《左氏》尤徵丘明好惡與
聖人同也。

形法

山海經十三篇　存。

劉秀上《山海經》奏稱"經凡三十二篇，今定爲十八篇"。此志
作十三篇。《隋志》及《舊唐書》卷數又不同。郝懿行曰："《漢
志》十三篇，不言十八篇。所謂十八篇者，《南山經》至《中山
經》本二十六篇合爲《五臧山經》五篇，加《海外經》已下八篇，
及《大荒經》以下五篇爲十八篇。所謂十三篇者，去《大荒經》
以下五篇也。《志》不言此經誰作，劉子駿表、王仲壬《論衡》、
趙長君《吳越春秋》並稱爲益所作。"畢沅云："《大荒經》四篇
似釋《海外經》四篇，《海内經》一篇似釋《海内經》四篇，當是
劉秀所增也。"姚明煇曰："《隋志》列此書爲史部地理類之首，

至《四庫》收子部小説家類。"朝爵謹案，屬史部地理者是也。朝爵高祖菊吾公，諱价英，乾隆中舉人，嘉慶中官山西知縣；著有《山海經類觀》一書，整理諸家，徵考詳宷。今剩殘槀三篇，一《水屬》，一《國屬》，一《人屬》，以例求之，當亡其七。小子手裝謹瑑。有《秋庭補書圖》紀其事，題詠甚多云。

國朝七卷　亡。

沈欽韓曰："《隋志》：'劉向略言地域，丞相張禹使朱貢記風俗，[①]班固因之作《地理志》。'《國朝》者，疑此是也。大司徒'掌建邦土地之圖'，注：'若今司空郡國輿地圖是也。'《晉書》裴秀曰：'漢氏所畫輿地及括地諸雜圖，各不設分率，又不考正準望，亦不備載名山、大川。雖有粗形，皆不精審。'"案，秀爲《禹貢地域圖》。

宮宅地形二十卷　亡。

沈欽韓曰："《論衡·詰術篇》言圖宅術。《隋志》有相宅、相墓等書。"案，《山海經》爲地理書，《國朝》爲輿地圖，同類並列可也。若此《宮宅地形》，蓋後世相陰陽宅地吉凶之術，當入之五行陰陽家，與地理書圖之爲實事實形者迥非同物。此則昔人之疏，流別失當者也。

相人二十四卷　亡。

案相人之術，《左氏·文元年》所稱周内史叔服相公孫敖二子，是亦相傳甚古。然《荀子·非相》言之甚正，而人情多信之。劉知幾云："許負《相經》，當時所聖。"許負婦人，知相術而名顯一時，後世妖婦多藉術爲奸，大爲風俗之害。朱柏盧《治家格言》斥之甚嚴，君子所宜絕遠者也。

---

① "記"，原誤作"説"，據《漢書藝文志集説》及浙局本《疏證》改。

相寶劍刀二十卷 亡。

> 沈欽韓曰："《越絶書》'客有能相劍者薛燭'。梁陶弘景作《刀劍録》。"

相六畜三十八卷 亡。

> 沈欽韓曰："《隋志》：梁有伯樂《相馬經》，甯戚、王良、高堂隆《相牛經》、《相鴨、鷄、鵞經》。《後書》馬援上表自言受相馬骨法，叙相馬師傳甚悉。孝武皇帝時，善相馬者東門京，鑄作銅馬法。"案，即所謂金馬，武帝求宛馬，時亦持金馬往。[①]

右形法六家，百二十二卷。

形法者，大舉九州之勢，以立城郭室舍，形人及六畜骨法之度數、器物之形容，以求其聲氣、貴賤、吉凶。猶律有長短，而各徵其聲，非有鬼神，數自然也。

> 姚明煇曰："黄鍾管長，其聲濁；應鍾管短，其聲清。他律管皆以長短分清濁，以今物理學言之，震動數多則聲清，少則聲濁，自然之理也。"

然形與氣相首尾，亦有有其形而無其氣、有其氣而無其形，此精微之獨異也。

> 姚明煇曰："以今堪輿家風水書言之，分巒頭、理氣兩大宗，即形與氣也。《詩》云：'既景迺岡，相其陰陽，觀其流泉。'此公劉居豳之事也。'既景迺岡'，相氣之來龍；'觀其流泉'，相氣之止處。且陰陽屬理氣，而岡與泉屬巒頭，則形氣之説導源於此也。"

凡數術百九十家，二千五百二十八卷。

> 朱一新曰："上文僅有百九家，'十'字當衍。"

---

① "持"，原誤作"待"，據《集説》改。

數術者，皆明堂羲和史卜之職也。

姚明煇曰："《白虎通》：'天子立明堂者，所以通神靈，感天地，正四時。'阮元《明堂論》：'明堂，天子所居之初名也。治天文告朔則於是。'"史卜，姚明煇據《周禮・春官・太史》鄭注："太史主天道，馮相、保章是太史之屬。太卜掌三《易》之灋，卜師、筮人、占夢等爲太卜之屬。"

史官之廢久矣，其書既不能具，雖有其書而無其人。《易》曰："苟非其人，道不虛行。"①

師古曰："《下繫》之辭也，言道由人行。"姚明煇曰："《史記・曆書》、本書《律曆志》皆言'三代之衰，疇人子弟分散，或在夷狄'，是疇人出於史官，而數術出於疇人。史官廢則數術書不具，雖有其書而無其人。"

春秋時，魯有梓慎，鄭有裨竈，晋有卜偃，宋有子韋。六國時，楚有甘公，魏有石申夫，漢有唐都，庶得粗觕。蓋有因而成易，無因而成難。故因舊書以序數術爲六種。

梓慎見《左傳》襄十五年，裨竈見《左傳》襄二十八年，卜偃見閔元年，子韋見前陰陽家。甘公，《史記・天官書》作齊人，石申夫作石申。《天官書》、本書《天文志》皆甘、石並稱。唐都見《天官書》及《太史公自序》。師古曰："觕，粗略也，音才户反。"案"麤觕"，疊字，即俗云"粗粗"者。何休注《公羊》"三世"作"麤觕"。②《管子・水地篇》："非特知於麤麤也。"《莊子・則陽篇》司馬注："卤莽猶麤粗也。"六種，天文、曆譜、五行、蓍龜、雜占、形法也。

---

① "行"，原誤作"存"，據《漢書藝文志集説》及商務版《講疏》改。
② "三世"，原脱，據《漢書藝文志集説》補。

漢書藝文志約説卷六

方技略

醫經

黄帝内經十八卷　殘。

今王冰註《黄帝素問》二十四卷。《四庫提要》略曰："《漢志》：
《黄帝内經》十八篇。無《素問》之名。後漢張機《傷寒論》引
之，始稱《素問》。晋皇甫謐《甲乙經序》稱《鍼經》九卷、《素
問》九卷，皆爲《内經》，與《漢書》十八篇之數合。則《素問》之
名起於漢、晋間，故《隋志》始著録。然《隋志》所載《素問》祇
八卷，全元起所註，已闕其第七。冰爲寶應間人，乃自謂得舊
藏之本，補足此卷。宋林億等校正，謂《天元紀大論》以下卷
帙獨多，與《素問》餘篇絶不相通，疑即張機《傷寒論序》所稱
《陰陽大論》之文，冰取以補所亡之卷，理或然也。冰名見《新
唐書・宰相世系表》，晁公武《讀書志》作'王砅'。《杜甫集》
有《贈重表姪王砅》詩，或公武因杜詩而誤歟？"又："今有《靈
樞經》十二卷，晁公武《讀書志》云：'王砅謂《靈樞》即《漢志》
《黄帝内經》十八卷之九。'杭世駿《靈樞經跋》云：'皇甫謐以
《鍼經》九卷、《素問》九卷當《内經》十八篇。《隋志》：《鍼經》
九卷、《黄帝九靈》十二卷。是《鍼經》與《九靈》不可合而爲一
也。王冰以《九靈》名《靈樞》，不知其何所本。其文義淺短，
與《素問》之言不類，其爲冰所僞託可知。後人莫有傳其書
者。宋紹興中，錦官史崧乃云家藏舊本《靈樞》九卷，是此書
至宋中世始出，未經高保衡、林億等校定也。'"以上均《四庫

全書提要》所引。

外經三十七卷 亡。

　　姚明煇曰："今傳《素問》、《靈樞》二書即此。《隋志》：《黃帝素問》九卷，《黃帝鍼經》九卷，合十八卷。《鍼經》即今《靈樞》。《四庫提要》以爲唐王冰僞造，非即《隋志》之《鍼經》。"案王冰，唐寶應年間人，注《內經》，分爲二十四卷。晁公武《讀書志》作"王砅"，《唐》、《宋志》作"冰"。①

扁鵲內經九卷 亡。

外經十二卷 亡。

　　王先謙曰："《隋志》：《黃帝八十一難》二卷。《崇文總目》：秦越人撰。《史記·扁鵲傳》：'扁鵲，姓秦，名越人。'《正義》：'秦越人與黃帝時扁鵲相類，仍號爲扁鵲。'此《史記》之扁鵲，當戰國初。王勃《八十一難經序》：'越人之學，出自岐伯。黃帝歷傳伊尹、湯、太公、文王、醫和，而至越人。越人後傳華佗。'"顧實曰："《千金方》、《外臺祕要》皆有引扁鵲法，或爲此《內》、《外經》之遺文。"姚明煇曰："《難經》疑即此《扁鵲內經》中書，八十一難皆論脈。《扁鵲傳》：'天下言脈者由扁鵲。'"案，今傳《難經》有元滑壽《本義》二卷，《四庫提要》稱其辨論精覈，考證亦極詳審。

白氏內經三十八卷 亡。

外經三十六卷 亡。

旁篇二十五卷 亡。

右醫經七家，二百一十六卷。

醫經者，原人血脈經絡骨髓陰陽表裏，

　　朱一新曰："明汪本'絡'作'落'，古'絡'、'落'通。"王先謙曰：

"官本作'落'。"

以起百病之本、死生之分，而用度箴、石、湯、火所施，

師古曰："箴，所以刺病也。石，謂砭石，即石箴也。古者攻病則有砭，今其術絶矣。"案"箴"，古"鍼"字，今俗通作"針"。

調百藥齊和之所宜

師古曰："齊音才詣反，下同。和音乎卧反。"案，"齊"今作"劑"，和也。

至齊之德，猶慈石取鐵，以物相使。

德，汲古本作"得"。案，作"得"者是，謂藥劑與病相得，即俗云對也。藥與病證對，故如慈石取鐵。慈，俗作"磁"。

拙者失理，以瘉爲劇，以生爲死。

師古曰："瘉讀與愈同，差也。"王先謙曰："官本'以生爲死'，汲古本作'以死爲生'，義兩通。"案"以生爲死"，可生者而死之；"以死爲生"，當死者以爲生。

經方

五藏六府痺十二病方三十卷　亡。

藏府，古作"臧府"，今作"臟腑"。心、肝、脾、肺、腎爲五藏；大腸、小腸、胃、膀胱、三焦、膽爲六府。師古曰："痺，風溼之病，音必二反。"案《説文》："痺，溼病也，从疒畀聲。"畀予之畀。今《漢書》皆作"痺"，从高卑之卑，誤。

五藏六府疝十六病方四十卷　亡。

師古曰："疝，心腹氣病，音山諫反，又音删。"案《説文》："疝，腹痛也。"師古注《急就章》云："腹中氣疾上下引。"

五藏六府癉十二病方四十卷　亡。

師古曰："癉，黄病，音丁韓反。"案，《説文》作"疸"。

風寒熱十六病方二十六卷　亡。

泰始黃帝扁鵲俞拊方二十三卷 亡。

師古曰："拊音膚。"應劭曰："黃帝時醫也。"案《扁鵲傳》"上古之時，醫有俞拊，治病割皮解肌、訣脈結筋、搦髓腦、揲荒爪幕、湔浣腸胃、漱滌五臟"，此與三國時華佗之技相同，蓋古醫術之精妙，實有傳授非虛誕也。又，此扁鵲爲黃帝時扁鵲，爲越人之號所從出者。拊，一作"跗"，作"柎"並同。

五藏傷中十一病方三十一卷 亡。

客疾五藏狂顛病方十七卷 亡。

金創瘲瘛方三十卷 亡。

服虔曰："瘛音瘈引之瘈。"師古曰："小兒病也。瘛音充制反，瘲音子用反。"王念孫曰："顏注瘛音在前，瘲音在後，則'瘲瘛'當爲'瘛瘲'。《説文》：'瘛，小兒瘛瘲病也。'"案，即今所謂驚風角弓反張之病。《靈樞》注："瘛瘲者，熱極生風也。"

婦人嬰兒方十九卷 亡。

《扁鵲傳》："過邯鄲，聞貴婦人，即爲帶下醫。入咸陽，聞秦愛小兒，即爲小兒醫。"

湯液經法三十二卷 亡。

王應麟曰："《素問》有《湯液論》。《事物紀原》：'《湯液經》出於伊尹。'皇甫謐云：'仲景論《伊尹湯液》爲十數卷。'"

神農黃帝食禁七卷 疑。

沈欽韓曰："《御覽》引《帝王世紀》曰：'黃帝使岐伯嘗味草木，典主醫病，經方本草《素問》之書咸出焉。'本草肇於神農，黃帝修之，但言食禁未足以盡之也。"案王應麟曰："梁《七録》有《神農本草》三卷。《平帝紀》元始五年，舉天下通知方術、本草者。《郊祀志》成帝初，有本草待詔。《樓護傳》'少誦醫經、本草、方術數十萬言'。"是漢代已有"本草"之名，此《神農黃帝食禁》，或即本草之中一類。如李時珍《綱目》所列，後世

《食性本草》、《食物本草》之類。葉德輝云："康賴《醫心方》二
十九引《本草食禁》,即此書。"姚明煇云："《周禮》有食醫。"
右經方十一家,二百七十四卷。 亡。

**經方者,本草石之寒溫,量疾病之淺深,假藥味之滋,因氣感之
宜,辯五苦、六辛,致水火之齊,以通閉解結,反之於平。**

姚明煇曰："經方乃上古相傳之醫方,後世莫能出其範圍,故
冠以經名也。《史記·扁鵲倉公傳》所云'禁方',皆此經方之
類。草木、金石之性,或微寒,或大涼,或微溫,或大熱。病之
淺者在腠理,深者在臟腑。藥味有酸、苦、甘、辛、鹹之別,天
有風、寒、暑、溼、燥、火六氣,其感於人各有所宜也。五苦,[①]
如黃連、黃檗、黃芩、大黃、苦參之類。六辛,如乾薑、附子、肉
桂、吳萸、蜀椒、細辛之類。因草石藥味、[②]疾病氣感之異而製
劑,有水、火之不同。凡藥火製四:煆、煨、炙、炒也;水製三:
浸、泡、洗也;水火共製二:蒸、煮也。以水火之劑,宣通其閉
塞,和解其結聚,祛邪匡正,必使臟腑反得其平復而後已。"

**及失其宜者,以熱益熱,以寒增寒,精氣內傷,不見於外,是所獨
失也。故諺曰:"有病不治,常得中醫。"**

二句叶韻。凡古諺多有韻,誦之成文。此足徵先民語法之純
和雅美,今人多失其意,如此語則云"不藥爲中醫"。

房中

容成陰道二十六卷 亡。

《後漢·方術華陀附傳》"冷壽光年一百五十六歲,行容成公
御婦人法",注引《列仙傳》"容成公能善補導之事,取精於玄

---

① "苦",《漢書藝文志集說》及《漢書藝文志注解》作"味"。
② "藥",原作"滋",據《漢書藝文志注解》及上下文意改。

牝,其要谷神不死"。案,此皆方士邪術,傅會老氏之言也。

務成子陰道三十六卷 亡。

數術五行家有《務成子災異應》十四卷。

堯舜陰道二十三卷 亡。

湯盤庚陰道二十卷 亡。

天老雜子陰道二十五卷① 亡。

天一陰道二十四卷 亡。

黃帝三王養陽方二十卷 亡。

葉德輝曰:"康賴《醫心方》二十九《養陽篇》引《玉房秘訣》黃帝問素女、玄女、采女陰陽之事,其遺説也。《玉房秘訣》等書見《隋志》。康賴,日本人,當中國北宋時。"案,葉君好奇,刻《素女經》,傅會古説,實則此等雖古説,仍爲邪道。葉君之爲,大爲湘中士君子所鄙棄。孟子曰"盡信《書》則不如無《書》",可知好古者,尤貴擇術也。顧實曰:"《論衡·命義篇》云'素女對黃帝陳五女之法,非徒傷父母之身,乃又賊男女之性',其説是也。蓋此類邪術,盛於西京之末,故王莽嘗昏行其事,實漢史之汙點也。"斯言明允矣。

三家內房有子方十七卷 亡。

右房中八家,百八十六卷。

房中者,情性之極,至道之際,是以聖王制外樂以禁內情,而爲之節文。傳曰:"先王之作樂,所以節百事也。"樂而有節,則和平壽考。及迷者弗顧,以生疾而隕性命。

姚明煇曰:"樂,所以怡情悦性者也。聖王欲使人禁情於內,故作樂於外,以爲節制之文也。"案《説文》"琴"字説云:"禁也。"《白虎通》云:"所以禁止邪滛,正人心也。"古聖王制樂,

---

① "雜",原誤作"離",據《漢書藝文志講疏》改。

原以禁人邪心，而和人情性。迨後人失其用，或反以樂爲導
邪之用，則有如司馬相如以琴心挑卓文君者，其於先王作樂
之旨失之遠矣。然而琴之爲禁，其義豈可没哉？

神儒

宓戲雜子道二十篇　亡。

宓戲，古“伏羲”字，見六藝《易》注。王應麟曰：“《帝王世紀》：
‘宓戲畫八卦以通神明之德，類萬物之情，所以六氣、六腑、五
臟、五行、陰陽、水火、升降得以有象，百病之理得以類推。炎
帝因此，乃嘗百藥而製九鍼。’《莊子》曰：‘伏羲得之，以襲
氣母。’”

上聖雜子道二十六卷　亡。

道要雜子十八卷　亡。

黃帝雜子步引十二卷　亡。

王應麟曰：“《列子·天瑞篇》引《黃帝書》曰：‘谷神不死，是
謂玄牝。’梁蕭《導引圖序》：‘朱少陽得其術於《黃帝外書》，又
加以元化五禽之説，乃志其善者，演而圖之。’《隋志》有《引氣
圖》、《導引圖》。真西山曰：‘養生之説，出於《老子》，《谷神
章》，其最要也。《莊子》曰：黃帝得之，以登雲天。’”案元化，華
佗字。五禽之戲，虎、鹿、熊、猨、鳥也。詳《魏志·華佗傳》。
《莊子》云“熊經鳥伸”，①即其術也。

黃帝岐伯按摩十卷　亡。

沈欽韓曰：“趙岐注《孟子》：‘折枝者，按摩，折手節，解罷枝
也。’《抱朴子·遐覽篇》：《按摩經》、《導引經》十卷。《唐六
典》：太醫令屬官按摩博士一人，置按摩師、按摩工，教按摩

---

① “經”，原作“徑”據《集説》及清光緒浙江書局《二十二子》本《莊子》改。

生。"案,按摩術今尚有之。

黄帝雜子芝菌十八卷 亡。

　　師古曰:"服餌芝菌之法也。"沈欽韓曰:"《抱朴子·僊藥篇》:五芝者,石芝、木芝、草芝、肉芝、菌芝,各有百許種。"案古所謂芝者,實皆菌耳,其堅實者則號曰靈芝。《抱朴》"五芝"之説,尤不可信。李時珍《本草綱目》"伏翼"條備言仙經言服白蝙蝠不死之謬,歷引唐、宋服白蝙蝠立死者,謂其説始載於《抱朴子》,葛洪誤世人之罪,通乎天下。噫!學者讀古書,非具有澄然不惑之識,幾何不爲古人所誤!又豈獨房中一術哉?

黄帝雜子十九家方二十一卷 亡。

泰一雜子十五家方二十二卷 亡。

神農雜子技道二十三卷 亡。

泰一雜子黄冶三十一卷 亡。

　　師古曰:"黄冶,釋在《郊祀志》。"案《郊祀志》,谷永極論黄冶變化,爲姦人惑衆,左道誣罔。但此事深中庸衆求長生之心理,自古神仙家皆言之。《淮南》以此稱"枕中鴻寶秘書",以劉向之純儒,少時幾死於僞黄金。唐世王公貴人、名士之死,於是尤不可勝數。讀《劉向傳》及《韓昌黎集》可見其害之烈,而君子卓然不惑者之難。吁!可歎也。

右神僊十家,二百五卷。

神僊者,所以保性命之真,而游求於其外者也。聊以盪意平心,同死生之域,而無怵惕於胸中。然而或者專以爲務,則誕欺怪迂之文,彌以益多,非聖王之所以教也。

　　案神僊之説,不過達者洸洋自適之辭。"聊以盪意平心"數語,賅括簡妙。秦始、漢武,失之愚耳。師古曰:"盪,滌也,一曰放也。"案"或"者當爲古"惑"字。《孟子》曰:"無或乎王之不智也。"王先謙曰："不敢斥言武帝,而其文甚顯。"

孔子曰:"索隱行怪,後世有述焉。吾不爲之矣。"

師古曰:"《禮記》載孔子之言。索隱,求索隱暗之事。"張佖曰:"《禮記‧中庸篇》作'素隱',鄭玄注云:'素,讀如攻城攻其所傃之傃,猶鄉也。'今《志》作'索隱',師古從而解之,與《禮記》不同。"案朱子注《中庸》,即據此《志》作"索",用師古説。《易‧繫傳》云"探賾索隱",固古成語,作"素"實誤也。

凡方技三十六家,八百六十八卷。

方技者,皆生生之具,王官之一守也。

案,上世學術、政術皆以利物濟衆爲實用,無僅談玄理、炫空文者,故自神農、黃帝立醫術,而成湯、伊尹、太公、文王皆傳醫術,周公《官禮》醫師立官,凡以爲生民生生之具也。後世如范文正"不爲良相,當爲良醫"之言,深得此旨。

太古有岐伯、俞拊,中世有扁鵲、秦和。

師古曰:"秦醫名。"案,和事見《左傳》。又有醫緩。

蓋論病以及國,

王應麟曰:"《晋語》趙文子曰:'醫及國家乎?'醫和對曰:'上醫醫國,其次疾。'"

原診以知政。

師古曰:"診,視驗,謂視其脈及色候也。診音軫,又丈刃反。"案"原診知政",如《左‧昭元年》記醫和論晋侯疾曰:"是謂近女室,惑以喪志。良臣將死,天命不祐。"反覆論列晋之國政昏亂是也。

漢興,有倉公。今其技術晻昧。

師古曰:"'晻'與'暗'同。"

故論其書,以序方技爲四種。

醫經、經方、房中、神仙。

大凡書，六略三十八種，五百九十六家，萬三千二百六十九卷。

入三家，①五十篇，省兵十家。

本志六略各家，及書目卷數分合，都計不能符合，而諸書所記數尤不一。《論衡・案書篇》云：“六略之録，萬三千篇。”《弘明集》引阮孝緒梁《七録》云：“《漢書・藝文志》書三十八種，五百九十六家，一萬三千三百六十九卷。”是梁時所記數目與今相同，止“三百”今作“二百”耳。《隋志》乃云：“《七略》大凡三萬三千九十卷。”劉昫《舊唐書志》、馬氏《通考》皆同，皆以“一萬”誤爲“三萬”，不足據也。顧實《講疏》總覈《六藝》、《諸子》、《詩賦》、《兵書》、《數術》、《方伎》六略家數、卷數，合計實六百七十七家，一萬二千九百九十四篇。與此總數較之，家數多八十一家，篇數則少二百七十五。蓋無可考正，且各家分計之數，亦多不符，更無從究詰。陶憲曾云：“入三家者，劉向、揚雄、杜林也。五十篇者，書入劉向《稽疑》一篇，小學入揚雄、杜林二家三篇，儒家入揚雄三十八篇，賦入揚雄八篇，凡五十篇，皆班氏所新入也。若禮入《司馬法》，兵技巧入《蹵鞠》，本在《七略》之内，互相出入，故於此不數。”

---

①　“家”，原誤作“千”，據商務版《講疏》改。

附録　章學誠《校讐通義》論讀《藝文志》法

劉歆《七略》，班固删其《輯略》而存其六。顔師古曰："《輯略》，謂諸書之總要，蓋劉氏討論羣書之旨也。"此最爲明道之要，惜乎其文不傳。今可見者，惟總計部目之後，條辨流別數語耳。即此數語窺之，歆蓋深明乎古人官、師合一之道，而有以知乎私門初無著述之故也。其叙諸子百家必云"某家者流，蓋出於古者某官之掌，其流而爲某氏之學，失而爲某氏之弊"。其云"某官之掌"，即法具於官，官守其書之義也。其云"流而爲某家之學"，即官司失職而師弟傳業之義也。其云"失而爲某氏之弊"，即《孟子》所謂"生心發政，作政害事"，辨而別之，蓋庶幾於知言之學者也。由劉氏之旨，以博求古今之載籍，則著録部次、辨章流別，將以折衷六藝、宣明大道，不徒爲甲乙紀數之需，亦已明矣。

《漢志》最重學術源流，似有得於太史叙傳及莊周《天下篇》、荀子《非十子》之意。韓嬰《詩傳》引荀卿《非十子》，並無譏子思、孟子之文。此叙述著録所以有關於明道之要，[①]而非後世僅計部目者之所及也。然立法創始，不免於疏，亦其勢耳。如《封禪羣祀》入禮經，《太史公書》入春秋，較之後世別立儀注、正史專門者爲知本者矣。詩賦篇帙繁多，不入詩經而自爲一略，則叙例尚少發明其故，亦一病也。

讀《六藝略》者，必參觀於《儒林列傳》；讀《諸子略》者，必參觀於《孟荀》、《管晏》、《老莊申韓》諸子列傳。《詩賦略》之

---

① "述"，原作"術"，據嘉業堂劉氏《章氏遺書》本《校讐通義》及上下文意改。

鄒陽、枚乘、相如、揚雄，《兵書略》之孫、吳、穰苴等傳，《術數略》之《龜筴》、《日者》等傳，《方技略》之《扁鵲倉公》等傳，莫不皆然。孟子曰："誦其詩，讀其書，不知其人可乎？"藝文雖始於劉、班，而司馬遷之列傳實討論之，其叙述著書諸人列傳，於學術淵源，文詞流別，反覆而論次焉。向、歆校書，於《諸子》、《詩賦》、《兵書》諸略，凡遇史有列傳者，必注"有列傳"字於其下，所以使人參互而觀也。

禮部《中庸說》，當互見《諸子略》之儒家類。諸記本非一家之言，用裁篇別出之法。今存大、小二戴《記》，文繁不可悉舉，大約取劉向所定，分屬制度者，可歸故事，坿《尚書》之部分；屬通論者，可歸儒家而歸諸子之部。則互見之書，各有攸當矣。

《賈誼》五十八篇，收於儒家，似矣。然與法家當互見也。司馬遷曰"賈生、晁錯明申商"，今其書尚可考見，宗旨雖出於儒，而作用實本於法。法家出於理官，名家出於禮官。古者，聖王教民以禮，而禁之以刑，出於禮者即入於刑。儒家者，總約刑、禮而折衷於道。程子曰："有《關雎》、《麟趾》之心而後可以行《周官》之法度。"然則儒與名、法，其原皆出於一。後世不知家學流別之義，其有列於儒家者，不勝其榮；而次以名、法者，不勝其辱。豈知其同出聖人之道耶？

焦竑以《漢志》《弟子職》入孝經爲非，因歸還於《管子》，是不知古人裁篇別出之法。《漢志》僅見於此篇，及《孔子三朝》篇之出《禮記》而已。充類而求，則欲明學術原委，而使會通於大道，舍是莫由。且如叙天文之書，當取《周官·保章》、《爾雅·釋天》、鄒衍言天、《淮南》天象諸篇，裁列天文部首，而後專門天文之書，以次列爲類焉。叙時令之書，當取《大戴禮·夏小正篇》、《小戴記·月令篇》、《周書·時訓解》諸篇，裁列時令部首，而後專門時令之書，以次列爲類焉。叙地理之書，當取《禹貢》、周《職方》、《管子·地圓》、《淮南·地形》、諸史地志，裁列地理部首，而後專門地理之書，以次列爲類焉。則後人求其學術源流者，可無遺憾矣。《漢志》存其意而未充其量，而焦氏乃反糾之以爲謬。甚矣校讐之難也！

儒家部有《周政》六篇、《周法》六篇，其書不傳。據班自注，蓋官禮之遺也。坿之《禮經》之下爲宜；入於儒家，非也。大抵《漢志》不立史部，凡職官、法度、章程之書，不入六藝部次，則歸儒、雜二家，故二家之書類坿，率多牽混。

右《校讐通義》七條。

附録　孫德謙《漢書藝文志舉例》

删要例

吾嘗求班氏所以删要之故，而不能得其解。及今思之，知史家作志異於專家目録者在此：專家目録於一書也，不憚反覆推詳；若史家者，其於此書之義理，祇示人以崖略，在乎要言而不煩。是故以劉氏之《輯略》雖提綱挈要，猶取其至要之言，其餘則毅然删之而無所顧惜。嘗讀馬貴與《文獻通考》矣，其《經籍》一考，羅列晁、陳諸氏之説，搜采不可謂不勤。然昔人以類書視之，豈非以誇多務得、虚占篇幅，未達史家有删要之例乎？自馬氏不達删要之例，後之爲郡縣志者，則猶往往沿其誤。吾見郡縣志中，載《四庫全書》而不敢增損者多矣。不知郡縣志者，一方之史，爲國史之具體，即以《四庫》爲凭藉，亦可擇要而書。其辨別是非之語，不妨由我删之。初非謂《四庫》之辨別是非，不足甄采也。蓋彼爲專家之學，言乎史體，討論得失，不必在書目之下。《漢志》辨章得失，在後論中，下有專條，可參觀。因而删之，又復何疑。

一書之下挈大旨例

目録之學，有藏書家焉，有讀書家焉，向謂此二家足以盡之。今觀於班志，則知又有史家也。試言其分別之故：藏書家編纂目録，於其書之爲宋爲元，或批或校，皆著明之，甚者篇葉之行款、收藏之圖記，亦纖悉無遺。至一書之宗旨，則不之辨也。蓋彼以典籍爲玩好之具而已。讀書家者，加以考據，斯固善矣。如晁公武《讀書志》、陳直齋《書録解題》，每一書下各有論説，使承學之士藉以曉此書之得失，未嘗不可。然即謂其宗旨如此，猶未足奉爲定評者也。若史家則何如史家者，凡一類之中，是非異同，別爲議論，以發明之。其於一書之下，則但挈大旨可耳。

辨章得失見後論例

《漢志》於一書之下，不過略述大旨，或僅記姓名。其辨章得失，則於後論中見之。何哉？史以記事爲主，秉筆之時，胥關於朝章國典，可以考見一代之治亂興衰。志藝文者，亦用以探討學術，不徒沾沾爲一書得失計也。

分類不盡立子目例

《漢志》詩賦一略，其別有五。雜賦、歌詩二類，則標立子目。至屈原以下二十家、陸賈以下二十一家、孫卿以下二十五家，並不有所論説。初不知何以爲之區分，且其賦亡者甚多，亦無以考其剖析之故。吾謂此正班氏之不規規於盡立子目也。試再以《文選》言之。《文選》於賦體中，若《京都》、《郊祀》且不必論，其他《幽通》、《思玄》則稱之曰“志”，《高唐》、《神女》則稱之曰“情”，可謂其細已甚矣，豈作爲藝文而可同其繁碎乎？即如列傳一體，文苑、逸民後史屢有增益，而班氏無之，可見撰史者不在紛立名目已也。此三家之賦，在當日各爲分類，班氏必能辨別體裁，其不復如雜賦、歌詩再立子目者，已爲門類既分。唐勒諸賦，自從屈原而出；枚皋諸賦，自從陸賈而出；秦時雜賦諸賦，自從孫卿而出，吾但使之類聚相處，子目固無容設立也。不然，雜賦之中禽獸六畜昆蟲賦、器械草木賦，將亦如《文選》之物色、鳥獸，重爲編目乎？是則非復史書，將成文集，必爲知幾所誚矣，夫何可哉？要之藝文一志，其於子目也，可分則分之，若不知學問之流別而強爲分合之，則非慎言之道也。盧文弨《補宋史藝文志》以名法諸家總附雜家，此當分不分，實失之。

稱出入例

《論語》曰："大德不踰閑，小德出入可也。"吾觀班氏《藝文志》，其於劉歆《七略》，則頗有出入矣。書家云入劉向《稽疑》一篇；禮家云入《司馬法》一家，百五十五篇；樂家云出淮南、劉向等《琴頌》七篇；小學家云入揚雄、杜林二家三篇；儒家又云入揚雄一家三十八篇；雜家云入兵法；賦家云入揚雄八篇；兵權謀家云出《司馬法》入禮也；兵技巧家云入《蹴鞠》也。而於每略總數後，又重言以申明之。在班氏亦可謂不憚煩矣。然班氏既有此例，可知依據他書，而其編次未盡得宜者，不妨由我出入之。如《四庫提要》，豈不爲後來修史者作志之準則？顧其中《論語》、《爾雅》不列爲經；名、墨、縱橫，爲諸子專家之業，則概入雜家。要不得不重加釐訂，何可拘守成法，而不爲之出彼入此，以求其變通盡利乎？

稱並時例

編《藝文志》者，於其人所生時世，比爲詳考之。苟無可考，則付之闕疑可也。《漢志》於農家宰氏、尹都尉、趙氏、王氏四家，注云不知何世，是其義也。下有專條別論。其間又有雖無可考，而取一人與之同時者爲之論定，則並時之例生焉。《漢志》道家文子云與孔子並時，老萊子云與孔子同時，名家鄧析云與子產並時，成公生云與黃公等同時，惠子云與莊子同時，賦家宋玉云與唐勒並時、在屈原後，張子僑云與王襃同時也，莊忽奇云枚皋同時。觀其所稱並時，或變文言同時，皆據世所共知者，以定著書之人。孟子曰："誦其詩，讀其書，不知其人可乎？是以論其世也。"夫時世不明，則作者所言將無以窺其命意矣。故班氏稱並時者，實知人論世之資也。援此爲例，其人不見于紀載，書中敘録或僅題甲子，無年月之可稽，吾謂詩文別集，可將集中投贈篇什，擇其爲世稱述者以著録之。如是，則時代先後，可得排比之法,而不相雜厠矣。

稱省例

《漢志》之於劉《略》,凡稱出入者,前篇已論之矣,其中又有稱"省"者,再爲條舉之。春秋家云省《太史公》四篇,兵權謀家云省《伊尹》、《太公》、《管子》、《孫卿子》、《鶡冠子》、《蘇子》、《蒯通》、《陸賈》、《淮南王》三百五十九種,兵技巧家云省《墨子》重。則書爲劉氏兩載者,班氏從而省去之也。夫一人之著述,扼其宗旨,録之於此,復可録之於彼,是不妨重復互見;苟於全書之內,又足自成一類,更不妨裁篇別出。別裁互著説本會稽章實齋先生,下有兩篇專論之。蓋不如此,則學術流別無由發明。然則班氏何以省去之? 吾嘗推求其故,殆以伊尹、別太公諸書已入專家之內,並有重見於他家者,不必過事分析乎。乃復注出"省"字者,可知孟堅之意,蓋欲使讀者知兵家之中雖不登其目,伊尹諸賢其學實兼長於兵耳。否則竟删削之可也,則謂之爲省者,亦《漢志》之一例矣。惟《太史公書》本爲百三十篇,今於春秋家亦以是著録,所省者四篇不言是何篇名,吾不敢強爲之説,然班氏編纂之例又有稱省者,此不可不知者也。惟班氏衹憑劉《略》,故凡異同之處,若出入也、省也,皆須注明。後人編藝文,引書或多,則不必沿此例。

稱所加例

《班志》道家《太公》二百三十七篇,注云或有近世,又以爲太公術者所增加也。小説家《鬻子》十九篇,注云後世有所加。則書爲後人加入者,必標明之,蓋可知矣。惟此類至多,故不可殫述。吾今取《唐書‧藝文志》證之。正史類:高峻《高氏小史》一百二十卷,其下則云:"初六十卷,其子迴釐益之。"據是以觀,非即循《漢志》之例乎?

此書與彼書同稱相似例

一書有一書之宗旨,彼此必不相同,往往有共引一事而用意各別者，此古人所以有專家之學也。然亦有相似者，何以言其然，徵之《漢志》而可見矣。《漢志》於道家《黄帝君臣》云"起六國時，與《老子》相似"；雜家《子晚子》云"齊人，好議兵，與《司馬法》相似"。則此兩書者，班氏不明言其相似乎？夫老子爲道家之祖，其原出於黄帝，故後世並稱之曰黄老。今《黄帝君臣》雖不傳，有老子《道德經》在，其宗旨可概見。若《子晚子》者，書亦散佚久矣，然《司馬法》者，古之軍禮也。以《司馬法》之爲軍禮，則《子晚子》之宗旨必亦詳於軍禮明矣。且雜家之中，若《伍子胥》、若《尉繚》、若《吳子》，皆互見兵家。"子晚子"者，以"子墨子"證之，蓋兵家大師也。列之雜家者，以其學術博通，而所長則在兵耳。由是以觀，此書與彼書宗旨相似，編藝文者不可不表出之。蓋一經表出，而後讀其書者，較易領悟也。

尊師承例

漢儒傳經，最重師承。班氏蓋審知之，不特儒林一傳叙經學之授受，以見詩、禮諸家俱有師法也。即以列傳中，凡其人師事某某，亦必記載之。今觀《藝文志》，如易家蔡公云事周王孫。禮家《記》百三十一篇，云七十子後學者所記也；王史氏云七十子後學者。儒家曾子云孔子弟子；宓子云孔子弟子；景子云説宓子語，似其弟子；世子云七十子之弟子；李克云子夏弟子；公孫尼子云七十子之弟子；孟子云子思弟子。道家則於文子、蜎子皆云老子弟子。墨家則於隨巢子、胡非子，皆云墨翟弟子。於此知孟堅撰述此志，蓋尊崇師承之至矣。後之志藝文者，於其人學有師承，不當注之曰爲某氏弟子乎？誠以史家目録，須明于學術源流，固不徒專司簿籍已也。當考之《書録解題》而得其證焉：易類《易證墜簡》，范諤昌撰。世言劉牧之學出於諤昌，諤昌之學亦出种放。又《周易言象外傳》，王洙原叔撰。其序言學《易》於處士趙期。又《易解》，皇甫泌撰。其學得於常山抱犢山人，而莆陽游中傳之。又《太極傳》，晁説之以道撰。其學本之邵康節。又《皇極經世》，邵雍堯夫撰。其學出於李之才挺之，之才受之穆修伯長，修受之种放明逸，放受之陳摶。又沙隨《易章句》，程迥可久撰。嘗從玉泉喻樗子才學。即以一類言之，如陳氏者，非猶知師承之可貴乎？

書爲後人編定者可並載例

《漢志》春秋家《國語》二十一篇，其下並載《新國語》五十四篇，注云劉向分《國語》。書雖不可見，是《新國語》者，爲劉向分析篇目，重行編定之書可知矣。

書名與篇數可從後人所定著録例

昔劉向校書中秘，凡書之名目，皆爲其更定。《別録》云："所校讐中《易》傳《淮南九師道訓》，除復重，定著十二篇。淮南王聘善爲《易》者九人，從之采獲，故中書著曰《淮南九師書》。"見王應麟《漢書藝文志考證》一。是《漢志》之易家《淮南道訓》本名《淮南九師書》，由向所定也。又《戰國策書録》云："中書本號或曰《國策》，或曰《國事》，①或曰《事語》，或曰《長書》，或曰《修書》。臣向以爲戰國時游士輔所用之國，爲之筴謀，宜爲《戰國策》。"是《漢志》之春秋家《戰國策》亦由向所定也。抑不惟書名爲然，以言篇數，何獨不然？不觀《晏子春秋》乎？其書録云："所校中書《晏子》十一篇，臣向謹與長社尉臣參校讐，太史書五篇、臣向書一篇、參書十三篇，凡中外書三十篇，爲八百三十八章，除復重二十二篇，六百三十八章，定著八篇，二百一十五章。"則《漢志》儒家之《晏子》八篇，其篇數爲向所定也。且其下復云："其書六篇，皆忠諫其君。文章可觀，義理可法，皆閣六經之義。又有復重，文辭頗異，不敢遺失，復列以爲一

---

① "國事"下，《二十五史補編》本《漢書藝文志舉例》有"或曰短長"。

篇。又有頗不合經術，似非晏子言，疑後世辯士所爲者，故亦不敢失，復以爲一篇。”若是，六篇以外，其兩篇者，一則以文辭頗異，一則以不閎經術，退置於下。則排比前後，亦由向所定也。今班書著錄，直書之曰《淮南道訓》、《戰國策》、《晏子》八篇，可見書名與篇數，志藝文者，可從後人所定著錄矣。

學派不同者可並列一類例

余治諸子學久矣，見諸子中，不但百家異術，即一家之内，其流派亦不同，如孟、荀儒家也，孟子法先王，荀子法後王；孟子言性善，荀子言性惡，非不同之一證乎？《呂氏春秋》曰：“老聃貴柔，關尹貴清，子列子貴虛。”若老、若關、若列皆道家也，而不同又若此。其他申子、商君，同爲法家，乃一則言法，一則言術。《韓非子·定法篇》：“申不害言法，公孫鞅言術。”蘇秦、張儀同爲縱橫家，乃一則爲縱，一則爲橫。劉向《戰國策書錄》：“蘇秦爲縱，張儀爲橫。”非又爲道之不同乎？《易》曰：“天下同歸而殊塗，一致而百慮。”誠以凡爲學者，固自有其派別也。今觀班志，孟、荀則並列儒家，老、關、列子則並列道家，申、商則並列法家，蘇、張則並列縱橫家，可知如班志例，學派不同者，要可並列一類也。

書無撰人定名可言似例

書有撰人者，則直署其姓名。若無撰人定名，而知其必出於某，非他人所能爲者。以《漢志》考之，則有言似之一例也。其言似者有二：儒家《河間周制》十八篇，注曰“似河間獻王所述也”；陰陽家《五曹官制》五篇，注曰“漢制，似賈誼所條”。此二書今已不傳，然獻王好儒，嘗與毛生等共采周官及諸子言樂事者以作《樂記》。見六藝略樂類。則是明於周制者也。若賈誼者，本傳謂誼以爲宜改正朔，易服色制度，定官名，興禮樂。迺草具其儀法，色尚黃，數用五，爲官名，悉更奏之。則官名用五，誼曾擬議及此矣。今謂之爲似，知孟堅雖不定爲撰人，實諦審而後乃敢言也。後之志藝文者，於其書無撰人姓氏，苟能細辨文字，以意窺測之，則亦可言似某氏所作矣。《書録解題》《金國志》一卷，不著名氏，曰似節略張棣書。雖爲用不同，而其言似則一也。

一人之書得連舉不分類例

叢書之名，始於唐陸龜蒙。如《笠澤叢書》是其後人一著述，彙成一編，因亦有叢書之目，實則班志儒家。劉向所序六十七篇、揚雄所序三十八篇，雖無叢書之類，已具叢書之體也。何以明其然哉？劉向之《新序》、《説苑》，史部古史類也；《世説》者，子部小説類也；《列女傳》者，史部傳記類也。揚雄之《太玄》，子部術數類也；《法言》，子部儒家類也；《樂》則不入經部樂類，當入子部藝術類；《箴》則集部總集類也。今班氏於劉向，但注云《新序》、《説苑》、《世説》、《列女傳頌圖》也。於揚雄但注云《太玄》十九、《法言》十三、《樂》四、《箴》二。雖《漢志》無史、集兩部，而子部又不立藝術，然總題之曰“所序”，是一人之書，得連舉不分類，其爲叢書無疑矣。

別裁例

《中庸》者，今《禮記》之一篇，《漢志》於禮家載《中庸説》二篇。《孔子三朝記》者，今《大戴禮》之一篇，《漢志》《孔子三朝記》七篇，則載之於論語家。《弟子職》者，爲管子作，今即在其書中，《漢志》以此一篇於孝經家又載之。是皆裁篇別出之例也。

互著例

《漢志》兵書略云“省十三家，二百七十一篇重”。蓋如《伊尹》、《太公》諸書，本重列兵家，今爲班氏省去之。或謂自班氏删併劉《略》，後人遂不知有互著之法，其説是矣，要亦不盡然也。今攷之班志，儒家有景子、公孫尼子、孟子，而雜家亦有公

孫尼，兵家亦有景子、孟子；道家有伊尹、鬻子、力牧、孫子，而小
説家亦有伊尹、鬻子，兵家亦有力牧、孫子；法家有李子、商君，
而兵家亦有李子、公孫鞅；縱橫家有龐煖，而兵家亦有龐煖；雜
家有伍子胥、尉繚、吳子，而兵家亦有伍子胥、尉繚、吳起；小説
家有師曠，而兵家亦有師曠，此其重復互見。班氏雖於六略中，
以其分析太甚，或有稱省者，說見前。然於諸家之學術兼通，仍不
廢互著之例。若是編藝文者，苟知一人所著書，可互載他類，則
宜率而行之矣。夫書之貴互著，猶列傳之貴互見也。《史記》以
子貢入《仲尼弟子》，於《貨殖傳》中則又列其名，不可心知其意
乎？要之藝文一志，苟不違互著之例，凡書可兩通者，將有舉此
遺彼之患，夫何可哉？

其書後出言依託之例

古人學術以口耳相授受，不盡著之竹帛。至周末而其書始
出，非取以欺世盜名也，蓋攻其業者據所聞以筆之於書耳。《漢
志》道家文子云老子弟子，與孔子並時，而稱周平王問，似依託
者也。又力牧云六國時所作，託之力牧。農家神農云六國時諸
子疾時怠于農業，道耕農事，託之神農。小説家師曠云見春秋，
其言淺薄，本與此同，似因託也。又天乙云，天乙謂湯，其言非
殷時，皆依託也。又黄帝説云迂誕，依託。兵家封胡、風后、力
牧、鬼容區則皆云黄帝臣，依託。觀其明言依託，不直斥爲僞
者，以上世初無著述，此晚出之書，乃後人所依託者也。然必辨
明之者，何哉？史家目錄，原不徒分別部居，使之不相雜厠而
已，諸家之書爲後世依託，使默然不言，不將疑其真出於文子諸
賢乎？且於師曠則但曰淺薄，黄帝説則但曰迂誕，止加此一二
字，不復反覆討論者，又可見史家之尚簡。尚簡之説出《史通》。而於
是非得失，所以別爲後論也。雖然，自漢以降，如《連山》、《三墳
書》之僞造者多矣。以凡例推之，凡經僞造者，尤必辨明之也。

不知何世例

夫釐訂藝文，亦綦難矣。一類之中，即排比先後，苟於其人所生何世無從考覈，必至混然殽亂矣。昔聖人有言："知之爲知之，不知爲不知。"則有所不知亦勢之莫可如何者也。故《漢志》於莫可如何之中，既立一並時之例。説見前。其於農家宰氏、尹都尉、趙氏、王氏，則直云不知何世而已矣。亦有明知其朝代，而無由決定者。如儒家之周史六弢，班氏云惠襄之間，或曰顯王時，或曰孔子問焉，則備引異説，用以存疑。墨家之尹佚，班氏云周臣，在成康時也，則又兼兩朝，[①]以渾言之。凡此皆可見考古之難也。

傳言例

《漢志》稱傳言者凡兩見。其一雅琴師氏云傳言師曠後，蓋謂師曠以知音聞，此師中者能傳其家學也。其一雜家《大命》云傳言禹所作，其文似後世語，則謂文非夏禹所造。其書名"大命"者，乃是傳言如是也。吾觀古書中有相傳爲某氏作，不能不據以著錄而其實可疑者多矣。試舉《讀書志》證之：易類《易乾鑿度》云"舊題倉頡修古籀文"，《坤鑿度》云"題包羲氏先文，軒轅氏演，古籀文，蒼頡修"，《卜子夏易》云"舊題卜子夏傳"，春秋類《帝王曆記譜》云"題曰秦相荀卿撰"。此數書者，或稱舊題，或省文爲題，即《漢志》傳言之例也。

右《漢書藝文志舉例》二十條

孫氏《漢書藝文志舉例》凡五十六條，兹取其尤要者二十條。古今言《漢志》者，以章氏、孫氏兩書爲最閎通，皆總挈毌穿，發揮史法者也。章氏書較易得，故鈔撮從簡云。陳朝爵附識。

---

① "兼"下，民國開明書店《二十五史補編》本《漢書藝文志舉例》有"稱"，於義較勝。

漢志藝文略

孫德謙　撰

張　雲　整理

底本：民國三十三年(1944)《學海》月刊第一卷第三冊九月號

漢志藝文略

書之有異名同實，最足疑誤後學。《白虎通德論》今謂之《白虎通》，《隋書·經籍志》已然。《風俗通義》今謂之《風俗通》。不必愚者，試以原名詰之，未有不誤認兩書者矣。鄭樵《通志·藝文略》既載《班昭集》，而復有《曹大家集》，是雖精於校讎者亦不免也。因即《漢志》所載者詳攷之，撰《別稱略》。

淮南道訓二篇

案，劉向《別録》："所校讎中《易傳淮南九師道訓》，除復重，定著十二篇。淮南王聘善爲《易》者九人，從之採獲，故中書署曰《九師書》。"《初學記》、《御覽》。劉歆《七略》："《易傳淮南九師道訓》者，淮南王安所造也。"《文選注》。據此，則原名《淮南九師道訓》，班氏删去"九師"二字，而爲《淮南道訓》矣。凡删之別，視此。

鐸氏微三篇

《別録》："鐸氏作《鈔撮》八卷。"《左傳正義》。是劉不名《微》也。

虞氏微傳二篇

《別録》："虞卿作《鈔撮》九卷。"《左傳正義》。則原書不作《微傳》矣。凡易字之別，視此。上同。

公羊董仲舒治獄十六篇

《隋書·經籍志》："《春秋決事》。《舊唐書·經籍志》作《春秋決獄》，《唐書·藝文志》同。均在子法家。蓋即此《公羊治獄》也。

國語二十一篇

《隋志》、《舊唐志》均稱《春秋外傳國語》。太史公云："左丘失

明,厥有《國語》。"然則,《國語》本名也,《春秋外傳》後人所增加耳。<small>凡增字之別,視此。</small>

戰國策三十三篇

劉向《國策序》云:"中書本號,或曰《國策》,或曰《国事》,或曰《短長》,或曰《事語》,或曰《長書》,或曰《修書》。臣向以爲,戰國時游士輔所用之國,爲之策謀,宜爲《戰國策》。"<small>嚴可均《全漢文》、剡川姚氏宋刻本。</small>若然,《戰國策》乃向所定名,班氏因之。<small>《漢志》皆本劉氏父子《別録》、《七略》。</small>其本號則爲《國策》、《國事》、《短長》、《事語》、《長書》、《修書》。

太史公百三十篇

《隋志》、兩《唐志》均作《史記》,亦知《太史公》即爲書乎? 宋以後著録家,皆沿隋、唐之稱。

晏子八篇

《隋志》、兩《唐志》稱《晏子春秋》。

周史六弢六篇

師古注曰:"即今之《六韜》也。"

陸賈二十三篇

《太史公》賈本傳:"賈爲高帝麤述存亡之徵,凡著十二篇,號其書曰《新語》。"《隋志》、兩《唐志》遂作《新語》矣。

賈山十八篇

《漢書》本傳:"孝文時言治亂之道,借秦爲諭,名曰《至言》。"是山之書本稱《至言》。

賈誼五十八篇

《隋志》、《舊唐志》作《賈子》,《唐志》作《賈誼新書》。

商君二十九篇

《隋志》作《商君書》,《唐志》同。《舊唐志》作《商子》。

鼂錯三十一篇

《舊唐志》：《晁氏新書》。如此作。

蒯子五篇

《漢書》本傳："自序其説，凡八十一道，號曰《雋永》。"此與賈山之《至言》，本傳皆載其原名。

呂氏春秋二十六篇

《太史公自序》："不韋遷蜀，世傳《呂覽》。"

淮南二十一篇

《西京雜記》："淮南王安著《鴻烈》二十一篇，號爲《淮南子》，[①]一曰《劉安子》。"

屈原賦二十五篇

《太史公自序》："屈原放逐，乃著《離騷》。"《隋志》："《楚詞》者，屈原之作也。"又以《離騷》爲《楚詞》矣。

古書著於竹帛，故多裁篇別出。《隋书·经籍志》："《夏小正》一卷，戴德撰。《月令章句》十二卷，蔡邕撰。"今《夏小正》載於《大戴禮》，《月令》入於《小戴禮記》，隋以前蓋皆單行。《漢書》董仲舒本傳："仲舒説《春秋》得失，聞舉《玉杯》、《繁露》、《清明》、《竹林》之屬數十篇。"今則名其書爲《春秋繁露》，而以《玉杯》、《竹林》附之。《清明》篇無。漢時實篇篇別行。陳直齋《書錄解題·目錄類》："《唐·藝文志》四卷，《新唐書》中錄出，監中有印本。"可見宋時尚有別本行世之例。兹以見於《漢志》者撰《別裁略》。

中庸説二篇

師古注云："今《禮記》中有《中庸》一篇，蓋此之流。"然則《中

---

① "南"字原脱，今補。

庸》非宋始摘出也。漢時已如是。

孔子三朝七篇

師古注云：“今《大戴禮》有其一篇。”

小尼一篇 宋祁校本“小”下有“爾”字。

陳直齋《書録解題》：“今《館閣書目》云孔鮒撰，蓋即《孔叢子》
第十篇也。當時好事者抄出別行。”

弟子職一篇

師古注引應劭云：“管仲所作，在《管子》書。”

**自漢以來，書之假託者夥矣。《易》之子夏《傳》，張弧作也；關朗
《傳》，阮逸作也。《書》則安國《書傳》，出於晉之梅頤。《詩》則
申培《詩説》，造於明之豐坊。向序《子華》，多用《字説》。郭注
《穆傳》，半襲《山經》。黄石《素書》，實商英之自撰。王通《文
中》，即阮氏之偽爲。凡若此者，幾更僕難終矣。乃不謂《漢志》
所列，已有是弊。幸班能明其依託，後人尚得辨別真偽也。撰
《偽造略》。**

文子九篇

老子弟子，與孔子并時而稱周平王問，似依託者也。

力牧二十五篇

六國時所作，託之力牧。力牧，黄帝相。

黄帝泰素二十篇

六國時韓諸公子所作。

神農二十篇

六國時諸子疾時，急於農業，道耕農事，託之神農。

伊尹説二十七篇

其語淺薄，似依託也。

師曠六篇

見《春秋》。其言淺薄，本與此同，似因託也。

天乙三篇

天乙謂湯，其言非殷時，皆依託也。

黃帝說四十篇

迂誕，依託。

封胡五篇

黃帝臣，依託也。

風后十三篇

圖二卷。黃帝臣，依託也。

力牧十五篇

黃帝臣，依託也。

鬼容區三篇

圖一卷。黃帝臣，依託。

余所藏《西京雜記》，《漢魏叢書》本。題漢劉歆撰，陳直齋云"稱葛洪撰"，晁子止云"或以爲吳均依託"。一書而有三人，幾莫辨其孰是。《叢書》中又有《新論》十卷，題梁劉勰著，是本於《唐志》，乃袁孝政作序劉晝，或又云劉歆、劉孝標，實屬可疑。《漢志》之稱"似"稱"或"，皆不能定作者之名也。撰《存疑略》。

河間周制十八篇

似河間獻王所述也。

太公二百三十七篇

呂望爲周師尚父，本有道者。或有近世又以爲太公術者所增加也。

五曹官制五篇

漢制,似賈誼所條。

孔甲盤盂二十六篇

黄帝之史,或曰夏帝孔甲,似皆非。

大帝三十七篇

傳言禹所作,其文似後世語。

《漢志》有不詳作者名字,并不定爲何世者。《易》之《古五子》,《禮》之《明堂陰陽》、《中庸説》,《春秋》之《太古以來年紀》,《論語》之《孔子徒人圖法》,《孝經》之《小爾疋》、《古今字》,小學之《別字》,皆所未詳。今以班氏標明者録之,撰《蓋闕略》。

内業十五篇

不知作書者。

讕言十篇

不知作者,陳人君法度。

功議四篇

不知作者,論功德事。

儒家言十八篇

不知作者。

道家言二篇

近世,不知作者。

衞侯官十二篇

近世,不知作者。

雜陰陽三十八篇

不知作者。

燕十事十篇

　　不知作者。

法家言二篇

　　不知作者。

雜家言一篇

　　不知作者。

宰氏十七篇

　　不知何世。

尹都尉十五篇①

　　不知何世。

趙氏五篇

　　不知何世。

王氏六篇

　　不知何世。

昔王應麟作《藝文攷證》，嘗補拾亡佚。今案無王書以見於《隋》、《唐志》，補《漢志》之未備，撰《拾遺略》。

連山十卷

　　見《唐志》。

歸藏二十三卷

　　見《隋·經籍志》、《舊唐·經籍志》、《唐·藝文志》。

子夏易傳二卷

　　見《隋志》、兩《唐志》。

費直章句四卷

見《隋志》、兩《唐志》。《隋志》作八卷。

張霸尚書百二篇

《漢書·儒林傳》："世傳百兩篇者,出東萊張霸。"

戴德夏小正一卷

見《隋志》。

尹更始春秋穀梁傳十五卷

見《隋志》、《舊唐志》。

劉向五經通義

見兩《唐志》。

劉向五經要義

見兩《唐志》。

楊雄方言十二卷

見《隋志》、兩《唐志》。《兩唐》作《別國方言》。

越絕書十六卷 子貢撰。

見《隋志》、兩《唐志》。

叔孫通朝儀

見《隋志》。云："漢興,叔孫通定朝儀。"

蕭何九章律

見《隋志》。云："漢初,蕭何定律九章。"

劉向列仙傳讚三卷

見《隋志》、《舊唐志》。

東方朔神異經一卷

見《隋志》、《舊唐志》。

東方朔十洲記一卷

見《隋志》、《舊唐志》。

劉向別録二十卷

見《隋志》、兩《唐志》。

劉向七略七卷

見《隋志》、兩《唐志》。

鬼谷子三卷

見《隋志》、兩《唐志》。

燕丹子一卷

見《隋志》、兩《唐志》。《舊唐》作三卷。

黄帝素問九卷

見《隋志》、兩《唐志》。

神農本艸八卷

見《隋志》、兩《唐志》。

漢書藝文志校補存遺

沈颺民　撰

許建立　整理

底本：《制言》半月刊第四十二期(1937)

漢書藝文志校補存遺

沈瓞民

余年少時，有《漢書藝文志校補》之作，搜羅前説，復加考釋，尚待補綴求備，久置行篋。辛酉歲，居白下，會吾友姚君孟壎教授東南大學，撰《漢書藝文志注解》，間采余説，以相引證。今家居多暇，重理舊稿，以較晚近諸家，咸遞加而進，往往暗合，即刪去勿復道。諸家意有未盡，録而存之，以質當世君子。丁丑夏五月沈祖綿識。

淵聖御名寬　鹽鐵論六十篇　汲古閣本

注：師古曰：“寬，字次公，汝南人也。孝昭帝時丞相、御史，與諸賢良文學論鹽鐵事。寬撰次之。”王先謙補注：錢大昭曰：“汲古閣依宋板，故於‘桓’字作‘淵聖御名’。四小字閩本作‘桓’。《公孫田劉傳》贊云：‘汝南桓寬次公，推行鹽鐵之論，增廣條目，極其論難，著數萬言。’”先謙曰：“官本作‘桓’，《隋志》：‘《鹽鐵論》十卷，漢廬江府丞桓寬撰。’今存。”

祖綿按：《宋史・欽宗本紀》：“欽宗諱桓，初名亶。崇寧元年二月甲午，更名烜。十一月丁亥，又改今名。”是宋板避諱，改“桓”爲“淵”，是書係桓寬撰，無疑義。

隨斗擊

王先謙補注：沈欽韓曰：“《天文訓》：‘北斗之神有雌雄，十一月始建於子，月從一辰。雄左行，雌右行。五月合午，謀刑；十一月合子，謀德。’《隋志・五行志》有‘黄石公北斗三奇法’。”

沈曾植《溫故録》曰：“《京房易傳》：‘陰從午，陽從子，子午分行，子左行，午右行。’左右吉凶，凶吉之道，即《淮南》北斗雌雄之術。"

　　祖綿按：上兩說俱言推刑德，非言"隨斗擊"也。《吳越春秋·夫差內傳第五》："子胥曰：'今年七月辛亥平旦，大王以首事。辛，歲位也；亥，陰前之辰也。合壬子，前合也。利以行武，武決勝矣。然德在合，斗擊丑。丑，辛之本也。大吉，爲白虎而臨。辛，功曹，爲太常所臨。亥，大吉，得辛爲九丑，又與白虎并重。有人若以此首事，前雖小勝，後必大敗，天地行殃，禍不久矣。'"此言斗擊，即今六壬之說也。德在合，斗擊丑，是不相混也。《荀子·王制篇》："相陰陽，占祲兆，鑽龜陳卦，主禳擇五卜，知其吉凶妖祥，偏巫跛擊之事也。"楊倞注："擊讀爲覡，男巫也。古者以廢疾之人主卜筮巫祝之事，故曰偏巫跛覡。"楊注以擊讀爲覡，以比上之巫字。又《正論篇》："出戶而巫覡有事。"則擊與覡非一事可證。是"斗擊"爲古時陰陽之一術，故序略云："借鬼神而爲助"。《漢書·王莽傳》："時莽紺初服，帶璽韍，持虞帝匕首。天文郎按拭於前曰：'時加某時。'莽旋隨斗柄而坐，曰：'天生德於余，漢兵其如余何！'"《魏書·崔浩傳》："浩父疾篤，浩乃翦爪截髮，夜在庭中，仰禱斗極，爲父請命，求以身代。"莽、浩事疑即斗擊也。至《禮記·曲禮下》"招搖在上"疏引《春秋運斗樞》云："招搖，第七曰搖光。"《鶡冠子·天權篇》與《曲禮》相似，以天地數勝立說，與《曲禮》同，似亦言斗擊者也。

羨門式法二十卷
羨門式二十卷

　　祖綿按：《史記·封禪書》云："故始皇采用之，[1]而宋毋忌、正伯僑、充尚、羨門子高，是後皆燕人。爲仙方道，形解銷化，

---

[1]　"采"，原誤作"未"，據中華書局標點本《史記》改。

依於鬼神之事。”又《秦本紀》曰：“三十二年，始皇之碣石，使燕人盧生求羨門、高誓。”《漢書·司馬相如傳》《大人賦》“駹征伯僑而役羨門兮”，注引張揖曰：“伯僑，仙人王子僑也。羨門，碣石山主仙人羨門高也。”後人遂以此以釋“羨門”，非也。上言“《轉位十二神》二十五卷”，轉位十二神，即六壬。羨門之“羨”宜作“羡”。《藝文類聚·卜筮類》：“梁元帝《洞林序》云：‘羡門五神，甀經玩習，韓終六壬，常所寶愛。’”後人改“羡”爲“羨”，以《説文》無“羡”字也。考《漢書·地理志》“江夏郡沙羡”注：“晉灼曰：音夷。”王先謙不察，改“羡”爲“羨”，並引《荀子·彊國篇》“沙羨”爲證。不知《荀子》“今秦南乃有沙羡與俱，是乃江南”楊倞注：“《漢書·地理志》：‘沙羡縣，屬江夏郡。’”世德堂本文與注皆作“羡”，不作“羨”也。王氏《荀子集解》亦改“羡”爲“羨”，並引盧文弨曰：“羡音夷。”不據晉灼之説，抑何陋歟。羡門，即奇門，羡、奇聲通，羡爲次之孳乳。

周易明堂十二卷

王先謙補注：沈欽韓曰：“蓋即明堂陰陽之説，類魏相所采者。”

　祖綿按：禮家“《明堂陰陽説》五篇”，是偏於禮。周易明堂，係《易》之支裔。《大戴禮·盛德篇》：“明堂月令，赤綴戶也，白綴牖也。二九四、七五三、六一八。”[1]是明堂陰陽之説。《乾鑿度》曰：“陽動而進，陰動而退，故陽以七、陰以八爲象。《易》一陰一陽，合而爲十五之謂道。陽變七之九，陰變八之六，亦合於十五，則象變之數若一。陽動而進，變七之九，象其數之息也。陰動而退，變八之六，象其氣之消也。故太一

---

[1]　按，此句在《大戴禮記·明堂》中。

取其數以行九宫。四正月_{按："月"係"四"字之誤}維，皆合於十五。"此周易明堂之説。以《大戴禮·盛德篇》纂之，如"二九四"，合十五也，"七五三"，合十五也，"六一八"，合十五也，似明堂陰陽與周易明堂二説可以相通，而致用有别爾，故《易》與《禮》各有明堂説也。

漢書藝文志箋

許本裕　撰

張　雲　整理

底本：民國八年(1919)《國故》月刊 1—4 期

漢書藝文志箋

昔仲尼没而微言絶，

　注：李奇曰：“隱微不顯之言也。”師古曰：“精微要妙之言耳。”箋曰：案，顏説是也。

七十子喪而大義乖。

　注：師古曰：“七十子謂弟子達者七十二人，舉其成數，故言七十。”箋曰：案，仲尼弟子，説者紛紜。《孟子·公孫丑章句上》：“以德服人者，中心悦而誠服也，如七十子之服孔子也。”《吕氏春秋·遇合篇》：“委質爲弟子者三千人，達徒七十人。”《淮南子·要略訓》：“孔子脩成康之道，述周公之訓，以教七十子。”《史記·伯夷傳》：“且七十子之徒。”本書《儒林傳》：“仲尼既没，七十子之徒散遊諸侯。”《劉歆傳》：“而公羊、穀梁在七十子後。”又曰：“七十子終而大義乖。”趙岐《孟子題辭》：“七十子之疇。”皆云七十。《史記·孔子世家》：“孔子以《詩》、《書》、禮、樂教，弟子蓋三千焉。身通六藝者，七十有二人。”《後漢書·蔡邕傳》：“遂置鴻都門學，畫孔子及七十二弟子像。”《顏氏家訓·誡兵篇》：“仲尼門徒升堂者七十有二。”皆云七十二。《史記·仲尼弟子列傳》：“孔子曰：‘受業身通者七十有七人。’”本書《地理志》：“弟子受業而身通者七十有七人。”皆云七十七。蓋弟子確數已無定論，諸家所記僅其梗概。故《史記》一書，即有異説，況其他乎？

故《春秋》分爲五，《詩》分爲四，《易》有數家之傳。

　注：韋昭曰：“《春秋》謂左氏、公羊、師古曰：“名高。”穀梁、楊士勛曰：“名淑，字元始，魯人。一名赤，受經於子夏。”鄒氏、夾氏。《經典釋文》曰：

“及末世口説流行，故有公羊、穀梁、鄒氏、夾氏之傳。鄒氏無師，夾氏有録無書，故不顯於世。”王鳴盛曰：“夾氏口説流行，未著竹帛，故曰‘未有書’；鄒氏著竹帛，師傳之人中絶，故曰‘無師’。”《詩》謂毛氏、齊、魯、韓。”箋曰：《隋書·經籍志》曰：“猶以去聖既遠，經籍散佚，簡札錯亂，傳説紕繆。遂使《書》分爲二，《詩》分爲三，《論語》有齊、魯之殊，《春秋》有數家之傳。其餘互相踳駁，不可勝言。此其所以博而寡要，勞而少功也。”案《隋志》，《書》指今古文，故曰二；《詩》指齊、魯、韓，故曰三；《論語》舍齊、魯外，尚有《古論語》、《張侯論》之别。《隋志》所載，與班有出入，可互參證。

戰國從衡，

箋曰：案，“從”，《説文》作“縱”，《隋志》作“縱横”，義同，假借用也。

諸子之言紛然殽亂。

注：師古曰：“殽，雜也。”箋曰：案，諸子指周秦諸子而言。或謂指上七十子，非也。《説文》曰：“殽，相錯雜也。”“殽”一作“淆”，經典或假作“肴”。

至秦患之，乃燔滅《詩》、《書》，以愚黔首。

注：師古曰：“燔，燒也。秦謂人爲黔首，言其頭黑也。”箋曰：《史記·秦始皇本紀》曰：“臣請史官非秦紀皆燒之。非博士官所職，天下敢有藏《詩》、《書》、百家語者，悉詣守、尉雜燒之。有敢偶語《詩》、《書》棄市，以古非今者族。吏見知不舉者與同罪。令下三十日不燒，[①]黥爲城旦。所不去者，醫藥、卜筮、種樹之書。若欲有學法令，以吏爲師。制曰：‘可。’”劉歆《移書讓太常博士》曰：“陵夷至於暴秦，焚經書，殺儒士，設挾書之法，行是古之罪，道術由此遂滅。”案，秦燔書事在始皇

———————

① “十”字原脱，據中華書局點校本《史記》補。

三十四年，坑儒在三十五年。

漢興，改秦之敗，大收篇籍，廣開獻書之路。

箋曰：《史記·蕭相國世家》曰：“沛公至咸陽，諸將皆爭走金帛財物之府分之，何獨先入收秦丞相御史律令圖書藏之。^①沛公爲漢王，以何爲丞相。項王與諸侯屠燒咸陽而去。漢王所以具知天下阸塞，戶口多少，彊弱之處，民所疾苦者，以何具得秦圖書也。”劉歆《移書讓太常博士》曰：“漢興，時獨有一叔孫通略定禮儀，天下唯有《易》，未有他書。至孝惠之世，除挾書之律。至孝文皇帝，始使掌故朝錯從伏生受《尚書》。《尚書》初出於屋壁，朽折散絕，今其書見在，時師傳讀而已。《詩》始萌牙。天下衆書，往往頗出，皆諸子傳説，猶廣立於學官，爲置博士。在漢朝之儒，唯賈生而已。至孝武皇帝，然後鄒、魯、梁、趙頗有《詩》、《禮》、《春秋》先師，皆起於建元之間。當此之時，一人不能獨盡其經，^②或爲《雅》，或爲《頌》，相合而成。《泰誓》後得，博士集而讀之。”本書《惠帝紀》曰：“四年三月甲子，皇帝冠，赦天下。省法令妨吏民者，除挾書律。”又《朝錯傳》曰：“孝文時，天下無治《尚書》者。獨聞齊有伏生，故秦博士，治《尚書》，年九十餘，老不可徵。廼詔太常使人受之，太常遣錯受《尚書》伏生所。還，因上書，稱説。”齊召南曰：“此二句既叙在孝武之前，則指高祖時蕭何收圖籍，楚元王學《詩》，惠帝除挾書令，文帝使朝錯受《尚書》，使博士作《王制》，又置《論語》、《孝經》、《爾雅》、《孟子》博士，即其事也。”案，齊説是也，四書立博士事，見趙岐《孟子題辭》。

迄孝武世，書缺簡脱，禮壞樂崩，聖上喟然而稱曰：“朕甚閔焉。”

---

① “收”字原脱，據中華書局點校本《史記》補。
② “能”字原脱，據中華書局點校本《漢書》補。

注：師古曰："編絶散落，故簡脱。喟，歎息之貌也。"箋曰：劉歆《移書讓太常博士》曰："故詔書曰：'禮壞樂崩，書缺簡脱，朕甚閔焉。'"又據本書《武帝紀》："元朔五年六月詔曰：'蓋聞導之以禮，[1]風之以樂，今禮壞樂崩，朕甚閔焉。'"劉、班所引，均即其文。

於是建藏書之策。

注：如淳曰："劉歆《七略》曰：'外則有太常、太史、博士之藏，内則有延閣、廣内、秘室之府。'"箋曰：班固《西都賦》曰："又有天禄、石渠，典籍之所。"《文選注》三十八引《七略》曰："孝武皇帝敕公孫弘廣開獻書之路，百年之間，書積如丘山。"又王應麟本志《考證》曰："《通典》：'漢氏圖籍所在，有石渠、延閣、廣内，貯之於外府。[2]又御史中丞居殿中，掌蘭臺秘書及麒麟、天禄二閣，藏之於内禁。"又案，王先謙曰："官本'藏'作'臧'。"據《説文》曰："臧，善也。"藏，後出字，以"藏"爲"臧匿"之"臧"，非古也。當從官本。

使謁者陳農求遺書於天下，

箋曰：本書《成帝紀》曰："河平三年秋八月，謁者陳農使，使求遺書於天下。"

詔光禄大夫劉向校經傳、諸子、詩賦。

箋曰：沈欽韓引《文選》注《魏都賦》《風俗通》曰："劉向《別録》：'讎校，一人讀書，校其上下，得謬誤爲校；一人持本，一人讀書，若怨家相對爲讎。"案，《文選》無"爲讎"二字。王先謙曰："《向傳》：'上方精於《詩》、《書》，觀古文，詔向領校中五經祕書。'"

---

① "之"，中華書局點校本《漢書》作"民"。

② "廣"字原脱，據《二十五史補編》本《漢藝文志考證》補。

①案，本書《成帝紀》："河平三年八月，光祿大夫劉向校中祕書。"

步兵校尉任宏校兵書，

箋曰：王先謙引陶憲曾曰："據《哀紀》《公卿表》，有任宏，字偉公，爲執金吾，守大鴻臚，蓋即其人。"檢《哀紀》《公卿表》無此文，陶說恐誤。《成紀》《公卿表》：元延三年，有護軍都尉任宏偉爲太僕射。② 未明是斯人否？

太史令尹咸校數術，

注：師古曰："占卜之書。"箋曰：周壽昌曰："本書《劉歆傳》作丞相史，能治《左氏》，諫大夫尹更始之子，官至大司農。"案，《歆傳》："時丞相史尹咸以能言《左氏》，與歆共校經傳。歆略從咸及翟方進受，質問大義。"又案，尹咸，汝南人，嘗受《左氏》、《穀梁》之學於其父更始。

侍醫李柱國校方技。

注：師古曰："醫藥之書。"箋曰：周壽昌曰："《隋書·經籍志》序引作'太醫監'。"案，隋有太醫署。案，本書《張禹傳》曰："侍醫視疾。"侍醫者，侍君上之醫也，即世稱之御醫。

每一書已，向輒條其篇目，撮其指意，録而奏之。

注：師古曰："已，畢也。撮，總取也。"箋曰：《隋書·經籍志》曰："每一書就，向輒撰爲一録，論其指歸，辨其訛謬，叙而奏之。"沈欽韓曰："《御覽》六百六《風俗通》曰：劉向《別録》：'殺青者，直治竹作簡書之耳。新竹有汗，善朽蠹，凡作簡者，皆於火上炙乾之。陳楚間謂之汗。汗者，去其汗也。吳越曰殺。殺者，亦治也。'劉向爲孝成皇帝典校書籍二十餘年，皆

---

① "詔"後原有"曰"字，據《續修四庫全書》本《漢書補注》删。
② 中華書局點校本《漢書·百官公卿表》"偉"後有"公"字，無"射"字。

先書竹,改易刊定,可繕寫以上素也。"又曰:"向上《晏子》、《列子》奏,并云'以殺青書,可繕寫'。然則其録奏者,并先殺青書簡也。"案,此可明向校書時之景況。

會向卒,哀帝復使向子侍中奉車都尉歆卒父業。

注:師古曰:"卒,終也。"箋曰:《向傳》:"年七十二卒。"《歆傳》:"哀帝初即位,大司馬王莽舉歆宗室有材行,爲侍中太中大夫,遷騎都尉、奉車光禄大夫,貴幸。復領五經,卒父前業。"

歆於是總群書而奏其《七略》。

箋曰:《隋書·經籍志》曰:"哀帝使其子歆嗣父之業。乃徙温室中書於天禄閣上。歆遂總括群書,撮其指要,著爲《七略》。"又曰:"古者史官既司篇籍,蓋有目録以爲綱紀,體制湮没,不可復知。孔子删書,别爲之序,各陳作者所由。韓、毛二《詩》,亦皆相類。漢時劉向《別録》、劉歆《七略》,剖析條流,各有其部,推尋事迹,疑則古之制也。"案,《歆傳》:"乃集六藝群書,種別爲《七略》。"

故有《輯略》,

注:師古曰:"輯與集同,謂諸書之總要。"箋曰:王先謙引吳仁傑曰:"時猶未以集名書,故《志》載賦、頌、歌、詩一百家,皆不曰集。晉荀勗分四部,其四曰丁部。宋王儉撰《七志》,其三曰《文翰志》,亦未以集名之。梁阮孝緒爲《七録》,始有《文集録》。《隋志》遂以荀況等詩賦之文皆謂之集,而又有别集。史官謂别集之名,漢東京所創。案,閔馬父論《商頌》輯之亂,韋昭曰:'輯,成也。'竊謂别集之名,雖始於東京,實本於劉歆之《輯略》,而《輯略》又本於《商頌》之輯云。"案,本書《郊祀歌》"澤汪濊,輯萬國",此亦輯、集互通之證。

有《六藝略》,有《諸子略》,有《詩賦略》,有《兵書略》,有《術數

略》，有《方技略》。

箋曰：《隋書·經籍志》曰："歆遂總括群書，撮其指要，著爲《七略》：一曰《集略》，二曰《六藝略》，三曰《諸子略》，四曰《詩賦略》，五曰《兵書略》，六曰《術數略》，七曰《方技略》。大凡三萬三千九十卷。"案，繼劉氏之後，分書之部居者，有荀勗之四部，王儉之《七志》，阮孝緒之《七錄》，《隋書·經籍志》之四部。荀勗因《中經》魏祕書郎鄭默作。更撰《新簿》，分爲四部：一曰甲部，紀六藝及小學等書；二曰乙部，有古諸子家、近世子家、兵書兵家、術數；三曰丙部，有史記、舊事、皇覽簿、雜事；四曰丁部，有詩賦、圖讖、汲冢書。凡四部合二萬九千九百四十五卷。宋元徽中祕書丞王儉撰《七志》：一曰《經典志》，紀六藝、小學、史記、雜傳；二曰《諸子志》，紀古今諸子；三曰《文翰志》，紀詩賦；四曰《軍事志》，紀兵書；五曰《陰陽志》，紀陰陽圖讖；六曰《術藝志》，紀方技；七曰《圖譜志》，紀地域及圖書；至於道、佛則附見。阮孝緒采宋、齊以來王公家之書記，參校官簿，更爲《七錄》：一曰《經典錄》，紀六藝；二曰《記傳錄》，紀史傳；三曰《子兵錄》，紀子書、兵書；四曰《文集錄》，紀詩賦；五曰《技術錄》，紀數術；六曰《佛錄》；七曰《道錄》。至《隋志》則又復爲四部，一曰經，十三種六百二十七部五千三百七十三卷二曰史，三十種八百一十七部一萬三千二百六十四卷三曰子，十四種八百五十三部六千四百三十七卷四曰集。道、佛經附三種，五百五十四部六千六百二十二卷；道、佛經二千三百二十九部，七千四百十四卷。黃季剛先生作《七略四部開合異同表》，謹錄於下，以供參證。

《七略四部開合異同表》

劉歆七略	荀勖四志	王儉七志	阮孝緒七録	隋書經籍志四部
六藝 諸子 詩賦 兵書 方技 術數 其《輯略》一種， 乃諸書之總要。 《漢書·藝文 志》每類緒論 之文， 大抵采此。	甲部 　紀六藝 　及小學 乙部 　有諸子 　家及近 　世子家、 　兵書兵 　家、術 　數 丙部 　有史記、舊 　事、皇覽簿、 　雜事 丁部 　有詩賦、 　圖讖、汲冢書	經典 　六藝、小 　學、史記、 　雜傳 諸子 　今古諸子 文翰 　詩賦 軍書 　兵書 陰陽 　陰陽及 　圖緯 方技 圖譜 　地域及圖書。 　道、佛附，合 　九條。	經典 　六藝 記傳 　史傳 子兵 　子書 　兵書 文集 　文集 技術 　數術 佛 道	經 　十三種 　六藝、經緯 史 　三十種 　史之所記 子 　十四種 　諸子 集 　三種 道經 佛經

今刪其要，以備篇籍。

注：師古曰："刪去浮冗，取其指要也。其每略所條家及篇
數，有與總凡不同者，轉爲脱誤。年代久遠，無以詳知。"箋
曰：案，"備"當作"葡"。葡，具也；備，慎也。二字義異。以
備篇籍者，言撮其要以供具於篇籍也。

易經十二篇，施、孟、梁邱三家①

注：師古曰："上、下經及十翼，故十二篇。"箋曰：孔穎達曰：
"既文王《易經》本分爲上、下二篇，則區域各别，《彖》、《象》釋
卦，亦當隨經而分。故一家數十翼云：《上彖》一，《下彖》二，
《上象》三，《下象》四，《上繫》五，《下繫》六，《文言》七，《説卦》
八，《序卦》九，《雜卦》十。鄭學之徒，并同此説。"又曰："《子

---

① "三"，原作"之"，據中華書局點校本《漢書》改。

夏傳》云：‘雖分爲上、下二篇，未有經字。經字是後人所加，不知起自誰始。’前漢孟喜《易》本云分上、下二經，是孟喜之前已題經字。其篇題經字雖起於後，其稱經之理則久在於前。”王應麟本志《考證》曰：“今《易》卦至‘用九’，[①]即古《易》之本文。鄭康成始以《彖》、《象》連經，文王、輔嗣又以《文言》附乾、坤二卦。至於文辭連屬，不可附卦、爻，則仍其舊篇。自康成、輔嗣合《彖》、《象》、《文言》於經，學者遂不見古本。秦漢之際，《易》亡《説卦》。宣帝時，河内女子發老屋得之。”王充《論衡》曰：“河内女子發屋，得逸《易》一篇。”《隋書·經籍志》曰：“唯失《説卦》三篇，後河内女子得之。”王先謙曰：“《志》既云傳者不絶，是此書未缺。發屋得書事，迺俗説也。”案，傳者不絶者，以秦世燔書，《易》爲卜筮之書，不在禁燒之内，故傳者不絶，乃授受之人不斷也，王氏似誤會其意。案，易字當斷爲句。

易傳周氏二篇　字王孫也。

箋曰：本書《儒林傳》曰：“田何授東武王同子中、雒陽周王孫、丁寬、齊服生，皆著《易傳》數篇。”又曰：“寬至雒陽，復從周王孫受古義，號《周氏傳》。”

服氏二篇

注：師古曰：“劉向《別録》云：‘服氏，齊人，號服光。’”箋曰：沈欽韓曰：“《御覽》三百八十五《會稽先賢傳》曰：‘淔于長通年十七，[②]説宓氏《易經》。’”王先謙曰：“宓與伏同，服亦與伏同，故服、宓、伏三字互相通假。所稱宓氏《易》，即此服氏也。”案，《經典釋文》亦據《別録》作“號服光”。嚴氏《全漢文》謂《釋文》作“服光”。畢氏《通經表》作“服名先”。周壽昌謂“古名號字通稱”是也。

楊氏二篇　名何，字叔元，菑川人。

箋曰：王應麟本志《考證》曰：“太史公受《易》於楊何。《易》

① 《二十五史補編》本《漢藝文志考證》“卦”前有“乾”字。
② “十七”，原作“七十”，據中華書局1960年影印本《太平御覽》改。

家著書自王同始，學官自楊何始。"沈欽韓曰："武帝時五經博士之一。"案，《經典釋文》作"字叔"。

蔡公二篇 衞人，事周王孫。

箋曰：周壽昌曰："近時歷城馬國翰《玉函山房輯佚書》有《蔡氏易説》一卷，題云'漢蔡景君譔'。景君當是蔡氏之字，名爵未詳。虞翻稱'彭城蔡景君説'，翻生漢季，及引述之，則蔡氏漢人，在翻前。考《漢·藝文志》有《蔡公》二篇，注'蔡公，衞人，事周王孫'，意景君即蔡公，殆衞人而官彭城。虞稱其官號，[①]如南郡之稱馬融，長沙之稱賈誼歟？《隋志》不載，書佚已久。按，馬氏所輯一卷，亦止引李鼎祚《集解》一節、朱震《漢上易叢説》二條，亦未得爲此書具體也。"案，周説是也。馬氏所言，似非確據，未可遂以蔡景君即此蔡公。

韓氏二篇 名嬰。

箋曰：王應麟本志《考證》曰："韓嬰亦以《易》授人，推《易》意而爲之傳。燕趙間好《詩》，故其《易》微，唯韓氏自傳之。涿郡韓生其後也，曰：'所受《易》，即先太傅所傳也。嘗受《韓詩》，不如韓氏《易》深。'蓋寬饒從受焉。寬饒封事引韓氏《易傳》言：'五帝官天下，三王家天下。'"案，見本書《寬饒傳》。沈欽韓曰："《經典·序錄》：'《子夏易傳》三卷。《七略》曰漢韓嬰傳。'"周壽昌曰："馬國翰云其書久佚，惟《蓋寬饒傳》引一節，他無所見。王儉《七志》引劉向《七略》云：[②]'《易傳》子夏，韓氏嬰也。'則《子夏傳》爲嬰之所脩，與《中經簿錄》謂'《子夏傳》，丁寬所作'同。"案，韓《易》間見於《韓詩外傳》。又案，馬氏佚書子夏、丁氏《易傳》皆曰"乾元亨利貞"，韓氏《易傳》獨無"貞"字，

---

① 《續修四庫全書》本《漢書注校補》"虞"字後有"氏"字。

② "引"字原脱，據《續修四庫全書》本《漢書注校補》補。

此恐刊者誤脫去耳。又韓《傳》有"困於石,據於蒺藜,入於其宮,不見其妻,凶。此言困而不見,據賢人者也"二十七字,《子夏傳》無。又韓《傳》於"厲闇心上"加"九三,艮其限,列其夤"八字。又按,嬰有孫,名商,傳其學,武帝時博士。

丁氏八篇　名寬,字子襄,梁人也。

箋曰:本書《儒林傳》曰:"初寬爲項生從者,[①]讀《易》精敏。至雒陽,復從周王孫受古義,號《周氏傳》。作《易説》三萬言,訓故舉大誼而已,今《小章句》是也。"《經典釋文》載《子夏易傳》三卷,注曰:"《七略》云:'漢興,韓嬰傳。'《中經簿録》云:'丁寬所作。'張璠云:'或馯臂子弓所作,薛虞記。虞,不知何許人。'"沈欽韓曰:"《册府元龜》:六百四'開元初,禮部奏議荀勗《中經簿》,《子夏傳》四卷,或云丁寬所作。'"案,《釋文》與《册府元龜》所記卷數不同,未詳孰是。《隋志》云:"《周易》三卷,[②]魏文侯師卜子夏傳,殘缺。梁六卷。"未云丁寬作。子夏、丁寬皆各有《易傳》,未可遂以《子夏傳》爲丁作也。又案,《釋文》與《子夏易傳》字多有不同,如"比之象也"作"故曰比","戀"作"攣","抍"作"拯","睇"作"夷","近"作"幾","翩翩"作"篇篇","埸"作"隍","旁"作"彭","嗛"作"謙","紆"作"旴","晡"作"肺","殘殘"作"戔戔","弗"作"拂","攸攸"作"逐逐","湜"作"實","喊"作"戚","跱"作"拇","碩"作"鼫","契"作"挈","掔"作"牽","鑞"作"椸","苞"作"包","荼荼"作"徐徐","茀"作"沛","齊斧"作"資斧","髯"作"弗","禰"作"繻","茹"作"柳"。

古五子十八篇　自甲子至壬子,説《易》陰陽。

---

① "初",中華書局點校本《漢書》作"時"。
② "三",中華書局點校本《隋書》作"二"。

箋曰：王應麟本志《考證》引劉向《別錄》曰："所校讎中《古五子》書，除復重，定著十八篇，分六十四卦，著之日辰。自甲子至壬子，凡五子。"故號曰五子。齊召南曰："《易》有先甲、後甲、先庚、後庚、巳日之文，然古人說《易》，未有以甲子配卦、爻者。至漢始有《律曆志》曰'日有六甲，辰有六子'，注云'六甲之中，惟甲寅無子'。然則後世占《易》，以六辰定六爻，亦不自京房始也。"周壽昌曰："《隋》、《唐志》皆不著錄，佚已久。"案，《古五子》說除見本書《律曆志》外，間見《文選注》。左太沖《吳都賦注》。

淮南道訓二篇 淮南王安聘明《易》者九人，號"九師法"。

箋曰：高誘《淮南鴻烈解序》曰："天下方術之士，多往歸焉。於是遂與蘇飛、李尚、左吳、田由、雷被、毛披、任被、晉昌等八子及諸儒大山、小山之徒，共講論道德，總統仁義而著此書。"王應麟本志《考證》引《七略》曰："《九師道訓》者，淮南王安所造。"張平子《思玄賦》"文君爲我端蓍兮，利飛遁以保名"，注云："《遯》上九曰：'飛遁，無不利。'《淮南九師道訓》曰：'遁而能飛，吉孰大焉。'"曹子建《七啓》"飛遯離俗"注亦引之。劉向《別錄》："所校讎中《易》傳《淮南九師道訓》，除復重，定著十二篇。王先謙本書《補注》作十三篇。淮南王聘善爲《易》者九人，從之採獲，故中書著曰《淮南九師書》。"《文中子》謂"《九師》興而《易》道微"。錢大昭曰："'法'，南雍本、閩本並作'說'。"沈欽韓曰："此《志》作二篇，與總數不合，明脫'十'字也。"周壽昌曰："《隋》、《唐志》皆不著錄，佚已久。"王先謙曰："官本'法'作'說'。"案，錢、沈、周、王四說皆是也。明嘉靖二十四年刊本作"說"，毛本作"法"。號"九師法"者，即稱九師學之謂也，作"法"亦通。

古雜八十篇

箋曰：沈欽韓曰：“此即《乾鑿度》、《稽覽圖》之等。<small>王氏本書《補注》作‘類’。</small>張衡歷言《尚書》、《詩》、《春秋》讖之繆妄，而不及《易》，則《易說》爲古書也。又《乾鑿度》：^①‘炎帝、黄帝有《易靈緯》。太卜掌三《易》之法，一曰《連山》，二曰《歸藏》。’注曰：‘連山，似山出内氣也；^②歸藏者，萬物莫不歸而藏於其中。杜子春云：《連山》，伏戲；《歸藏》，黄帝。’《禮運》注云：‘殷陰陽之書，其書存者有《歸藏》。’據鄭注，則漢時二《易》，尚存其一。^③《隋志》云‘漢初已亡’，蓋見志無其目也。只云《古雜》，蓋年代汗漫，^④雖有其書，莫究其用，亦未知是周太卜所掌與否，故存疑云爾。或雜説古帝王卜筮之事，疑如汲郡《師春》，但取《左傳》卜筮事爲書耳。又《説苑》、《鹽鐵論》引《易》，皆本經所無，亦《古雜》之篇也。”按，《古雜》者，古者之雜説也。又按，本志列書次第，井然有條，《古雜》八十篇，置於孟氏、京氏十一篇之前，丁氏八篇之後，則其中撰者或有漢人。又書與《雜災異》三十五篇相聯系，似亦言災異之流。

雜災異三十五篇

箋曰：沈欽韓曰：“《後書·郎顗傳》《易天人應》曰：‘君子不思遵利，兹謂无澤，厥災蝥，火燒其宫。’又曰：‘君高臺府，犯陰侵陽，厥災火。’又曰：‘上不儉，下不節，災火並作，燒君室。’蓋《雜災異》之流與。京房《傳》大略同。”案，此與上條、下條皆載篇數而不詳誰作，殆書存而撰者名佚也。又案，各本皆作三十五篇，獨沈氏本書《疏證》作五十三，然未申明改意，恐非作者原文，而刊者誤倒置也。

---

① 《續修四庫全書》本《漢書疏證》“乾”後有“坤”字。
② “山”字原脱，據《續修四庫全書》本《漢書疏證》補。
③ “時”字原脱，據《續修四庫全書》本《漢書疏證》補。
④ “代”字原脱，據《續修四庫全書》本《漢書疏證》補。

神輪五篇,圖一

注：師古曰："劉向《別錄》云：'《神輪》者,王道失則災異生,得則四海輪之祥瑞。'"箋曰：案,此書介於《雜災異》三十五篇、《災異孟氏京房》六十六篇之間,則亦言災異之書也。又案,圖一並非注文。一本刊爲小字,與注相似,非也。

孟氏京房十一篇

箋曰：《隋書·經籍志》曰："《周易》十卷,漢魏郡太守京房章句。"《經典釋文》曰："《京氏章句》十二卷。"引《七錄》云："十卷,目錄一卷。"王應麟本志《考證》曰："唐《大衍曆·卦議》曰：'十二月卦出於《孟氏章句》。其説本於氣,而後以人事明之。'"又引晁氏曰："《漢志》《易》京氏凡三種八十九篇,《隋志》有《京氏》十卷,又有《占候》十種七十三卷。《唐·藝文志》有京《章句》十卷,而《占候》存者五種二十三卷。今《章句》是矣,①乃見於僧一行及李鼎祚之書。"②周壽昌曰："《志》不言有章句,阮孝緒《七錄》有《京房章句》十卷,《隋》、《唐志》並云'十卷',《經典釋文·叙錄》云'十二卷',今佚不傳。"案,此處孟氏、京氏連寫,與下文京氏、段嘉連寫同例。下文合寫者,明嘉爲京氏弟子,而著其學之所自出也。攷《房傳》："房受《易》梁人焦延壽,延壽云'嘗從孟喜問《易》'。會喜死,房以爲延壽《易》即孟氏學。"據此,是房之學亦遙出於孟喜也。雖延壽獨得隱士之説,託之孟氏,不與相同,然房己自言其師之《易》爲孟氏《易》矣,故《志》以孟、京合列而以"孟"冠"京"前,亦所以著其學之所自出也。又案,《志》載篇數與諸家所記不同,而《隋志》、《釋文》又各互異,未審孰是。又案,漢有兩京

---

① "是",《二十五史補編》本《漢藝文志考證》作"亡"。
② 《二十五史補編》本《漢藝文志考證》"乃"後有"略"字。

房,攷《儒林傳》曰:"梁邱賀從大中大夫京房受《易》。房者,淄川楊何弟子也。房出爲齊郡太守。"此一京房也。又《列傳》四十五卷七十五。曰:"京房,字君明,東郡頓丘人。治《易》,事梁人焦延壽。延壽,字贛。"又曰:"元帝以爲魏郡太守,秩八百石。"又曰:"房本姓李,推律自定爲京氏,死時年四十一。"此又一京房也。《隋志》謂《周易》十卷,爲漢魏郡太守京房《章句》,則此處京房乃頓丘人焦贛弟子之京房,而非齊郡太守楊何弟子之京房也。又案,馬氏所輯佚書有《京氏章句》一卷,凡上、下經、《彖》、《象》、《繫詞》皆略載之。王謨《漢魏佚書鈔》有《京氏易傳》九十五條,《尚書》、《周禮》、《春秋》諸疏、《公羊傳》注、《三國志》、《隋志》、《水經注》、《博物志》各一條,《史記·天官書》注、《南齊書·志》、《類聚》各二條,《穀梁傳》注三條,本志《五行志》六十三條,《後書·五行志》三條,《宋書·志》五條,《御覽》十條。

災異孟氏京房六十六篇

箋曰:沈欽韓曰:"《後書·郎顗傳》:'臣伏案飛候,參察眾政。'注:京房作《易飛候》。《隋志》:《周易占》十二卷、王氏《考證》:'元祐八年,高麗進書有《京氏周易占》十卷,疑《隋志》《周易占》十二卷也。'《周易守林》三卷、《周易集林》十二卷、《周易飛候》九卷,又《飛候》六卷、《周易四時候》四卷、《周易錯卦》七卷、《周易混沌》四卷、《周易逆刺占災異》十二卷,並云京房撰。就其名目重複、誕異,不知誰所定也。《儒林傳》:'焦延壽嘗從孟喜問《易》,會喜死,房以爲延壽《易》即孟氏學。'然則京氏之《易》託諸孟氏,故《志》叙京房《易》而冠以孟氏。① 然《隋志》又有焦贛《易林》十六卷,案,明本區爲四卷。今見行而《志》不列焦氏,以其無師

---

① "易",原作"喜",據《續修四庫全書》本《漢書疏證》改。

法，故不録中秘，或以京氏包之耳。六十六篇内當有焦《易林》。"①又曰："《御覽·咎徵部》有《京房别對災異》。"王先謙曰："傳稱'喜從田王孫受《易》，得《易》家候陰陽災變書。云師且死，獨傳喜'，故言災異，首孟氏。《易林》當在耆龜家《周易》中，沈説非。"案，此京房與上同一人，《儒林傳》以焦氏受《易》於孟氏，而房又以其師之《易》爲孟氏《易》，則房爲孟再傳弟子，固有師承矣。沈氏以《志》不列《易林》，謂焦無師法。然則《志》以孟冠京，已明房出於喜。房雖未受《易》於喜，延壽實受《易》於喜。而房又焦弟子，其傳學系統，固井井不紊也。如沈氏説，焦無師法，則房亦不得謂出孟喜也。沈以《志》未載焦，遂爾誤會，致有斯失。又按，孟《易》大抵言陰陽，而焦言之尤詳，縱不純合於孟，亦未可謂非出於孟，沈説終弗能無疑。又案，房言災異之文，多見其封事中，其弟子姚平曰："房言災異，未嘗不中。"

五鹿充宗略説三篇

箋曰：本書《朱雲傳》曰："充宗爲梁丘《易》，自宣帝時善梁丘氏説。元帝好之，欲考其異同，令充宗與諸《易》家論。充宗乘貴辯口，諸儒莫能與抗。"

京氏段嘉十二篇

注："蘇林曰：'東海人，②爲博士。'晉灼曰：'《儒林》不見。'師古曰：'蘇説是也。嘉即京房所從受《易》者也。見《儒林傳》及劉向《别録》。'"箋曰：錢大昭曰："《儒林傳》作殷嘉。"沈欽韓曰："京房弟子所撰，故冠以京氏學。"《史記索隱》：《别録》《易》家有救氏注。"救"乃"殷"之誤。周壽昌曰："傳云房授東海殷嘉，是殷

---

①　《續修四庫全書》本《漢書疏證》"焦"後有"氏"字。

·　②　"人"字原脱，據中華書局標點本《漢書》補。

非段，或以字近而譌。而云房授嘉，則是房弟子，非房所從受學者也，顏注非。"案，周說是也。

章句，施、孟、梁邱各二篇

箋曰：本書《儒林傳》曰："至孝宣世，復立施、孟、梁邱《易》。"又曰："丁寬授碭田王孫，王孫授施讎、孟喜、梁邱賀。"《隋書·經籍志》曰："漢初傳《易》者有田何，何授丁寬，寬授田王孫，王孫授沛人施讎、東海孟喜、琅邪梁邱賀。由是《易》有施、孟、梁邱之學。"又曰："梁邱、施氏、高氏亡於西晉，孟氏、京氏有書無師。"王應麟本志《考證》引陸澄曰："《易》自商瞿之後，雖有異家之學，同以象數爲宗。"許氏《說文》稱《易》孟氏，其文多異。虞翻傳其家五世孟氏之學。王先謙曰："施、孟說略見《禮·曲禮》、《郊特牲》、《王制》、《詩·干旄》諸疏、《穀梁集解》、《經典釋文》、朱震《漢上易》中。"按《隋志》有孟喜章句《周易》八卷，《釋文》有《孟喜章句》十卷。施及梁邱之書則並未載，此《隋志》所以謂"二氏亡於西晉也"。又按，王氏《漢魏遺書鈔》有《孟氏章句》一卷，凡《說文》二十一條，《釋文》十一條，書中共十五條，與序不符。《周易集解》二條，《詩正義》一條，《禮記》二條。馬氏佚書有《孟氏章句》二卷，所引較王氏稍詳，又有《施氏章句》一卷，十二條《梁邱氏章句》一卷。十八條又按，《釋文·序錄》云："《孟氏章句》無《上經》。又《下經》無《旅》至《節》，無《上繫》。"馬氏佚書則輯有《上經》、《上繫》各若干則，與《序錄》微異。又按，三家說各異，故言各二篇。

凡《易》十三家，二百九十四篇。

箋曰：周壽昌曰："《易》著龜有《周易》三十八卷，或專言卜筮，不關《易》義，故別列於彼，亦無說經姓名也。據下注各家例，應書‘圖一卷’。”按，本《志》記《易》皆言篇不言卷，周氏謂當增“圖一”則可。“一”下增“卷”字，似非舊也。又案，此説《易》之總數也。

俯觀法於地。

箋曰：案，“法”當作“灋”。

於是重《易》六爻，作上、下篇。

箋曰：《經典釋文》曰：“宓犧氏之王天下，仰則觀於天文，俯則察於地理，觀鳥獸之迹與地之宜，近取諸身，遠取諸物，始畫八卦，因而重之爲六十四。”《隋書·經籍志》曰：“昔宓犧始畫八卦，以通神明之德，以類萬物之情，蓋因而重之，爲六十四卦。”孔穎達曰：“重卦之人，諸儒不同，凡有四説：王輔嗣等以爲伏犧重卦，鄭玄之徒以爲神農重卦，孫盛以爲夏禹重卦，史遷以爲文王重卦。今依王輔嗣，以伏犧既畫八卦，即自重爲六十四卦，爲得其實。”孔説甚長，兹不備載。王應麟本志《考證》曰：“重卦之人有四説。王輔嗣等以爲伏犧，鄭康成之徒以爲神農。滑于俊曰：‘包羲因燧皇之圖而制八卦，神農演之爲六十四。’孫盛以爲夏禹，史遷等以爲文王。《淮南子》：‘伏犧爲之六十四變，周室增以六爻。’張行成曰：‘伏羲先天示《易》之體，故孔子謂之作八卦，文王後天明《易》之用，故子雲謂之重六爻。’楊繪曰：‘筮非八卦之可爲，必六十四之然後可爲筮。舜、禹之際曰龜筮協從，則何文王重卦之有乎？八卦成列，象在其中矣；因而重之，爻在其中矣。按是而言，重卦之始，其在上古乎？’京房引夫子曰：‘神農重乎八純。’”齊召南曰：“王氏糾《漢志》之失是也，但《易大傳》明曰‘因而重之’，即伏犧重爲六十四耳，王弼之説最精。”王鳴盛曰：“《乾鑿度》云‘垂皇策者羲’，詳觀《乾鑿》之文，明是伏羲既畫八卦，即重爲六十四卦。"沈欽韓曰："《連山》之《易》，説者言伏"
羲、神農、夏后不一，故説重卦之人各異，要諸重卦不可謂始
於文王。"案，重卦之人，歷代諸儒咸有異説，兹不詳論。即從
王輔嗣説以爲伏羲重卦，《志》言文王，不可信。上、下篇，似
即十二篇中之上、下經。

漢書藝文志諸子略考釋

梁啓超　撰

尹承　蔡喆　整理

底本：中華書局 1936 年《飲冰室合集·專集》排印本

　　著録經籍，創自劉氏父子。班書删其要以作《藝文志》，目録之學，未之能先也。篇中時有班氏自注，蓋采向、歆之舊，間下己意，語焉弗詳。顔注以訓故精審見稱，學術流派非所措意，故本篇之注，不足以饜人望。降及趙宋，夐治其學者有兩大師，一曰王應麟，著《漢書藝文志考證》，注重各書内容及其存佚真僞。而已佚之書，則搜輯殘文，特致力焉。二曰鄭樵，著《校讎略》，專務闡明流别，商榷其分類得失。自是班《志》日益梳理，學焉者類知所從事矣。明則胡應麟踵深寧之緒，清則章學成繩夾漈之規，此其最尤異者。自餘凡治古學稽舊籍者，莫不以此志爲星宿海。酌其源以馭群委，諸所疏證，駸駸美備矣。近王先謙爲《漢書補注》，采輯蓋頗勤。雖然，本志網羅衆學，條理繁賾，且成書在二千年前，其所著録存於今者什不得一。故評騭考辨，致力綦難。疇昔作者，從其所好，各明一義，而見仁見智，亦未必其盡有當也。同學二三子，以重注全志爲請。今兹未能，僅成《諸子略考釋》一卷。每書之下，首注其存佚。其存而篇卷有異同者必注之，其佚之時代可考見者必注之；其僞書必詳加考證，或僞自劉、班以前，或非本志原書而後人僞補，或僞中出僞，俱一一分别論列；其分類失當，編次失序者，亦間以意繩糾焉。雖不能盡，庶自附於深寧、夾漈私淑之列云爾。

　　莊、荀論列諸子，皆就各家施以評騭，而家數不附專名。至司馬談《論六家要指》，始立陰陽、儒、墨、名、法、道之目。劉《略》因之，加以補苴，析爲九流：曰儒，曰道，曰陰陽，曰法，曰名，曰墨，曰縱橫，曰雜，曰農，末附小説，都爲十家。嚴格論之，諸家學説，交光互影，必以某氏限隸某家，欲其名實適相應，蓋戛戛乎難。雖然，學派既分，不爲各賦一名以命之，則無所指目以爲評論之畛畔。況校理書籍，尤不能不爲之類別以定編録之所歸，故《漢志》以"流"分諸子，在著述方法上不能不認爲適當。惟分類是否合於論理，則商榷之餘地正多。司馬談所分六家，頗能代表戰國末年思想界之數大潮流。從分類學上觀察，應認爲有相當之價值。劉《略》躋之以置諸九流之前六，蓋亦覺其無以易矣。然以其不足以賅群籍也，乃益以縱横、雜、農、小説。縱横家次於六家後者，蓋以蘇、張一派，傳書不少，既於六家一無所合，故不得不廣六以爲七。然九流皆以明道術爲主，換言之，則思想界之淵叢也。蘇、張一派能在思想界占一位置與前六家並乎？決不然矣。雜家次在八，凡書不能隸前七家者入焉，爲編録方便起見，殆非得已。然既謂之雜，則已不復能成家。"雜家者流"一語，既病其不詞矣。既以無可歸類者入雜家，則農家亦當在雜家前，今反置其後，頗不可解。農爲一種職業的學術，其性質與醫、兵略同。竊疑劉氏之意，本不認此種書籍爲與儒、道、墨、法等同類，特以兵書、方伎卷帙浩繁，各別爲録。農僅寥寥九家，既不能獨立，而又他無所麗，姑列爲一"流"以附於諸子，又恐其與專明理論之書相混，故次於雜家以示別也。小説之所以異於前九家者，不在其函義之内容，而在其所用文體之形式。桓子《新論》云："小説家合叢殘小語，近取譬論，以作短篇。"[1]《文選注》三十一引。[2] 故小説中《宋子》十八篇，其所述蓋即宋鈃一家之學，優足與尹文、慎到諸書抗衡，特以文體不同而類歸斯異。道家有《伊尹》、《鬻子》，小説家復有《伊尹説》、《鬻子説》，亦以文體示別而已。由此觀之，分諸子爲九家十

---

[1]　"篇"，清嘉慶胡克家校刻本《文選》作"書"。

[2]　"一"，原誤作"七"，據清嘉慶胡克家校刻本《文選》及本書"百家百三十九篇"條引《文選注》改。

家,不過目錄學一種利便。後之學者,推挹太過,或以爲中壘洞悉學術淵源,其所分類,悉含妙諦而衷於倫脊,此目論也。反動者又或譏其鹵莽滅裂,全不識流別,則又未免太苛。夫書籍分類,古今中外皆以爲難,杜威之十進分類法,現代風靡於全世界之圖書館,繩以論理,掊之可以無完膚矣。故讀《漢志》者,但以中國最古之圖書館目錄視之,信之不太過,而責之不太嚴,庶能得其真價值也。

惟然,故研究《漢志》,最要注意者在其書目而已。其每家之結論"某家者流蓋出於某某之官"以下,殊不必重視。蓋其分類本非有合理的標準,已如前述。其批評各家長短得失,率多浮光掠影語,遠不如司馬談之有斷制,更無論《莊子・天下篇》、《荀子・解蔽篇》也。其述各派淵源所自,尤屬穿鑿附會。吾儕雖承認古代學術皆在官府,雖承認春秋戰國間思想家學術淵源多少總蒙古代官府學派之影響,但斷不容武斷某派爲必出於某官,最多只能如莊生所説"古之道術有在於是者,某人聞其風而悅之"云爾。《志》所云云,實強作解事也。故今作《考釋》,對於此部分不復更詞費。

各書歸類是否適當,原書今佚者什而八九,殊不宜僅憑書名以下批評。但以現存之書而論,例如《晏子》八篇列儒家之首,晏子之非儒家,較然甚明,故晁公武以下從柳宗元之論而以入墨家,《四庫總目》則以入史部傳記類。其當否固又當別論,然《漢志》之於義無取,則衆所同認矣。又如"劉向所序六十七篇",據本注有《世説》及《列女傳》;"揚雄所序三十八篇",據本注有"樂四、箴二"。《新序》、《説苑》、《太玄》、《法言》入儒家固當,而《列女傳》及《州箴》、《官箴》與儒家無涉則昭然也。其已佚之書,例如儒家之《高祖傳》十三篇,本注云:

"高祖與大臣述古語及詔策。"①《孝文傳》十一篇,本注云:"文帝所稱及詔策。"此純屬詔令集之類,與儒家何與? 又如雜家之《東方朔》二十篇,據朔本傳注引劉向《別錄》,知所收爲《答客難》、《非有先生論》諸文。《荆軻論》五篇,知爲司馬相如等論荆軻之文,此皆後世別集、總集之類,云何可以入諸子? 似此之類,繩以嚴格,可議者蓋不知凡幾。推原其故,不能遽咎劉、班之鹵莽,實緣當時未有史部、集部之名目,無可歸類之書,不得已而入之於子。故《晏子春秋》、《列女傳》等實宜入史部傳記,《高祖》、《孝文傳》等實宜入史部詔令,《周政》、《周法》等實宜入史部政書。此姑就《四庫》舊目言之耳,亦非謂其分類遂當。東方朔《答客難》、司馬相如《荆軻論》、揚雄《州箴》乃至《賈山》、《兒寬》、《公孫弘》、《莊助》諸書,皆宜入文集。然當時既無此名,又不可以入《六藝》、《詩賦》諸略,故略就其内容之近似,分隸儒家、雜家云爾。章學誠呵斥後世目録學家,謂其"以儒、雜二家爲龍蛇之菹"。豈惟後世,蓋劉《略》已然矣。若此者,吾輩以理論繩之,固隨處可指其疵纇。然對於原書之總分類,既未能根本推翻,則此等枝葉問題,實亦無更良之法可以解決也。如陰陽家有《五曹官制》五篇,本注云"漢制,似賈誼所條";于長《天下忠臣》九篇,顏注引《別錄》云"傳天下忠臣"。在後世編目宜入政書及傳記。《漢志》無所歸,而入《諸子》不足怪,但何以不入儒、入雜而以入陰陽,則頗不可解耳。

《志》中亦有自亂其例,無從爲之辯護者,如《六藝略》中,諸經皆先列正文,後舉傳注。例如"《易》經十二篇,施、孟、梁丘三家"②、"《詩》經二十八卷,魯、齊、韓三家"、"《魯故》二十五卷"等。

今道家《老子》著録鄰、傅、徐、劉四家傳注,而《老子》本書反不入録。然則吾儕今日謂《漢志》中之《老子》存耶？佚耶？兩無是處。又如陰陽家《公檮生終始》十四篇，本注云："傳鄒奭^{"衍"字之訛}。《始終書》。"然《鄒子終始》五十六篇，反列其後。又如墨家自《田俅子》以下四家，皆墨子弟子或後學之作，然皆列在《墨子》七十一篇之前。凡此之類，只能認爲原著體例之舛駁，否則傳鈔者紊其原次。若曲爲之解，恐無當也。

　　研究《漢志》之主要工作，在考證各書真僞。本志不著録而突然晚出者，如世俗所傳《鬼谷子》、《亢倉子》、《子華子》之類，即以本志不著録之故而證其僞，一也；本志中已佚之書，後人僞補者，如《文子》、《關尹子》、《鶡冠子》之類，以本志篇數之異同或其他方法以證其僞，二也。此皆置信本書而據以爲辨僞之資者。雖然，本志自身，其所收僞書正自不少。其故，一由戰國百家，託古自重，^{例如"有爲神農之言者許行"}。炎、黃、伊、呂，動相援附；二由漢求遺書，獎以利禄，獻書路廣，蕪穢亦滋；三由展轉傳鈔，妄有附益，或因錯糅，汩其本真；四由各家談説，時隱主名，讀者望文，濫爲擬議。以此諸因，訛僞稠疊，辨別綦難。《志》中本注言"似依託"、言"六國時依託"之類頗不少。其於鑑別，蓋亦三致意焉。雖然，竊意二劉之治學也，仍是抱殘守缺之意多，而鞫僞求真之術拙。其讎校諸書，只是去其複重，俾可繕寫，而於碔砆之混，往往不忍割棄。例如《孟子》，本志著録十一篇，而經趙岐鑑定之結果，謂"外書四篇，不能宏深"，斷其爲僞。又如《莊子》，本志著録五十二篇，而郭象謂"一曲之才，妄竄奇説，凡諸巧雜，什分有三"，故僅注三十三篇，餘並從汰。使非有趙、郭之別裁，則《孟》、《莊》兩書，蕪穢或遠過今本。現存最煊赫之書且如此，其他蓋可類推。故如管、商、墨、荀數大家，類皆有竄附痕跡，而竄者非必皆出向、歆以後，殆向、歆過而存之焉耳。此外亡佚之書，無從懸斷，而其不可信者什居三四，此可以比例而知其概者也。

　　以上所舉數端，皆本志之未能悉當人意者。雖然，生百世之後而欲研治先秦道術之遺文，觀其流別，則其粲然之迹，固未有能逾本志者，此則五尺童子所同認也。今故爬羅衆論，考而釋之，庶足備汲古之一綆云爾。

　　　　　　十五年一月廿一日，啓超叙於清華學校

晏子八篇 名嬰，謚平仲，齊景公相。孔子稱"善與人交"。有列傳。師古曰："有列傳者，謂《太史公書》。"

今存。《隋》、《唐志》皆七卷，題爲《晏子春秋》，蓋襲《史記》所稱名。《崇文總目》作十二卷。《郡齋讀書志》、《文獻通考》皆改入墨家，《四庫總目》改入史部傳記類。

《史記·管晏列傳》云："余讀《晏子春秋》，詳哉其言之也。其書世多有之。"《淮南子·要略》云："齊景公內好聲色，外好狗馬，故晏子之諫生焉。"皆以爲晏子有著書，且其書在西漢時蓋甚盛行。《漢志》此書或即司馬遷、劉安所見本也。然此殆非春秋時書，尤非晏子自作。柳宗元謂"墨子之徒有齊人者爲之"，蓋近是。柳宗元《辨晏子春秋》云："司馬遷讀《晏子春秋》，高之，而莫知所以爲書。或曰晏子爲之而人接焉，或曰晏子之後爲之，皆非也。吾疑其墨子之徒有齊人者爲之。墨好儉，晏子以儉名於世，故墨子之徒尊著其事，以增高爲己術者。且其旨多尚同、兼愛、非樂、節用、非厚葬久喪者，是皆出墨子。又非孔子，好言鬼事，非儒、明鬼，又出墨子。其言問棗及古冶子等尤怪誕。又往往言墨子聞其道而稱之，此甚顯白者。自劉向、歆，班彪、固父子皆録之儒家中。甚矣，數子之不詳也。蓋非齊人不能具其事，非墨子之徒，則其言不若是。後之録諸子者，宜列之墨家。非晏子爲墨也，爲是書者，墨之道也。"然其人亦並非能知墨學者，且其依託年代似甚晚，或不在戰國而在漢初也。今傳之本，是否爲遷、安所嘗讀者，蓋未可知。然似是劉向所校上之本，非東漢後人竄亂附益也。劉向上奏云："臣向所校中書《晏子》十一篇，臣向謹與長社尉臣參校讎，太史書五篇、①臣向書一篇、參書十三篇，凡中外書三十篇，爲八百三十八章，除復重二十二篇，六百二十八章，②定著八篇，二百一十五章。其中六篇，皆合六經之義。又有復重，文辭頗異，不敢遺失，③復列爲一篇。又有頗不合經術，似非晏子言，疑後世辯士所爲者，故亦不敢失，復以爲一篇。"其書撏撦成篇，雖先

---

① "史"下原衍"公"，據清光緒浙江書局《二十二子》本（下簡稱《二十二子》本）《晏子春秋》及文意刪。

② "二"，《二十二子》本《晏子春秋》作"三"。

③ "敢"，原作"復"，據《二十二子》本《晏子春秋》及文意改。

秦遺文間藉以保存，然無宗旨、無系統，《漢志》以列儒家固不類，晁、馬因子厚之言改隸墨家，尤爲無取。《四庫》入史部傳記，尚較適耳。

子思二十三篇　名伋，孔子孫，爲魯繆公師。

今佚。《隋》、《唐志》皆有《子思子》七卷。《太平御覽》三百八十六、四百三、五百六十五皆引其文，是宋初尚存。

《史記·孔子世家》云："子思作《中庸》。"王應麟曰："沈約謂《禮記·中庸》、《表記》、《坊記》、《緇衣》皆取《子思子》。"今案《御覽》四百三引《子思子》曰："天下有道，則行有枝葉；天下無道，則言有枝葉。"即《表記》文。沈約説當可信。

曾子十八篇　名參，孔子弟子。

今佚。《隋》、《唐志》皆二卷。《大戴禮記》有《曾子立事》、《本孝》、《立孝》、《大孝》、《事父母》、《制言上》、《制言中》、《制言下》、《疾病》、《天圓》等十篇，或即此書之一部。故晁氏謂"視漢亡八篇"也。

阮元從《戴記》中録出單行，而爲之注，題曰《曾子注》。然《曾子立事篇》文又在荀子《修身》、《大略》兩篇中，然則此十篇果否曾子所著，亦疑問也。其《孝經》及《小戴記》之《曾子問》等篇，疑亦在十八篇中。

漆雕子十二篇①　孔子弟子漆雕啓後。門人楊樹達謂"後"字爲衍文，以其廁於《曾子》、《宓子》之間，曾、宓皆孔子弟子，則著書者當即爲啓，非其後人也。

今佚。《隋志》已不著録，馬國翰輯爲一卷。

漆雕啓即《論語》之漆雕開。注云"漆雕啓後"，似謂著書者非啓而啓之後人也。《説苑》記孔子與漆雕馬人問答語，僞《家語》作"漆雕憑"，或即其人歟？《韓非子·顯學篇》叙述八儒，

---

① "二"，殿本《漢書》作"三"。

有漆雕氏之儒，則其學派在戰國時蓋甚光大。韓非述其學
風："不色撓，不目逃，行曲則違於臧獲，行直則怒於諸侯。"此
蓋儒而兼俠者。《論衡》亦述其論性語。

宓子十六篇　名不齊，字子賤，孔子弟子。

今佚。《隋志》已不著録。《韓非》、《吕覽》、《新書》、《淮南
子》、《韓詩外傳》、《説苑》、《論衡》、《家語注》皆引宓子語，當
是本書佚文。馬國翰輯爲一卷。

《論衡・本性篇》："宓子賤、漆雕開、公孫尼子之徒，亦論情
性，與世子相出入，皆言性有善有惡。"據此可見孔門討論人
性問題，當以漆雕、宓二子爲最先。

景子三篇　説宓子語，似其弟子。

今佚。《隋志》已不著録。馬輯一卷，與所輯《宓子》重複，殊
無取。

世子二十一篇　名碩，陳人也，七十子之弟子。

今佚。《隋志》已不著録，馬國翰輯爲一卷。

《論衡・本性篇》："周人世碩以爲人性有善有惡，舉人之善性
養而致之則善長，惡性養而致之則惡長。如此則性各有陰
陽，善惡在所養焉。故世子作《養書》一篇。"世子學説要點存
者止此。《春秋繁露・俞序篇》亦引世子語。

魏文侯六篇

今佚。《隋志》已不著録。葉德輝曰："《樂記》引魏文侯問子夏樂；《魏策》
引魏文侯辭韓索兵，及疑樂羊烹子，命西門豹爲鄴令，與虞人期獵；《吕覽・期賢篇》
引魏文侯式段干木之閭，《樂成篇》引與田子方論收幼孤，《自知篇》引問任座君德；
《淮南・人間訓》引魏文侯不賞解扁東封上計；《韓詩外傳》引魏文侯問孤卷子；《説
苑・君道篇》引魏文侯賦鼓琴，《復恩篇》引樂羊攻中山，《尊賢篇》引下車趨田子方及

觴大夫於曲陽,《善説篇》引與大夫飲酒使公乘不仁爲觴政,《反質篇》引御廩災,①文侯素服辟正殿;《新序‧雜事二》引魏文侯出遊見路人負芻,《雜事四》引與公季成議田子方,《刺奢篇》引見箕季問牆毀。其言皆近道,當在六篇中。"馬輯一卷。

章學誠疑魏文侯、平原君之徒皆無著書,《漢志》所載,或他人著書之篇名,如《孟子》書中"梁惠王"之類,亦足備一説。

李克七篇　子夏弟子,爲魏文侯相。

今佚。《隋志》已不著録。王應麟曰:"《韓詩外傳》、《説苑‧反質篇》載魏文侯問李克,《文選‧魏都賦》注引《李克書》。"馬輯一卷。

《史記‧貨殖列傳》:"李克務盡地力。"但依他書所記載,則彼文似是"李悝"之誤,姑引以待考。《經典釋文》叙《毛詩》傳授源流云:"子夏傳曾申,曾申傳李克。"果爾,則克是子夏再傳弟子矣。

公孫尼子二十八篇　七十子之弟子。

今佚。《隋》、《唐志》皆一卷。馬輯一卷。

王應麟曰:"似孔子弟子。沈約謂《樂記》取《公孫尼子》。劉瓛云:'《緇衣》,公孫尼子所作也。'馬總《意林》引之。"今案《初學記》引《公孫尼子》云:"樂者,審一以定和,比物以飾節。"《意林》引《公孫尼子》云:"樂者,先王所以飾喜也。"語皆在今《樂記》中,則沈約之説信矣。《北堂書鈔》、《文選注》皆引《公孫尼子》,則其書唐時尚存。

孟子十一篇　名軻,鄒人,子思弟子,有列傳。案,孟子不及見子思,説見《孟荀傳》、《釋文》。

今存七篇。

《史記》本傳云:"孟子退而與萬章之徒序《詩》、《書》,述仲尼之意,作《孟子》七篇。"是司馬遷所見本僅七篇也。趙岐《孟

---

①　"災"原誤作"哭",據《龍谿精舍叢書》本《説苑》及清光緒虛受堂王氏刻本《漢書補注》改。

子章指題辭》云：“著書七篇，二百六十一章，三萬四千六百八十五字。又有《外書》四篇：《性善》、《辯文》、《說孝經》、《爲政》。其文不能宏深，不與《内篇》相似，似非孟子本真，後人依放而託也。”今所傳趙岐注本，即司馬遷所見者。《外書》四篇，經趙岐鑑別爲僞，後無傳者，遂亡佚。《隋志》尚有鄭玄、劉熙注《孟子》各七卷，則鄭、劉亦皆認外書爲僞矣。其佚文見於《法言》、《鹽鐵論》、《顏氏家訓》、《文選注》，有若干條，清末林春溥曾輯出，信乎“不能宏深”矣。至明季姚士粦所傳《孟子外書》四篇，則又僞中出僞，並非漢時之舊，更不足道。

孫卿子三十三篇　名況，趙人，爲齊稷下祭酒，有列傳。師古曰：“本曰荀卿，避宣帝諱，故曰孫。”

今存。《隋》、《唐志》十二卷。今本二十卷，乃楊倞所析，改題《荀子》。倞自序云：“以文字繁多，故分舊十二卷三十二篇爲二十卷，其篇第亦頗有移易，使以類相從。”劉向叙録云：“臣所校讎中《孫卿書》凡三百二十二篇，以相校，除復重二百九十篇，定著三十二篇。”《志》言三十三篇，殆譌字也。楊倞注本篇第與向本頗有異同，其比較，具見超所著《要籍解題及其讀法》中。《荀子》全書，大概可信，惟《君子》、《大略》、《宥坐》、《子道》、《法行》、《哀公》、《堯問》七篇，疑非盡出荀子手，或門弟子所記，或後人附益也。

芊子十八篇　名嬰，齊人，七十子之後。師古曰：“芊音弭。”

今佚。《隋志》已不著録。

王念孫曰：“《史記・孟子荀卿列傳》‘楚有尸子，長盧。阿之吁子焉’，索隱曰：‘吁音芊，《別録》作芊子，今吁亦如字。’正義：‘《藝文志》《芊子》十八篇，顏云音弭。案，是齊人。阿又屬齊，恐顏誤也。’案，正義説是也。‘芊’有‘吁’音，故《別録》作‘芊子’，《史記》作‘吁子’，《小雅・斯干篇》“君子攸芊”傳：“芊，大也。”《釋文》“芊”：

"香于反,或作'吁'。"作'芊'者,字之誤耳。"

內業十五篇　不知作書者。

今佚。《隋志》已不著録。

王應麟曰:"《管子》有《内業篇》,此書恐亦其類。"啓超案,《管子》書乃戰國末人雜掇群書而成,《内業篇》純屬儒家言,當即此十五篇中之一篇。

周史六弢六篇　惠、襄之間,或曰顯王時,或曰孔子問焉。師古曰:"即今之《六韜》也。"

今佚。世所傳《六韜》,非此書。

沈濤曰:"案今《六韜》乃文王、武王問太公兵戰之事,而此列之儒家,則非今之《六韜》也。'六'乃'大'字之誤,《人表》有周史大弢。古字書無'弢'字,《篇》、《韻》始有之,當爲'弢'字之誤。《莊子·則陽篇》'仲尼問於太史大弢',蓋即其人。此乃其所著書,故班氏有'孔子問焉'之説。顏以爲太公《六韜》,誤矣。今之《六韜》當在《太公》二百三十七篇之内。"啓超案,沈説是,但今之《六韜》實亦僞書。

周政六篇　周時法度政教。

周法九篇　法天地,立百官。

河間周制十八篇　似河間獻王所述也。

以上三種今佚,《隋志》皆已不著録。蓋皆秦漢間人述周代制度之書,既不能入《六藝略》,則以附諸儒家也。竊疑《周官》六篇,其性質正與此同類。或劉歆將《周政》六篇改頭換面,作爲《周官》,亦未可知。要之戰國秦漢間儒者喜推論周制,人各異説,如《河間周制》,即河間獻王之徒所論列,《周政》、《周法》當亦此類也。

讕言十一篇　不知作者,陳人君法度。師古曰:"説者引《孔子家語》云孔穿所造,非也。"

今佚。《隋志》已不著録。馬國翰從《孔叢子》輯出三篇,題孔穿撰。案,王肅僞《家語後序》云:"子高名穿,著儒家語十二篇,名曰《讕言》。"顏謂"説者引《家語》云孔穿子所造",即引此也。然班明言"不知作者",顏亦斷其非穿造,則《孔叢子》之文不足以當此書明矣。

功議四篇　不知作者,論功德事。

今佚。《隋志》已不著録。

甯越一篇　中牟人,爲周威王師。

今佚。《隋志》已不著録。馬輯一卷。

《呂氏春秋·不廣篇》、《説苑·尊賢篇》皆記甯越事。賈誼《過秦論》云"六國之士有甯越",當即此人。

王孫子一篇　一曰《巧心》。

今佚。據《隋志》云梁有《王孫子》一卷,似唐代人編《五代史志》時其書。然《意林》、《藝文類聚》、《文選注》、《太平御覽》皆引之,似歷唐迄宋初尚存也。馬國翰輯爲一卷。

公孫固一卷　十八章。齊閔王失國,問之,固因爲陳古今成敗也。

今佚。《隋志》已不著録。

《史記·十二諸侯年表》云:"公孫固、韓非之徒,各往往捃摭《春秋》之文以著書。"當即此人。

李氏春秋二篇

今佚。《隋志》已不著録。

《呂覽·勿躬篇》引《李子》,疑即此書,馬氏據之輯爲一卷。

羊子四篇　百章。故秦博士。

今佚。《隋志》已不著録。

董子一篇　名無心,難墨子。

今佚。《隋志》一卷。馬國翰云:"《宋志》不載,散佚已久。明陳第《世善堂藏書目》有之，今復求索，不可得矣。"

《論衡·福虛篇》："儒家之徒董無心，墨家之徒纏子，相見講道。"《風俗通》文略同。

侯子一篇　李奇曰："或作《倖子》。"

今佚。《隋志》已不著錄。王先謙曰："官本'侯'作'倖'。"陶憲曾曰："官本是也。《廣韻》六止倖下云'又姓'。《風俗通》云：'有侯子，古賢人（《通志·氏族略》五作六國賢人），著書。'應仲遠嘗爲《漢書音義》，則所見本必作'侯'矣。"

徐子四十二篇　宋外黄人。

今佚。《隋志》已不著錄。

王應麟曰："《魏世家》：惠王三十年，使龐涓將，而令太子申爲上將軍，過外黄，外黄徐子曰：'臣有百戰百勝之術。'即此。外黄時屬宋。"

魯仲連子十四篇　有列傳。

今佚。《隋志》五卷，錄一卷。《唐志》一卷。魯連言論，除《戰國策》及《史記》本傳著錄數長篇外，《水經注》、《文選注》、《史記正義》、《意林》、《藝文類聚》、《初學記》、《太平御覽》所引《魯連子》尚二十餘條，知其書北宋尚存。馬國翰據諸書輯爲一卷。

平原君七篇　朱建也。

今佚。《隋志》已不著錄。

此書置《魯仲連》與《虞卿》之間，然則正是趙公子平原君勝也。此蓋劉《略》之舊，班氏注爲朱建，恐誤。

虞氏春秋十五篇　虞卿也。

今佚。《隋志》已不著錄。馬輯爲一卷。

《史記》本傳云"爲趙上卿，故號虞卿"，又云："不得意，乃著書。上採《春秋》，下觀近世，曰《節義》、《稱號》、《揣摩》、《政謀》，凡八篇，以刺譏國家得失，世傳之曰《虞氏春秋》。"又《十二諸侯年表》云“虞卿著書八篇”，與本志所錄篇數頗有出入。
今《戰國策》及《新序》皆記虞卿行事、言論，但是否爲本書原
文，尚難斷言。

高祖傳十三篇　高祖與大臣述古語及詔策也。

今佚。《隋志》云：“梁有《漢高祖手詔》一卷。”

此及《孝文傳》，以入儒家，本無取義，殆因編《七略》時未有史
部，詔令等無類可歸，姑入於此耳。

陸賈二十三篇

《隋志》：《新語》二卷。《唐志》同。今存二卷，析爲十二篇。
但非《漢志》原書之舊。《四庫總目提要》云：“案《漢書》賈本傳稱著《新語》
十二篇，《漢書·藝文志》儒家《陸賈》二十七篇，蓋兼他所論述計之，《隋志》則作《新
語》二卷。此本卷數與《隋志》合，篇數與本傳合，似爲舊本。然《漢書·司馬遷傳》稱
遷取《戰國策》、《楚漢春秋》、陸賈《新語》作《史記》。《楚漢春秋》，張守節《正義》猶引
之，今佚，不可考。《戰國策》取九十三事，皆與今本合。惟是書之文，悉不見於《史
記》。王充《論衡·本性篇》引陸賈曰：‘天地生人也，以禮義之性。人能查己所以受
命則順，順謂之道。’今本亦無其文。又《穀梁傳》至漢武帝時始出，而《道基篇》末乃
引‘《穀梁傳》曰’，時代尤相牴牾。其殆後人依託，非賈原本歟。考馬總《意林》所載，
皆與今本相符。李善《文選注》於司馬彪《贈山濤詩》引《新語》曰：‘梗梓仆則爲世
用。’於王粲《從軍詩》引《新語》曰：‘聖人承天威，承天功，與之爭功，豈不難哉！’於
陸機《日出東南隅行》引《新語》曰：‘高臺百仞。’於《古詩》第一首引《新語》曰：‘邪臣
之蔽賢，猶浮雲之障日月。’於張載《雜詩》第七首引《新語》曰：‘建大功於天下者，必
垂名於萬世也。’以今本核校，雖文句有詳略異同，而大致亦悉相應，似其僞猶在唐
前。惟《玉海》稱陸賈《新語》今存者，《道基》、《術事》、《輔政》、《無爲》、《資賢》、《至
德》、《懷慮》才七篇。此本十有二篇，乃反多於宋本，爲不可解。或後人因不完之本
補綴五篇，以合本傳舊目也。”

劉敬三篇

今佚。《隋志》已不著錄。《漢書》本傳載敬說高帝都秦、與冒
頓和親、徙民實關中三事，當即此三篇之文。

孝文傳十一篇　文帝所稱及詔策。

今佚。《隋志》已不著錄。

賈山八篇

今佚。《隋志》已不著録。《漢書》本傳載《至言》一篇，尚有諫文帝除鑄錢、訟淮南王無大罪、言柴唐天子爲不善三疏，皆當在八篇中。但其文不傳。

太常蓼侯孔臧十篇　　父聚，高祖時以功臣封，臧嗣爵。

今佚。《隋志》云："梁有《漢太常孔臧集》二卷。"

賈誼五十八篇

《隋志》：《賈子》十卷，録一卷。《唐志》：《賈誼新書》十卷。今存，但非《漢志》原書之舊。《四庫總目提要》云："《漢書·藝文志》儒家《賈誼》五十八篇。《崇文總目》云本七十二篇，劉向删定爲五十八篇。《隋》、《唐志》皆九卷，別本或爲十卷。考今《隋》、《唐志》皆作十卷，無九卷之説。蓋校刊《隋》、《唐書》者未見《崇文總目》，反據今本追改之。明人傳刻古書，往往如是，不足怪也。然今本僅五十六篇，又《問孝》一篇，有録無書，實五十五篇，已非北宋本之舊。又陳振孫《書録解題》稱，首載《過秦論》，末爲《弔湘賦》，且略節誼本傳于第十一卷中。今本雖首載《過秦論》而末無《弔湘賦》，亦無附録之第十一卷，且併非南宋時本矣。其書多取誼本傳所載之文，割裂其章段，顛倒其次序，而加以標題，殊瞀亂無條理。《朱子語類》曰：'《賈誼新書》除了《漢書》中所載，餘亦難得粹者，看來只是賈誼一雜記稾耳，中間事事有些個。'陳振孫亦謂其非《漢書》所有者，輒淺駁不足觀，決非誼本書。今考《漢書》誼本傳贊稱'凡所著述五十八篇，掇其切於世事者著於傳'，應劭《漢書注》亦於《過秦論》下注曰：'《賈誼書》第一篇名也。'則本傳所載，皆五十八篇所有，足爲顯證。贊又稱'三表、五餌，以係單于'，顏師古注所引《賈誼書》與今本同。又《文帝本紀》注引《賈誼書》'衛侯朝於周，周行人問其名'，亦與今本同，則今本即唐人所見，亦足爲顯證。然決無摘録一段立一篇名之理，亦決無連綴十數篇合爲奏疏一篇上之朝廷之理。疑誼《過秦論》、《治安策》等本皆爲五十八篇之一，後原本散佚，好事者因取本傳所有諸篇，離析其文，①各爲標目，以足五十八篇之數，故餖飣至此。其書不全真，亦不全僞。朱子以爲'雜記之稾'，固未核其實；陳氏以爲'決非誼書'，尤非篤論也。"

河間獻王對上下三雍宮三篇

---

① "離"原誤作"雜"，據中華書局 1965 年影印清浙江本《四庫全書總目》（下稱）《四庫全書總目》改。

今佚。《隋志》已不著録。

《漢書·景十三王傳》云："武帝時，獻王來朝，獻雅樂，對三雍宫及詔策所問三十餘事。其對推道術而言，得事之中，文約指明。"《説苑·君道篇》、《建本篇》各引獻王語二節，或是其文。

董仲舒百二十三篇

《隋志》：《春秋繁露》十七卷。今存。

《漢書》本傳云："仲舒所著，皆明經術之意，及上疏條教，凡百二十三篇。而説《春秋》事得失，《聞舉》、《玉杯》、《蕃露》、《清明》、《竹林》之屬復數十篇，十餘萬言。"今《春秋繁露》中有《玉杯》、《蕃露》、《竹林》三篇，據本傳文，似即所謂"説《春秋》事"之數十篇，在百二十三篇以外。然《漢志》不應不著録其書，而其所著録之百二十三篇，亦不應一字不傳於後。疑今本《繁露》之八十二篇，即在此百二十三篇中也。然唐、宋類書引《繁露》及董仲舒語爲今本所無者尚不少，詳見蘇輿《春秋繁露義證·例言》。而《論衡》引情性、陰陽之説，與今本頗殊，又引旱祭女媧之議，今本不見。此殆八十二篇以外諸篇之佚文矣。

兒寬九篇

公孫弘十篇

終軍八篇

吾丘壽王六篇

今皆佚。《隋志》已不著録，馬國翰各輯爲一卷。

虞丘説一篇　　難孫卿也。

莊助四篇

臣彭四篇

鉤盾宂從李步昌八篇　　宣帝時數言事。

儒家言十八篇　不知作者。

以上五家今皆佚,《隋志》已不著録。

桓寬鹽鐵論六十篇　師古曰:"寬字次公,汝南人也。孝昭時,丞相、御史與諸賢良文學論鹽鐵事,寬撰次之。"

今存。十二卷。

劉向所序六十七篇　《新序》、《説苑》、《世説》、《列女傳頌圖》也。

今存者,《新序》十卷,《説苑》二十卷,《列女傳》八卷。王回《列女傳序》云:"各頌其義,圖其狀,總爲卒篇。傳如《太史公記》,頌如《詩》之四言,而圖爲屏風。"《世説》佚。《隋志》析《列女傳》入史部。

揚雄所序三十八篇　《太玄》十九,《法言》十三,《樂》四,《箴》二。

今存《太玄》、《法言》、《州箴》、《官箴》,《樂》四篇已佚。

右儒五十三家,八百三十六篇。　入揚雄一家,三十八篇。案入者,《七略》所無,班補入也。

今存者九家,爲書十三種:

《晏子》——今題《晏子春秋》。

《孟子》——今存七篇。

《孫卿子》——今題《荀子》。

《陸賈》——今題《新語》。

《賈誼》——今題《賈誼新書》。

《董仲舒》——今題《春秋繁露》,存八十二篇。

《鹽鐵論》。

《劉向所序》——今存《新序》、《説苑》、《列女傳》。

《揚雄所序》——今存《太玄》、《法言》及《箴》。

其有專篇,或佚文可考輯者十九家:曰《子思》,曰《曾子》,曰《漆雕子》,曰《宓子》,曰《世子》,曰《魏文侯》,曰《李克》,曰

《公孫尼子》，曰《王孫子》，曰《董子》，曰《魯仲連子》，曰《虞氏春秋》，曰《劉敬》，曰《賈山》，曰《河間獻王》，曰《兒寬》，曰《公孫弘》，曰《終軍》，曰《吾丘壽王》。其屬於先秦者十二家，屬於漢者八家焉。

儒家者流，蓋出於司徒之官，助人君順陰陽、明教化者也。遊文於六經之中，留意於仁義之際，祖述堯、舜，憲章文、武，宗師仲尼，以重其言，於道最爲高。孔子曰："如有所譽，其有所試。"唐、虞之隆，殷、周之盛，仲尼之業，已試之效者也。然惑者既失其精微，而辟者又隨時抑揚，違離道本，苟以譁衆取寵，後進循之，是以五經乖析，儒學寖衰，此辟儒之患。

伊尹五十一篇　湯相。

今佚。《隋志》已不著錄。

伊尹時已有著作傳後，且篇數多至五十餘，此可斷其必誣。然孟子已徵引伊尹言論多條，則孟子時已有所謂《伊尹書》者可知。《逸周書》有"伊尹獻令"，其起原當亦頗古也。但以入道家，於義恐無取。

太公二百三十七篇，謀八十一篇、言七十一篇、兵八十五篇　呂望爲周師尚父，本有道者，或有近世又以_{案此二字當在"有"字前。}爲太公術者所增加也。

今佚。《隋志》有《太公陰謀》一卷、《太公陰符鈐錄》一卷、《太公金匱》二卷、《太公兵法》二卷，又《太公兵法》六卷，又《太公三宮兵法》一卷。《唐志》略同。

《太公》書之不足信，亦與《伊尹》等。即班固亦言"近世爲太公術者所增加"矣。不依託他人而獨依託太公者，殆齊之稷下談説之徒最衆，喜引開國之君以自重其説。《管》、《晏》諸書，亦以同一理由發生也。《秦策》稱"蘇秦得太公陰符之謀"，當即在此"《謀》八十一篇"中耶？亦可徵戰國初年已有此類書矣。

辛甲二十九篇　紂臣,七十五諫而去,周封之。

今佚。《隋志》已不著録。

《左傳》:"辛甲爲太史,命百官王箴王闕。"此殆史官所傳故書。

鬻子二十二篇　名熊,爲周師,文王以下問焉,周封,爲楚祖。

已佚。今所存一卷十四篇,蓋唐以後人所僞造。

鬻熊之名,始見《史記·楚世家》。其人容或有之,然謂其有著書,實屬難信。此二十二篇者,當是戰國秦漢間人依託耳。今存之一卷本,又僞中出僞,其書爲唐永徽中逢行珪所獻,與庾仲容《子鈔》、馬總《意林》所言篇數不符。《列子》引《鬻子》三條,今本亦無有。《四庫提要》謂唐人勦《賈誼新書》作爲贗本,諒矣。

管子八十六篇　名夷吾,相齊桓公。有列傳。[①]

今存。《隋志》十九卷。今本二十四卷。

司馬遷曰:"余讀管氏《牧民》、《山高》、《乘馬》、《輕重》、《九府》,詳哉言之也,其書世多有之。"劉向叙録云:"所校讎中《管子書》、大中大夫卜圭書、臣富參書、射聲校尉立書、太史書,凡中外書五百六十四,[②]以校,除復重四百八十四篇,定著八十六篇。"向所校書,所據異本之多,與删除複篇之多,皆以此爲最。則此書之傳習極廣而極龐雜,可以推見。自宋以後,疑之者頗多。葉適云:"《管子》非一人之筆,亦非一時之書,莫知誰所爲。以其言毛嬙、西施、吳王好劍推之,當是春秋末年。"朱熹曰:"《管子》之書雜。管子以功業著者,恐未必

---

①　"有"上,殿本《漢書》有"九合諸侯,不以兵車也"九字,依本書體例當補入。

②　"四"下,《二十二子》本《管子》有"篇"字,於義較勝。

曾著書，如《弟子職》之篇，全似《曲禮》；他篇有似《莊》、《老》；其内政分鄉之制，《國語》載之卻詳。"又曰："《管子》非管仲所著，想是戰國時人收拾仲當時行事、語言之類著之，併附以他書。"黄震曰："《管子》之書，不知誰所集，乃龐雜重複，似不出一人之手。"此諸論皆切中其病。要之，此書決非管仲所作，無待深辨。其中一小部分當爲春秋末年傳説，其大部分則戰國至漢初遞爲增益，一種無系統的類書而已。《志》以入道家，殆因《心術》、《内業》等篇其語有近老、莊者。阮孝緒《七錄》以入法家，《史記》本傳正義引。《隋》、《唐志》以下皆因之，實則援《吕氏春秋》例入雜家，或較適耳。《四庫提要》云："劉恕《通鑑外紀》引《傅子》曰：'管仲之書過半便是後之好事者所加，乃説管仲死後事，《輕重篇》尤復鄙俗。'葉適《水心集》亦曰：'《管子》非一人之筆，亦非一時之書，以其言毛嬙、西施、吳王好劍推之，當是春秋末年。'今考其文，大抵後人附會多於仲之本書。其他姑無論，即仲卒於桓公之前，而篇中處處稱'桓公'，其不出仲手，已無疑義矣。書中稱'經言'者九篇，稱'外言'者八篇，①稱'内言'者九篇，稱'短言'者十九篇，稱'區言'者五篇，稱'雜言'者十一篇，②稱管子解者五篇，稱管子輕重者十九篇。意其中孰爲手撰，孰爲記其緒言如語録之類，孰爲述其逸事如家傳之類，孰爲推其義旨如箋疏之類，當時必有分別。觀其五篇明題管子解者，可以類推。必由後人混而一之，致滋疑實耳。晁公武《讀書志》曰：'劉向所校本八十六篇，今亡十篇。'考李善注陸機《猛虎行》曰：'江遙《文釋》引《管子》云：夫士懷耿介之心，不蔭惡木之枝，惡木尚能恥之，況與惡人同處。今檢《管子》，近亡數篇，恐是亡篇之内，而遂見之。'則唐初已非完本矣。"

老子鄰氏經傳四篇　姓李名耳，鄰氏傳其學。

老子傅氏經説三十七篇　述老子學。

老子徐氏經説六篇　字少季，臨淮人，傳《老子》。

劉向説老子四篇

---

① "外言"，《四庫全書總目》作"外語"。
② "雜言"，《四庫全書總目》作"雜篇"。

《志》不著録《老子》本書，而僅録其傳説四家，殊不可解。四家今皆佚，而《隋志》有河上公注《老子》，今存，本志卻無之，可證其僞。

文子九篇　老子弟子，與孔子並時，而稱周平王問，似依託者也。

今存。《隋》、《唐志》皆十二卷。

柳宗元《辨文子》云：“其旨意皆本《老子》，然考其書，蓋駁書也。其渾而類者少，竊取他書以合之者多。凡孟子輩數家皆見剽竊，嶢然而出其類。其意緒文詞又互相牴而不合，[①]不知人之增益之歟？ 或者衆爲聚斂以成其書歟？”要之，此書自班氏已疑其依託，今本蓋並非班舊，實僞中出僞也，其中大半勦自《淮南子》。

蜎子十三篇　名淵，楚人，老子弟子。師古曰：“蜎，姓也，音一元切。”

今佚。《隋志》已不著録。

王應麟曰：“《史記》‘環淵，楚人，學黄老道德之術，著上下篇’，《索隱》、《正義》皆無注。今案《文選》枚乘《七發》‘便蜎、詹何之倫’，注云：‘《淮南子》：雖有鉤鍼芳餌，加以詹何、蜎蠉之數，猶不能與罔罟爭得也；宋玉與登徒子偕受釣於玄淵。《七略》：蜎子名淵。三文雖殊，其人一也。’”

關尹子九篇　名喜，爲關吏，老子過關，喜去吏而從之。

《隋》、《唐志》皆不著録。原書久佚，今存一卷本，僞品也。

今本之僞，陳振孫、宋濂及《四庫提要》辨之已詳。文筆頗類唐人所譯彿經，辭理雜勦釋、道皮毛，蓋唐以後作品也。《莊子·天下篇》以關尹與老耼並稱，且名列耼前，似非耼弟子。

---

① 　民國羅氏影印宋世彩堂刻本《河東先生集》本句作“其意緒文辭又牙相抵而不合”，梁氏引文實襲自《四庫全書總目》。

《呂覽》言："老耼貴柔，關尹貴清。"其學似亦不與老氏全同也。

莊子五十二篇　名周，宋人。

今存，郭象注本十卷，三十三篇。

陸德明《莊子釋文叙録》云："莊生宏才命世，辭趣華深，正言若反，故莫能暢其弘致。後人增足，漸失其真，故郭子玄云：'一曲之才，妄竄奇説，若《閼弈》、^①《意修》之首，《危言》、《遊鳧》、《子胥》之篇，凡諸巧雜，十分有三。'《漢書·藝文志》《莊子》五十二篇，即司馬彪、孟氏所注是也。言多詭誕，或似《山海經》，或類占夢書，故注者以意去取。其《內篇》衆家並同，自餘或有《外》而無《雜》。唯子玄所注，特會莊生之旨，故爲世所貴。"據此，則諸注家於《外篇》、《雜篇》，以意去取，並不從同。今郭注本僅三十三篇者，非晉時已佚若干篇，特子玄以爲蕪累而簡汰之，如趙邠卿之不注《孟子外書》四篇耳，未必一致也。焦竑《筆乘》云："《內篇》斷非莊生不能作，《外篇》、《雜篇》則後人竄入者多。之、噲讓國在孟子時，而《莊》文曰'莊子身當其時'。^② 昔者陳恆弒其君，孔子請討。而《胠篋》曰：'陳成子弒其君，子孫享國十二世。'^③即此推之，則秦末漢初之言也。豈其年踰四百歲乎？曾、史、盜跖與孔子同時，楊、墨在孔後孟前，《莊子內篇》三卷，未嘗一及五人，則《外篇》、《雜篇》多出後人可知。又'封侯'、'宰相'等語，秦以前無之，且避漢文帝諱，改'田恆'爲'田常'，其爲假託尤明。"蓋郭氏汰蕪，已具特識。然所汰猶未盡，今傳之《外》、《雜

---

　①　"弈"原作"變"，據《通志堂經解》本《經典釋文》改。

　②　"莊子身當其時"六字，原在"孔子請討"下，據《粵雅堂叢書》本《焦氏筆乘》及上下文意移正。

　③　"二"原作"五"，據《粵雅堂叢書》本《焦氏筆乘》及《二十二子》本《莊子》改。

篇》，其爲後人聚斂而成者當尚不少，不止蘇軾所斥《盗跖》、《漁父》等篇而已。

列子八篇　名圄寇，先莊子，莊子稱之。

今存張湛注本八卷，蓋晉人僞作。

柳宗元《列子辨》首疑今本卷首所列劉向叙録謂列子爲鄭穆公時人，年代相去懸絶，蓋於向叙已不置信矣。又云：“其書亦多增竄，非其實。其言魏牟、孔穿，皆出列子後，不可信。”是並其本書亦疑之矣。高似孫《子略》遂疑《列子》爲鴻蒙、雲將之流，並無其人。然《尸子·廣澤篇》、《吕氏春秋·不二篇》，皆有“列子貴虚”語，與當時諸家並提。然則固實有其人，非出莊周寓名也。《漢志》八篇，是否禦寇自著，抑戰國秦漢間人所依託，今無從懸斷。惟今存之張湛注本，決非《漢志》之舊，殆無可疑。除柳子厚所舉魏牟、孔穿外，《四庫提要》更舉《湯問篇》“鄒衍吹律”語以證其非禦寇作，然《提要》又因《周穆王篇》記西王母瑶池等語，與《穆天子傳》合。《穆傳》晉太康中始出，非劉向時所能僞造，因謂“可確信爲秦以前書”。殊不知今本正由晉人僞造，襲新出之《穆傳》，此愈可爲贗鼎之一證耳。其書又勒佛理，亦足爲東漢末佛經輸入後作品之據。張湛自序言其書南渡時保存流布之始末，事涉誕詭，或即湛所手僞也。

老成子十八篇

今佚。《隋志》已不著録。

僞《列子·周穆王篇》：“老成子學幻於尹文先生。”《莊子·天下篇》言尹文“接萬物以别宥爲始”。《尸子·廣澤篇》言：“料子貴别囿。”“料”、“老”音近，豈老成子即料子耶？

長盧子九篇　楚人。

今佚。《隋志》已不著録。

《史記·孟荀列傳》："楚有長盧。"《御覽》三十七引《呂氏春秋》有稱道長盧子語。

王狄子一篇。

今佚。《隋志》已不著録。

公子牟四篇　魏之公子也，先莊子，莊子稱之。

今佚。《隋志》已不著録。

《荀子·非十二子篇》言："魏牟安情性，縱恣睢，禽獸行。"《戰國策·趙策》、《莊子·秋水篇》、《讓王篇》、《呂氏春秋·審爲篇》、《説苑·敬慎篇》、僞《列子·仲尼篇》皆記公子牟言行。

田子二十五篇　名駢，齊人，游稷下，號"天口駢"。

今佚。《隋志》已不著録。

老萊子十六篇　楚人，與孔子同時。

今佚。《隋志》已不著録。

《史記·老子列傳》："老萊子亦楚人也，著書十五篇，言道家之用。"《戰國策·魏策》述老萊子教孔子之言，《大戴記·將軍文子篇》述孔子語子貢以老萊子之行。

黔婁子四篇　齊隱士，守道不詘，威王下之。

今佚。《隋志》已不著録。

《列女傳》記"魯黔婁先生死，曾子與門人往弔。"則非齊人，更不及威王時矣。或是兩人耶？

宮孫子二篇

今佚。《隋志》已不著録。

鶡冠子一篇　楚人，居深山，以鶡爲冠。

《隋志》以下皆作三卷，今存陸佃注本三卷十九篇，非《漢志》原書。

劉勰《文心雕龍》稱："鶡冠綿綿，亟發深言。"《韓愈集》有《讀鶡冠子》一篇，稱其《博選篇》"四稽五至"之説、《學問篇》"一

壺千金”之語。《柳宗元集》有《鶡冠子辨》一書,[1]則謂其“言
盡鄙淺,好事者僞爲其書”。晁公武、陳振孫皆祖柳説,惟《四
庫提要》則又爲之訟直。啓超案,今書時含名理,且多古訓,
似非出魏晉以後人手。惟晁氏云:“按《四庫書目》,《鶡冠子》
三十六篇,已非《漢志》之舊。今書乃八卷,前三卷十三篇,與
今所傳《墨子書》同;中三卷十九篇,愈所稱兩卷皆在;宗元
非之者篇名《世兵》,亦在;後兩卷有十九論,多稱引漢以後
事。”然則此書經後人竄亂附益者多矣。今所存者,即中三
卷,雖未必爲《漢志》之舊,然猶爲近古,非僞《關尹》、僞《鬼
谷》之比也。

---

① “書”疑當作“篇”。

周訓十四篇

黃帝四經四篇

黃帝銘六篇

黃帝君臣十篇　起六國時，與《老子》相似也。

雜黃帝五十八篇　六國時賢者所作。

力牧二十二篇　六國時所作，託之力牧。力牧，黃帝相。

以上今皆佚。《隋志》已不著錄。本志以置諸《鶡冠子》與《孫子》之間者，殆認此諸書之依託者爲此時代人也。

孫子十六篇　六國時。

今佚。《隋志》已不著錄。

沈欽韓曰：“《鹽鐵論·論功篇》引孫子語，不稱兵法，恐是道家之孫子。”

捷子二篇　齊人。原文尚有“武帝時説”四字，王念孫謂涉下條《曹羽》注文而衍，是也。

今佚。《隋志》已不著錄。

《史記·田完世家》：“自如騶衍、淳于髡、田駢、接子、慎到、環淵之徒。”《孟荀列傳》：“慎到，趙人；田駢、接子，齊人；環淵，楚人，皆學黃老道德之術。”“接子”，《漢書·古今人表》作“捷子”，在尸子後、鄒衍前。

曹羽二篇　楚人，武帝時説於齊王。

郎中嬰齊二篇①　武帝時。

臣君子二篇　蜀人。

今皆佚。《隋志》已不著錄。

鄭長者一篇　六國時。先韓子，韓子稱之。

今佚。《隋志》已不著錄。

---

① “二篇”，殿本《漢書》作“十二篇”。

沈欽韓曰："《韓非·外儲説右》兩引鄭長者説。"陶憲曾曰：
"釋慧苑《華嚴經音義》下引《風俗通》云：'春秋之末，鄭有賢
人，著書一篇，號《鄭長者》。'"

楚子三篇

道家言二篇　近世，不知作者。

今皆佚。《隋志》已不著録。

右道三十七家，[①]九百九十三篇。

今存者惟《管子》、《老子》、《莊子》三家，而《莊子》篇數不同，
《老子》原書本志不著録，所著録傳、説四家皆佚；其存而疑偽
者一家，曰《鶡冠子》；存而可決爲偽者四家，曰《鬻子》，曰《文
子》，曰《關尹子》，曰《列子》。諸偽書中，《關尹》最晚出。

**道家者流，蓋出於史官，歷記成敗存亡禍福古今之道，然後知秉
要執本，清虛以自守，卑弱以自持，此君人南面之術也。合於堯
舜之克攘，《易》之"嗛嗛"，一謙而四益，此其所長也。及放者爲
之，則欲絶去禮學，兼棄仁義，曰獨任清虛，可以爲治。**

宋司星子韋三篇　景公之史。

公檮生終始十四篇　傳鄒衍《始終書》。

公孫發二十二篇　六國時。

鄒子四十九篇　名衍，齊人，爲燕昭王師。居稷下，號"談天
衍"。

鄒子始終五十六篇　師古曰："亦鄒衍所説。"

乘丘子五篇　六國時。

杜文公五篇　六國時。師古曰："劉向《別録》云韓人也。"

黃帝泰素二十篇　六國時，韓諸公子所作。師古曰："劉向《別録》云：

---

① "道"下原衍"家"，據殿本《漢書》及本書體例删。

或言韓諸公孫之所作也，言陰陽五行，以爲黄帝之道也，故曰泰素。"

南公三十一篇　六國時。

容成子十四篇

張蒼十六篇　丞相、北平侯。

鄒奭子十二篇　齊人，號曰"雕龍奭"。

閭丘子十三篇　名快，魏人，在南公前。

馮促十三篇　鄭人。

將鉅子五篇　六國時，先南公，南公稱之。

五曹官制五篇　漢制，似賈誼所條。

周伯十一篇　齊人，六國時。

衛侯官十三篇①　近世，不知作者。

于長天下忠臣九篇　平陰人，近世。<small>師古曰："劉向《別録》云傳天下忠臣。"</small>

公孫渾邪十五篇　平曲侯。

雜陰陽三十八篇　不知作者。

右陰陽二十一家，三百六十九篇。

《隋志》以後不立陰陽家，其書久已全佚。學説可考者，惟鄒衍"始終五德"之説，見於《史記·孟荀傳》及《項羽本紀》引南公一語，《吕覽·制樂篇》記宋司星子韋一事耳。張蒼説則略見本傳。

陰陽家者流，蓋出於羲和之官，敬順昊天，歷象日月星辰，敬授民時，此其所長也。及拘者爲之，則牽於禁忌，泥於小數，舍人事而任鬼神。

李子三十二篇　名悝，相魏文侯，富國彊兵。

---

① "三"字，殿本《漢書》作"二"。

今佚。《隋志》已不著録。

《漢書・食貨志》：“李悝爲魏文侯作盡地力之教。”《晉書・刑法志》：“律文起自李悝，撰次諸國法，著《法經》。以爲王者之政，莫急於盜賊，故其律始於《盜》、《賊》；盜賊須劾捕，故著《網捕》一篇。①其輕狡、越城、博戲、借假、不廉、淫侈、踰制，以爲《雜律》一篇；又以《具律》具其加減，是故所著六篇而已。商君受之以相秦。”案《法經》爲漢律九章所本，近人黃奭有輯本，或即在《李子》三十二篇中，但其書疑亦後人誦法李悝者爲之，未必悝自撰也。

商君二十九篇　名鞅，姬姓，衛後也。相秦孝公，有列傳。

《隋志》五卷。《唐志》改題《商子》，卷數同。今存。其目二十八篇，較《漢志》少一篇，又兩篇有録無書，實已佚三篇也。

《史記・商鞅列傳》言“讀鞅《開塞》書”。《開塞》在今本第七篇，或即用爲全書之名，如以《繁露》名董子書也。《文獻通考》引《周氏涉筆》，以爲“鞅書多附會後事，擬取他詞，非本所論著”。《四庫提要》云：“今考《史記》稱秦孝公卒，太子立，公子虔之徒告鞅欲反，惠王乃車裂鞅以徇。則孝公卒後，鞅即逃死不暇，安得著書？如爲平日所著，則必在孝公之世，又安得開卷第一篇即稱孝公之謚？殆法家者流掇鞅餘論以成是篇。”②今案，本書《徠民篇》云：“自魏襄以來，三晉所亡於秦者不可勝數。”魏襄王之卒，在鞅死後四十二年；又稱“長平之勝”，事在鞅死後七十八年。則其書非鞅所著，更毫無疑義。又《弱民篇》“楚國之民齊疾而均速”以下，皆《荀子・議兵篇》中語，其所言唐蔑、莊蹻，事亦遠在鞅死後。然則此書殆戰國

---

①　“一”，殿本《晉書》作“二”。

②　“篇”，《四庫全書總目》作“編”，於義較勝。

末年人聚斂而成，觀其采及《荀子》，則其出蓋頗晚矣。

申子六篇　名不害，京人。相韓昭侯，終其身諸侯不敢侵韓。

今佚。《隋志》云："梁有《申子》三卷，亡。"新、舊《唐志》仍著錄三卷，晁、陳以下，皆不著錄，近馬國翰輯其佚説爲一卷。

《淮南子·泰族訓》云"今商鞅之《啓塞》，申子之《三符》，韓非子之《孤憤》"，《啓塞》即《開塞》，《商君書》篇名；《孤憤》，《韓非子》篇名；然則《三符》必亦篇名也。《申子》遺篇可考見者僅此。

處子九篇　師古曰："《史記》云趙有處子。"

今佚。《隋志》已不著錄。

王應麟曰："《史記》'趙有劇子之言'，注徐廣曰：'應劭《氏姓注》云處子。'《風俗通》云：'漢有北海太守處興。'"

慎子四十二篇　名到，先申、韓，申、韓稱之。

《隋》、《唐志》皆十卷，《崇文總目》二卷，今僅存殘缺五篇。

慎子學説梗概，見《莊子·天下篇》、《荀子·非十二子篇》、《天論篇》、《解蔽篇》，《史記·孟荀列傳》稱其著十二論，蓋當時一大家也。其書代有散佚，今所存者《威德》、《因循》、《民雜》、《德立》、《君人》，凡五篇。《書錄解題》稱麻沙本五篇，殆即此本也。其文簡短，似是後人掇輯所成，其篇名見於《羣書治要》者尚有《知忠》、《君臣》兩篇。逸文散見羣書者，亦尚數十條。近江陰繆氏有一鈔本，云是明萬曆間吳人慎懋賞所刻，分爲內外篇。其書鄙俚蕪穢，將現存五篇改頭換面，文義全不相屬。諸書佚文則一無所采，又攀引《孟子》書中之慎滑釐爲慎到，又因《史記》之文而僞造爲鄒忌、淳于髡、慎到、田駢、接子、環淵問答語，真所謂小人無忌憚者。晚明人讕陋而好作僞書，成爲風氣，原不足責，繆荃蓀輩徒講版本，而不知學術，乃至以"驚人祕笈"相詫，而傳刻者復從而張之。果爾，則豐坊、楊慎輩所造書,其秘而可驚者不更多耶? 是不可不痛斥而明辨之也。

韓子五十五篇　名非,韓諸公子。使秦,李斯害而殺之。

今存。凡十二卷,篇數同《漢志》。

開卷《初見秦》一篇,據《戰國策》,乃范雎之辭,然則本書明有他人著作錯入矣。《史記》本傳稱"作《孤憤》、《五蠹》、《内外儲説》、《説林》、《説難》,十餘萬言"。雖所舉篇名未必盡,然今書爲後人附益者,諒亦非無之也。

遊棣子一篇

鼂錯三十一篇

《隋志》云:"梁有《鼂氏新書》三卷,亡。"新、舊《唐志》仍著録。《文選注》、《太平御覽》皆引《朝子》或《朝錯新書》,知錯書宋初猶存也。馬國翰輯佚文爲一卷。[①]

燕十事十篇　不知作者。

法家言二篇　不知作者。

以上今皆佚。

右法十家,二百一十七篇。

今存者三家:一《商君》,二《慎子》,三《韓子》。

法家者流,蓋出於理官,信賞必罰,以輔禮制。《易》曰:"先王以明罰飭法。"此其所長也。及刻者爲之,則無教化,去仁愛,專任刑法,而欲以致治,至於殘害至親,傷恩薄厚。

鄧析二篇　鄭人,與子産並時。師古曰:"《列子》及《孫卿》並云子産殺鄧析。據《左傳》,昭公二十年子産卒,定公九年駟顓殺鄧析而用其竹刑,則非子産殺也。"

---

①　"隋志"至"一卷"五十二字,原在"右法十家"上,今據上下文意移正。

已佚。今所傳者蓋僞書。

卷首有劉歆叙録一篇，末云："其論無厚者，言之異同，與公孫龍同類，謹第一。"此文尚《爾雅》，當爲歆原作。惟中間譌脱似頗多，疑"者"字、"之"字皆衍文，"一"字當爲"上"字，意謂析書中所論"無厚"，所言"異同"，略與公孫龍説同，今謹編次以上也。"無厚"爲戰國時名家最樂道之一問題——《墨子·經上篇》"厚，有所大也"，"端，體之無厚而最前者也"。《莊子·天下篇》引惠施説："無厚不可積也，其大千里。"又《人間世篇》："以無厚入有間。"皆其義。厚即幾何學上之體，"無厚"者指點、綫、面也。歆所見《鄧析子》原書，必有説無厚之義者。歆以校《公孫龍子》，認其所説爲同類。今本首列《無厚篇》，其文曰："天之於人無厚也，君之於民無厚也，父之於子無厚也，兄之於弟無厚也。"此蓋因歆叙有此二字，不得而解，因望文生義，其爲後人師心臆造無疑。"同異"亦當時名家一問題，《天下篇》所謂"以堅白、同異之辯相訾"也。今本云："異同之不可别，是非之不可定，久矣。"名家以辨同異、明是非爲職志，安肯作此説？篇首兩節，其舛誤已如此。此外全書皆膚廓粗淺，摭拾道家言，與名家根本精神絶相反，蓋唐宋後妄人所爲，決非《漢志》舊本也。鄧析有無著書，本屬疑問。無厚、同異諸論，皆起自《墨經》以後，疑原書已屬戰國末年人依託，今本又僞中出僞也。

尹文子一篇　説齊宣王。先公孫龍。

今存二篇，疑僞。

今本《尹文子》二篇，精論甚多，其爲先秦古籍毫無可疑，但指爲尹文作或尹文學説，恐非是。《莊子·天下篇》尹文與宋鈃並稱，其學"以爲無益於天下者，明之不如其已"。名家所提出種種奥賾詭瑣之問題，皆宋、尹一派所謂"無益於天下"者也。故彼宗專標“見侮不辱”、“情欲寡淺”兩義，以此周行天下，上説下教。自餘一切閑言，皆從剪斷。《吕氏春秋・正名篇》引尹文語，專論“見侮不辱”，正與《莊子》所説同。然則尹文非鄧析、惠施一派之名家明矣。今本《尹文子》“名以檢形，形以定名”等語，皆名家精髓，然與《莊子》所言尹文學風，幾根本不相容矣。卷首一序，題云“山陽仲長氏撰定”，似出仲長統所編次，然序中又有“余黄初末始到京師”語。統卒於漢建安中，不能及黄初，疑魏晉人所編，託統以自重。其書則本爲先秦名家言，編者不得其主名，遂歸諸尹文耶？尹文爲齊湣王時人，見《吕氏春秋》。班云宣王，亦微誤。

公孫龍子十四篇　趙人。

《唐志》三卷。今所存六篇，《道藏》本分上、中、下三卷，蓋殘缺之書，卻不僞。

成公生五篇　與黄公等同時。師古曰：“姓成公。劉向云與李斯子由同時，由爲三川守，成公生游談不仕。”

惠子一篇　名施，與莊子並時。

今佚。《隋志》已不著録。

《莊子・天下篇》云：“惠施多方，其書五車。”似施所著述甚富。此僅一篇者，殆漢時已散佚矣。今並此一篇亡之，惠子學説可考見者，僅《天下篇》所引十事而已。

黄公四篇　名疵，爲秦博士，作歌詩，在秦時歌詩中。

毛公九篇　趙人，與公孫龍等並遊平原君趙勝家。師古曰：“劉向《別録》云，論堅白、同異，以爲可以治天下。此蓋《史記》所云‘隱於博徒’者。”

今皆佚。《隋志》已不著録。

右名七家，三十六篇。

今存者《公孫龍子》一家，但殘缺。又《鄧析子》、《尹文子》二家，皆非原書，《鄧析》尤晚出。

**名家者流，蓋出於禮官。古者名位不同，禮亦異數。孔子曰：
"必也正名乎！名不正則言不順，言不順，則事不成。"此其所長
也，及警者爲之，則苟鉤鈲析亂而已。**

尹佚二篇　周臣，在成、康時也。

今佚。《隋志》已不著録。

王應麟曰："《左傳》稱'史佚有言'、'史佚之志'。《晉語》'胥
臣曰：文王訪於辛、尹'，注：'辛甲、尹佚，皆周太史。'《説
苑・政理篇》引'成王問政於尹逸'。尹佚，周史也，而爲墨家
之首。今書亡，不可考。《吕覽・當染篇》：'魯惠公使宰讓請
郊廟之禮於天子，天子使史角往，惠公止之。其後在於魯，墨
子學焉。'意者史角之後，託於佚歟？"啓超案，《周書・世俘
解》云："武王降自車，乃俾史佚繇書。"《洛誥》云："王命祝
册，逸作册。"今所傳金文中其册辭爲逸所宣者甚多，似其人
甚老壽，歷數朝。《左傳》僖公十五、文十五、成四、襄十四、昭
元，及《國語・晉語》皆引史逸。其言論蓋極爲周世所重，但
《漢志》何故以入墨家，則所未解也。《史佚》書，馬國翰有輯
本一卷。

田俅子三篇　先韓子。

今佚。《隋志》云："梁有《田俅子》一卷，亡。"

《韓非子・問田篇》、《外儲説左上篇》、《吕氏春秋・首時篇》、
《淮南子・道應篇》皆述田鳩言行。"鳩"、"俅"音近，馬驌、梁
玉繩並以爲一人，是也。又墨者鉅子，有田襄子，見《吕氏春
秋・上德篇》，年代亦略與田鳩等相等，<small>田鳩與秦惠王同時，田襄子於
吴起死後爲鉅子，時代較晚，但可相及。</small>是否一人，待考。《藝文類聚》、
《文選注》、《白孔帖》、《太平御覽》等書引《田俅子》文不少。
其書蓋亡於宋代，馬國翰輯爲一卷。

我子一篇　　師古曰："劉向《別録》云爲墨子之學。"

今佚。《隋志》已不著録。

隨巢子六篇　　墨翟弟子。

胡非子三篇　　墨翟弟子。

今並佚，《隋》、《唐志》皆各著録一卷。

《意林》迄《太平御覽》並有引《隨巢子》、《胡非子》文。其書蓋
佚於宋代，馬國翰各輯爲一卷。

墨子七十一篇　　名翟，爲宋大夫，在孔子後。

今存，闕八篇。《隋志》以下皆分爲十五卷。

右墨六家，八十六篇。

今存者《墨子》一家。

**墨家者流，蓋出於清廟之守。茅屋采椽，是以貴儉；養三老五
更，是以兼愛；選士大射，是以上賢；宗祀嚴父，是以右鬼；順四
時而行，是以非命；以孝視天下，是以上同。此其所長也。及蔽
者爲之，見儉之利，因以非禮；推兼愛之意，而不知別親疏。**

蘇子三十一篇　　名秦，有列傳。

張子十篇　　名儀，有列傳。

龐煖二篇　　爲燕將。

闕子一篇

國筮子十七篇

秦零陵令信一篇　　難秦相李斯。

蒯子五篇　　名通。

鄒陽七篇

主父偃二十八篇

徐樂一篇

莊安一篇

待詔金馬聊蒼三篇　趙人，武帝時。

右縱横十二家，百七篇。

右書今皆佚，惟《闕子》自《藝文類聚》迄《太平御覽》皆徵引之，蓋宋初猶存。《蘇子》、《張子》、《蒯子》、《鄒陽》、《主父偃》則《史》、《漢》各本傳所載，殆皆其文也。《史記·田儋列傳》云：“蒯通者善爲長短説，論戰國之權變，爲八十一首。”當即本志之《蒯子》五篇；據“論戰國權變”之文，則似不僅説韓信諸語而已。

從横家者流，蓋出於行人之官。孔子曰：“誦《詩》三百，使於四方，不能專對，雖多亦奚以爲？”又曰：“使乎使乎！”言其當權事制宜，受命而不受辭，此其所長也。及邪人爲之，則上詐諼而棄其信。

孔甲盤盂二十六篇　黄帝之史，或曰夏帝孔甲，似皆非。

大全三十七篇　傳言禹所作，其文似後世語。師古曰：“全，古禹字。”

伍子胥八篇　名員，春秋時爲吳將，忠直遇讒死。

子晚子三十五篇　齊人，好議兵。與《司馬法》相似。

由余三篇　戎人，秦穆公聘以爲大夫。

以上五書今皆佚，《隋志》已不著録。

尉繚子二十九篇　六國時。師古曰：“尉，姓；繚，名也。音了，又音聊。劉向《別録》云繚爲商君學。”

《隋志》五卷，《唐志》六卷，今存五卷。《四庫總目》入兵家，真偽待考。

《四庫提要》云：“《漢志》雜家有《尉繚》二十九篇。鄭樵譏其見名而不見書，馬端臨亦以爲然。然《漢志》兵形勢家實別有《尉繚》三十一篇，故胡應麟謂兵家之《尉繚》，即今所傳，而雜家之《尉繚》並非此書。今雜家亡而兵家獨傳，鄭以爲孟堅之誤者,非也。特今書止二十四篇,與所謂三十一篇者數不相合,則後來已有亡佚,非完本矣。"案,此論甚是,但今本是否即兵家《尉繚》原書,尚未敢深信耳。《史記·秦本紀》云:"大梁人尉繚來説秦王,其計以散財物賄賂諸侯強臣,不過亡三十萬金,①則諸侯可盡。"據此,可知尉繚籍貫及時代。《初學記》、《太平御覽》並有引《尉繚子》文爲今本所無者,其言又不關兵事,當是雜家《尉繚》佚文。然則此二十九篇至宋初尚存矣。

尸子二十篇　名佼,魯人,秦相商君師之。鞅死,佼逃入蜀。

《隋》、《唐志》皆二十卷,宋時已殘闕,後遂全佚。王應麟曰:"李淑《書目》存四卷,《館閣書目》止存二篇,合爲一卷。"但此二本今皆不傳。清嘉慶間汪繼培輯爲二卷。上卷據《羣書治要》所録,有篇名;下卷則散見各書者。震澤任氏、元和惠氏、陽湖孫氏,先後有輯本,汪本最善。劉向言:"《尸子》書凡六萬餘言。"《史記·孟荀列傳》集解引《別録》。又云:"尸子著書,非先王之法,不循孔氏之術。"《荀子》叙録。劉勰謂其"兼總雜術,術通而文鈍"。《文心雕龍·諸子篇》。李賢云:"《尸子》二十篇,十九篇陳道德仁義之紀,一篇言九州險阻、水泉所出。"《後漢書·宦官傳》注。此皆唐以前人曾見原書者所記述及批評。今所存佚文,多中正和平,頗類儒家言。彦和所謂"兼總雜術"則有之,子政所謂"不循孔氏"則未之見。使佼而果爲商鞅師,則其道術與鞅太不類矣。《隋志》云:"其九篇亡,魏黄初中續。"蓋原書在東漢已佚其大部分,而魏晉間人依託補撰,勰所見本未必即爲向所見本,而《羣書治要》及他書所徵引則皆魏黄初以後本也。但其中存先秦佚説甚多,固自可寶。

①　"亡"原脱,據殿本《史記》補。

尸子始見《史記・孟荀列傳》，謂爲楚人。今注謂"魯人，名佼，爲商君師"云云，不知何據。《穀梁傳・隱五年》引"尸子曰"，則其人似儒家經師也。且今所存佚文，亦無一語與商、韓一派相近者，班説恐未可信。

吕氏春秋二十六篇　秦相吕不韋輯智略士作。案，輯，集也。

今存。

《史記・吕不韋列傳》云："乃使其客人人著所聞，集論以爲八覽、六論、十二紀，二十餘萬言，以爲備天地萬物古今之事，號曰《吕氏春秋》。"即班所謂"輯智略士作"也。其《季冬紀》之末篇，題曰《序意》，即全書之自序，發端云："維秦八年，歲在涒灘。"即成書之年月也。此書經二千年，無殘缺，無竄亂，且有高誘之佳注，實古書中之最完好而易讀者。

淮南内二十一篇　王安。

淮南外三十三篇　師古曰："《内篇》論道，《外篇》雜説。"

今存二十一卷，蓋即《内篇》也。《外篇》久佚，《隋志》已不著録。晁氏《讀書志》云："《崇文總目》云亡三篇，李淑《邯鄲圖書志》云亡二篇。"但今本卻完。

《漢書・淮南王安傳》："招致賓客方術之士數千人，作爲《内書》二十一篇，《外書》甚衆，又有《中篇》八卷，言神仙黄白之術，亦二十萬餘言……初，安入朝，獻所作《内篇》。新出，上愛祕之。"然則安尚有《中篇》，爲本志所未著録，後代傳有《淮南萬畢術》，豈即其一部耶？本志天文家復別有《淮南雜子星》十九卷，易家復有《淮南道訓》二篇，賦家復有《淮南王賦》八十二篇，然則安著作不傳者多矣。《内篇》本二十篇，並《要略》爲二十一，《要略》即自序也。高誘序云："安爲辨達，善屬文……天下方術之士多往歸焉。於是遂與蘇飛、李尚、左吴、田由、雷被、毛技、伍被、晉昌等八人，案《史記・淮南列傳》索隱引《淮南要略》亦舉此八人，號爲“八公”。惟“田由”作“陳由”，“毛技”作“毛周”。今本《要略》無此文。及諸儒大山、小山之徒，共講論道德，總統仁義而著此書……號曰《鴻烈》。鴻，大也。烈，明也。《要略篇》注云：“烈，功也。”以爲明大道之言也。”又云：“劉向校定撰具，名之《淮南》。”《要略》亦云：“此《鴻烈》之《泰族》也。”注云：“凡二十篇，總謂之《鴻烈》。”然則其書《內篇》本名《鴻烈》。《淮南》之名，劉向所命。《隋志》以下，則因其爲諸子而稱以《淮南子》也。分纂諸賢姓名，亦賴高序僅傳。

劉、班以《淮南》次《吕覽》之後，而並入雜家者，蓋以兩書皆成於賓客之手，皆雜采諸家之説，其性質頗相類也。雖然，猶有辯：吕不韋本不學無術之大賈，其著書非有宗旨，務炫博譁世而已。故《吕覽》儒、墨、名、法，樊然雜陳，動相違忤，只能爲最古之類書，不足以成一家言。命之曰雜，固宜。劉安博學能文，詳本傳。其書雖由蘇飛輩分纂，然宗旨及體例，計必先行規定，然後從事。或安自總其成，亦未可知。觀《要略》所提挈各篇要點，及排列次第，蓋匠心經營，極有倫脊，非漫然獺祭而已。高誘序云：“其旨近《老子》，淡泊無爲，蹈虛守靜，出入經道……事物之類，無所不載，然其大較，歸之於道。”此真能善讀其書者。故《淮南鴻烈》，實可謂爲集道家學説之大成，就其内容爲嚴密的分類，毋寧以入道家也。

東方朔二十篇

今佚。《隋志》有《東方朔集》二卷。

《漢書・本傳》注引劉向所録云：“朔之文辭，《客難》、《非有先生論》，此二篇最善。其餘有《封泰山》、《責和氏璧》，及《皇太子生禖》、《屏風》、《殿上柏柱》、《平樂觀》、《賦獵》、《八言》《七言》上下、《從公孫弘借車》，凡朔書具是矣。”案，右向所舉十四篇，又《北堂書鈔》百五十八引《嗟伯夷》，《文選・海賦》注

引《對詔》，《藝文類聚·災異部》引《旱頌》，《人部》引《誡子》，
凡四篇。餘二篇待考。

伯象先生論一篇　應劭曰："蓋隱者也。故公孫敖難以無益世主之治。"

今佚。《隋志》已不著録。

《御覽》八百十一引《新序》"有公孫敖問伯象先生"語，殆即此
一篇之文。

荆軻論五篇　軻爲燕刺秦王，不成而死，司馬相如等論之。

今佚。《隋志》已不著録。

王應麟曰："《文章緣起》：'司馬相如作《荆軻讚》。'《文心雕
龍》：'相如屬筆，始讚荆軻。'"案，班云"相如等"，則非止一人
之論，蓋總集嚆矢也。《漢志》無集部，故以附雜家。

吳子一篇

公孫尼一篇

博士臣賢對一篇　漢世，難韓子、商君。

臣説三篇　武帝時所作賦。案此"賦"字疑衍，下賦家別有《臣説賦》九篇。

解子簿書三十五篇

推雜書八十七篇

雜家言一篇　王伯，不知作者。師古曰："言王伯之道。伯讀曰霸。"案，"王
伯"疑即此一篇之篇名。

以上今皆佚，《隋志》已不著録。《公孫尼》一篇，次列漢人著
作中，與儒家之《公孫尼子》蓋非一人。

右雜二十家，四百三篇。　入兵法。陶憲曾曰："'入兵法'上脱'出蹴鞠'
三字。兵書四家，惟兵技巧入《蹴鞠》一家二十五篇，而諸子家下亦注《蹴鞠》一家二
十五篇，是《蹴鞠》正從此出而入兵法也。今本脱"出蹴鞠"三字，則"入兵法"三字不
可解；而諸子家所出之《蹴鞠》，亦不知其於十家中究出自何家矣。"

**雜家者流，蓋出於議官，兼儒、墨，合名、法，知國體之有此，見王
治之無不貫，此其所長也。及盪者爲之，則漫羨而無所歸心。**

神農二十篇　六國時，諸子疾時怠於農業，道耕農事，託之神農。師古曰："劉向《別録》云，疑李悝及商君所説。"

野老十七篇　六國時，在齊、楚間。應劭曰："年老，居田野，相民耕種，故號野老。"

宰氏十七篇　不知何世。

董安國十六篇　漢代内史，不知何帝時。

尹都尉十四篇　不知何世。

趙氏五篇　不知何世。

氾勝之十八篇　成帝時爲議郎。師古曰："劉向《別録》云：'使教田三輔，有好田者師之。徙爲御史。'氾音凡，又音敷劍反。"

王氏六篇　不知何世。

葵癸一篇　宣帝時，以言便宜，至弘農太守。師古曰："劉向《別録》云邯鄲人。"

以上今皆佚，《隋志》惟有《氾勝之書》二卷，《唐志》惟有《尹都尉書》三卷，餘皆不著録。《氾勝之書》，鄭樵《藝文略》尚著録二卷，《文獻通考》始不載，蓋亡於宋末也。清洪頤煊輯爲二卷。

右農家九家，百一十四篇。

農家者流，蓋出於農稷之官。播百穀，勸耕桑，以足衣食。故"八政"一曰食，二曰貨。孔子曰："所重民食。"此其所長也。及鄙者爲之，以爲無所事聖王，欲使君臣並耕，誖上下之序。

伊尹説二十七篇　其語淺薄，似依託也。

鬻子説十九篇　後世所加。

周考七十六篇　考周事也。

青史子五十七篇　古史官記事也。

師曠六篇　見《春秋》。其言淺薄，本與此同，似因託也。

務成子十一篇　稱堯問，非古語。

宋子十八篇　孫卿道宋子，其言黃老意。

天乙三篇　天乙謂湯，其言非殷時，皆依託也。

黃帝説四十篇　迂誕，依託。

封禪方説十八篇　武帝時。

待詔臣饒心術二十五篇　武帝時。師古曰：“劉向《別録》云：饒，齊人也，不知其姓。武帝時待詔，作書，名曰《心術》也。”

待詔臣安成未央術一篇

臣壽周紀七篇　項國圉人，宣帝時。

虞初周説九百四十三篇　河南人，武帝時以方士侍郎，號黃車使者。

百家百三十九篇①

以上今皆佚，《隋志》已不著録。惟《唐志》小説家有《鬻子説》一卷，不知是否原書。

右諸書與別部有連者，道家有《伊尹》五十一篇、《鬻子》二十二篇，此復有《伊尹説》、《鬻子説》；兵陰陽有《師曠》八篇，此復有六篇；五行家有《務成子災異應》十四卷，房中家有《務成子陰道》三十六卷，此復有《務成子》十一篇。考其區別所由，蓋以書之內容、體例爲分類也。《文選注》三十一引桓譚《新論》云：“小説家者，合叢殘小語，近取譬論，以作短篇。”蓋小説家之特色如此。據此，則道家之《伊尹》、《鬻子》蓋以莊言發攄理論，小説家之《伊尹説》、《鬻子説》則“叢殘小語”及“譬喻短篇”也。餘可類推。

《宋子》十八篇，原注云：“孫卿道宋子。”然則即《荀子·正論篇》之“子宋子”宋鈃也。其人爲戰國一大思想家，其書乃入

---

①　“篇”，殿本《漢書》作“卷”。

小説,頗可詫異。案《正論篇》云:"子宋子率其羣徒,辨其談説,明其譬稱,將使人知情欲之寡也。"然則宋鈃最好談而善用譬,殆爲通俗講演體,專"取譬論以作短書"。劉、班不辨其書之實質,而徒觀其形勢,則入之小説宜耳。此書之佚,殆爲我思想界最大損失之一矣。

右小説十五家,千三百八十篇。

小説家者流,蓋出於稗官,街談巷語,道聽途説者之所造也。孔子曰:"雖小道,必有可觀者焉。致遠恐泥,是以君子弗爲也。"然亦弗滅也。閭里小知者之所及,亦使綴而不忘,如或一言可采,此亦芻蕘狂夫之議也。

凡諸子百八十九家,四千三百二十四篇。　出《蹴鞠》一家,二十五篇。案,從諸子家出而入兵技巧家也。

諸子十家,其可觀者九家而已。皆起於王道既微,諸侯力政,時君世主,好惡殊方。是以九家之術,蠭出並作,各引一端,崇其所善,以此馳説,取合諸侯。其言雖殊,辟猶水火,相滅亦相生也。仁之與義,敬之與和,相反而皆相成也。《易》曰:"天下同歸而殊塗,一致而百慮。"今異家者,各推所長,窮知究慮,以明其指,雖有蔽短,合其要歸,亦六經之支與流裔。使其人遭明王聖主,得其所折中,皆股肱之材已。仲尼有言:"禮失而求諸野。"方今去聖久遠,道術缺廢,無所更索。彼九家者,不猶瘉於野乎? 若能修六藝之術,而觀此九家之言,舍短取長,則可以通萬方之略矣。

漢志諸子略各書存佚真偽表

附本志以外偽書

存佚真偽流別	現存			已佚			本志所無而後人偽造之書
	真書		依託	有遺篇遺説可考輯者	全佚者	原佚而後人偽託或補竄者	
	全真	部分竄亂					
儒家者流	孟子　依託。四篇已佚。　董仲舒　今所傳《春秋繁露》全真,但較《漢志》已佚多篇。　鹽鐵論　新序　説苑　列女傳　劉向所種之三。　太玄　法言　箴　揚雄所序四種之三。	孫卿子　內四篇有後人竄附痕跡。　賈誼　似補綴改竄。	晏子　戰國末或漢初依託。	子思　曾子　漆雕子　宓子　世子　魏文侯　李克　公孫尼子　甯越　王孫子　李氏春秋　董子　魯仲連子　劉敬　賈山　河間獻王對上下三雍宮①　兒寬　終軍　吾丘壽王　莊助	景子　芊子　內業　周史六弢　周政　周法　河間周制　讕言　功議　公孫固　羊子　侯子　徐子　平原君　虞氏春秋　高祖傳　孝文傳　孔臧　虞丘説　臣彭　鉤盾冗從　李步昌　儒家言　世説　劉向所種四之一。　樂　揚雄所序四種之一。	陸賈　似隋唐間偽補	五　孔叢子　晉人偽造,有依託孔臧語。　六韜　依附《周史六弢》之名而偽撰。

---

① "宮"原脱,據本書"河間獻王對上下三雍宮"條補。

續表

存佚真偽流別	現存			已佚			本志所無而後人僞造之書
	真書		依託	有遺篇遺説可考輯者	全佚者	原佚而後人偽託或補竄者	
	全真	部分竄亂					
道家者流	老子原書存，但本志不別著不錄。	莊子《内篇》全真，《外篇》、《雜篇》有竄附。	管子戰國末依託。	伊尹依託。太公謀言兵依託。長廬子 公子牟 田子 老萊子 鄭長者	辛甲 老子鄰氏經傳 老子傅氏經説 老子徐氏經説 劉向説老子 蜎子 老成子 王狄子 黔婁子 宮孫子 周訓 黃帝四經 黃帝銘 黃帝君臣 雜黃帝 力牧 右五書俱依託。孫子 捷子 曹羽 郎中嬰齊 道家言	鬻子原書恐已依託，今傳者全偽。文子原書依託，今本唐人偽。關尹子唐人以後人偽。列子晉人偽。鶡冠子魏晉以後偽。	陰符經《陰符》當在太公《謀》中，今本全偽。子華子名見《吕氏春秋》。今本全偽。亢倉子莊子寓言人名，唐人以後偽爲其書。
陰陽家者流				宋司星子韋 鄒子 鄒子終始 南公 容成子 張蒼	公檮生終始 公孫發 乘丘子 杜文公 黃帝泰素 鄒奭子 閭丘子 馮促 將鉅子 五曹官制 周伯 衛侯官 于長天下忠臣 公孫渾邪 雜陰陽		

續表

存佚真偽流別	現存			已佚			本志所無而後人偽造之書
	真書		依託	有遺篇遺說可考輯者	全佚者	原佚而後人偽託或補竄者	
	全真	部分竄亂					
法家者流		韓子第一篇錯入。	商君戰國末依託。	李子、申子 恐依託。慎子 近出一本,全偽。鼂錯	處子游棣子燕十事法家言		
名家者流		公孫龍子殘缺,且有竄附。	尹文子似劉向前依託。	惠子	成公生黃公毛公	鄧析子原書已依託,今本蓋魏晉後偽。	
墨家者流		墨子内三四篇有竄亂痕跡。		尹佚田俅子隨巢子胡非子	我子		
縱橫家者流				蘇子張子闕子蒯子鄒陽主父偃徐樂莊安	龐煖國筮子秦零陵令信待詔金馬聊蒼		鬼谷子唐以後偽。
雜家者流	呂氏春秋淮南内			由余尉繚子 今存之本恐是兵家尉繚。尸子東方朔伯象先生	孔甲盤盂大叄 皆依託。伍子胥 恐依託。子晚子淮南外荊軻論吳子公孫尼博士臣賢對臣說解子簿書推雜書雜家言		於陵子明人偽。

續表

流別 \ 存佚真偽	現存			已佚			本志所無而後人偽造之書
	真書		依託	有遺篇遺説可考輯者	全佚者	原佚而後人偽託或補竄者	
	全真	部分竄亂					
農家者流				尹都尉 趙氏 氾勝之	神農 依託。 野老 宰氏 董安國 王氏 蔡癸		
小説家者流				青史子 師曠 宋子	伊尹説 鬻子説 周考 務成子 天乙 黄帝説 封禪方説 待詔臣饒心術① 待詔臣安成未央術 臣壽周紀 虞初周説 百家		
合計	八家（十二書）	六家	四家	四十七家	百〇四家	七家	七書

---

①　"饒"原作"堯"，據本書"待詔臣饒心術"條改。

附　考諸子略以外之現存子書

《漢志·諸子略》以外，復有《兵書》、《數術》、《方技》三略，皆後世所目爲子書者。其書散佚益多，存者百不一二。現存各書中，有數書爲《志》中所曾著録，或似曾著録者，今並附考之，俾成學治古文者得所抉擇焉。

孫子一卷十三篇

本志《兵書略》兵權謀家“《吳孫子兵法》八十二篇”，本注云“圖九卷”。師古曰：“孫武也。”《隋志》二卷，《唐志》三卷，今《四庫》本一卷。今本篇數少於《漢志》而又無圖，是否任宏所校原本，不敢臆斷。杜牧謂：“武所著書凡數十萬言，魏武帝削其繁剩，筆其精切，凡十三篇。”其説不知何據，殆肊測耳。十三篇之説，兩見於《史記》武本傳，然則戰國秦漢間盛行者，蓋止十三篇。《漢志》有八十二篇者，當時校書，以博採爲貴，彙集諸本，去其複重，因付寫定；所增之篇，恐非舊文。正如《孟子》書，《史記》本傳僅言七篇，而本志有十一篇，後經趙岐鑑別，乃知原止七篇，餘四篇乃僞書也。《孫子》篇數之增，計亦猶是。若夢想佚篇，恐不免爲古人所欺矣。此書亦未必孫武所著，當是戰國人依託。書中所言戰事規模及戰術，慮皆非春秋時所能有也，但其非漢以後書，亦可斷言。

吳子一卷

本志兵權謀家“《吳起》四十八篇”，《隋》、《唐志》皆一卷，亦戰國時書，但未必出吳起手耳。《志》中篇數之多，恐亦別裁不精所致。今本尚較可信。

司馬法一卷

本志《六藝略》禮家“《軍禮司馬法》百五十五篇”，今所傳者或即其一部分。《史記·穰苴列傳》云：“齊威王使大夫追論古者司馬兵法，且附穰苴於其中，因號曰《司馬穰苴兵法》。”本書或亦其佚文。

山海經十八卷

本志《數術略》刑法家“《山海經》十三篇”。今所傳郭璞注本十八篇，與《志》異，殆增《大荒經》以下五篇也。今本卷首有劉秀校進表，云：“所校《山海經》凡三十二篇，今定爲一十八篇。”《四庫提要》疑此表爲僞，殆然。秀表稱伯益所作，蓋本《史記》、《論衡》及僞《列子》。《史記》云：“《禹本紀》、《山海經》所有怪物，余不敢言。”《論衡》云：“禹主行水，益主記異物。海外山表，無所不至。以所見聞，作《山海經》。”《吳越春秋》文略同。僞《列子》云：“大禹行而見之，伯益知而名之，夷堅聞而知之。”①以此書屬諸禹、益，由來舊矣。《四庫提要》云：“觀書中載夏后啓、周文王及秦漢長沙、象郡、餘暨、下巂諸地名，斷不作於三代以上，殆周秦間人所述，而後來好異者又附益之歟？觀《楚辭·天問》多與相符，使古無是言，屈原何由杜撰？”所論最爲平允。夏殷以前，不能有此類卷帙繁重之書，此殆可以常理推定者。但如杜佑、朱子輩指爲全屬漢以後人杜撰，則殊不然。比者殷墟契文出土，而書中“王亥”、“僕牛”諸文，更得一鑒證，見王國維著《殷卜辭中所見先王先公考》。益可見此書價值矣。至書中所見秦漢郡名，則出於附益。古籍多然，不獨此書矣。

黃帝素問二十四卷　靈樞經十二卷

本志《方技略》醫經家“《黃帝內經》十八卷、《外經》三十九

---

① “知”，《二十二子》本《列子》作“志”，於義較勝。

卷”，無“素問”等名。後漢張機《傷寒論》始引《素問》。晉皇
甫謐《甲乙經序》稱：《鍼經》九卷、《素問》九卷，皆爲《内經》。
《内經》、《素問》併爲一談自此。唐王冰合注《素問》、《靈樞》，
又謂“《靈樞》即《内經》十八卷之九”。大抵《素問》爲西漢以
前書，其是否即《漢志》中《内經》，無從證明。《靈樞》殆魏晉
後作也。

漢書藝文志方技補注

張驥　撰

尹承　整理

自叙

　　漢劉向、揚雄皆稱史遷有"良史之材"，服其善序事理。班固亦以史遷追述功德，私作本紀，太初以後，闕而弗録，故探篹前紀，綴輯所聞，以述《漢書》。故後世之稱"良史"者，首推《史》、《漢》；論史家特具才、學、識之三長者，必曰遷、固也。今取二家書而讀之，他不具論，即以史遷傳扁鵲、倉公，與班氏志醫經、經方爲方技，兩兩衡之，可以知班氏才、識、學之三者，皆不及史遷遠甚也。

　　夫醫之爲道也，上窮天紀，下極地理，中傍人事，玄微幽窈，無上甚深。是以神農氏作，首述《本經》。黄帝垂拱，諸務未遑，獨與岐伯、鬼臾區、雷公、少俞、伯高諸臣辨難醫藥。周公設官分治，隷醫師於天官之屬。誠以人生天地間，而不留神醫藥以養其生，雖有忠孝之心、仁慈之性，君父危困、赤子塗地，無以濟之。蓋醫者，生人之大命也，其可與龜筴、日者等量而齊視哉！

　　然而史遷遠矣，其爲《扁鵲傳》也，述長桑君以溯其源，復叙弟子子陽、子豹以承其學。至其脈色、藏府、俞募、三焦、膀胱，以暨割皮解肌、決脈結筋、湔洗腸胃、漱滌五臟，他如鍼、石、灼、艾諸法，靡不賅備無遺。仲景所以覽越人入虢之診、望齊侯之色，而慨然歎其才秀也。其傳倉公也，有公孫光、公乘陽慶爲之師，又得宋邑、高期、王禹、馬長、[1]馮信、杜信爲之徒，各傳其五

---

　　① "馬長"疑非人名。北岳文藝出版社影印原版《史記會注考證》卷一百零五"太倉馬長馮信"句考證云："《御覽》、《醫說》並曰'馮信，臨淄人，爲齊太倉長'，據此，'馬'字屬衍。"

診、經脈、絡脈、鑱石、砭灸、藥法、湯法之學，而又論列其治。驗二十一條病源病主，推究入微。皇甫士安謂倉公之學出於《素問》，信非阿也。斯固非扁、倉之神聖，不能如是之精；非史遷之博通醫道，而又擅才、識之專長者，其能窮奇盡變如是之詳且盡哉！後儒攻醫而有塗轍之可尋、堂奧之能入者，皆於扁、倉乎是賴。於是歎史遷之大有造於醫林也。

班氏去史遷之年未久也，其先世斿，曾與劉向同校秘書，每奏事，斿以選受詔進讀羣書，上器其能，賜以秘書之副，文獻未爲不足也。其爲書又自謂"探篹前紀，綴輯所聞"，當時黃帝、扁鵲之脈書上下經、五色診、奇胲術，藏之蘭臺秘閣，必有存者。而倉公之門，如宋邑、高期、王禹、馬長、馮信、杜信之徒，已二三傳，必有發揚而光大者，不難諮而考焉。是固宜爲倉公列傳，依仲尼弟子之例，別傳宋邑諸人，①何嘗非史遷前紀意哉？乃列傳既遺倉公，復以醫經、經方志諸方技。其於倉公醫學源流，一字不錄，而其所箸錄者，醫經七家、經方十一家，計一十八家，家存其目而已，豈真書闕有間哉！平帝元始五年，書"舉天下通知方術、本草者，所在輶傳遣詣京師"，《樓護傳》書"少誦醫經、本草、方術數十篇"，《百官志》書"太醫藥丞主藥方"，②《郊祀志》書"深澤侯人，主方"，《藝文志》書"侍醫李柱國校方技"。當是時，岐、黃典籍，充棟汗牛，博採周諮，徵文考獻，不可謂無其人、亡其書也。顧於醫經乃曰"以瘉爲劇，以生爲死"，於經方乃曰"有病不治，常得中醫"。由是以觀，班氏之於醫道，較史遷爲何如哉？讀其書，可想見其才與學、識矣。故惟史遷能傳扁鵲、倉公而吸其華，惟班氏祇能志醫經、經方

---

① "宋"字原誤作"王"，據上下文意改。
② 《漢書》無《百官志》，該引文實出《續漢書·百官志》。

而存其目，此古今醫道消長一大源也。自班氏史例一開，而後世之爲史者，儕醫者於方技傳中，與卜巫星相並列，非惟醫道之不幸，抑亦生人之大厄也，可不大哀乎！謂余不信，請以班氏《方技志》與史遷《扁倉傳》兩兩而衡之，則遷、固之優劣，於此得見一斑矣。

　　今余所補者，注也，非《志》也。千載而下，安得曹昭、褚少孫之博洽多聞，相與裨補闕漏，而光昭岐、黄之鉅典哉？雖然，以班氏之才之學之識，號稱“良史”，猶於醫道未聞其略。醫豈方技之流亞哉？史遷，吾不得而見之矣；如褚先生、曹大家其人者，庶幾旦暮遇之也。

乙亥夏日張驥

漢書藝文志方技補注卷上

黃帝内經十八卷

補注：《帝王世紀》："黃帝使岐伯嘗味草木，典醫療疾，今經方、本草之書咸出。又嘗命雷公、岐伯論經脈，傍通問難八十一爲《難經》。[①] 教制九鍼，著《内外術經》十八卷。"《顱顖經序》引《黃帝内傳》："王母金文，黃帝得之昇天，秘藏金匱，名曰《内經》，百姓莫可見之。"[②]《神仙通鑑》："帝尊岐伯爲天師，立鬼臾區爲少師，兼以相國。與之上窮天紀，下極地理，更相問難，闡發玄微，推至太素之始，八十一問難，作爲《内經》，與伏羲、神農之書，藏之内府，後爲《三墳》。"是黃帝之書，統名《内經》，無《素問》、《靈樞》、《鍼經》之別。《史記・倉公傳》"陽慶傳黃帝扁鵲之脈書，五色診病"，又"意再拜謁，受其脈書上下經、五色診、奇胲術"，亦無《素》、《靈》、《鍼經》分別。至張仲景撰用《素問》九卷爲《傷寒雜病論》，"素問"之名始見。晉皇甫謐序《甲乙經》云："按《七略》、《藝文志》，《黃帝内經》十八卷。今有《鍼經》九卷、《素問》九卷，二九十八卷，即《内經》也。"有《鍼經》無《靈樞》。《北齊書》馬嗣明"博綜經方、《甲乙》、《素問》"。《隋書・經籍志》：《黃帝素問》九卷，梁八卷。《黃帝鍼經》九卷，《黃帝素問》八卷，全元起注《岐伯經》十卷。《唐書・藝文志》：《黃帝明堂經》三卷，《黃帝九靈

---

① "一"字原脱，據《經訓堂叢書》本《帝王世紀》及本卷"扁鵲内經九卷外經十二卷"條引《帝王世紀》補。

② "可"，原作"不"據，文淵閣《四庫全書》本《顱顖經序》改。

經》十二卷,《黃帝八十一難經》二卷,《岐伯灸經》一卷。《舊唐書·經籍志》:《黃帝内經太素》三十卷。楊上善注《靈樞》不著於錄,而《素問·方盛衰論》"合之五診,調之陰陽,以在《經脈》",《經脈》,《靈樞》篇目也。又:"診有十度度人:[①]脈度、藏度、肉度、筋度、俞度。"《通評虛實論》"帝問形度、骨度、脈度、筋度",下無對語,語在《靈樞》。王冰注《素問》,引《靈樞》者九十四條,此固不可右《素問》而左《靈樞》也。蓋《黃帝内經》爲後人所亂,篇弟不同,名稱各異。皇甫謐曰:"《鍼經》曰《素問》、《明堂孔穴》、《鍼灸治要》,三部同歸,統名《甲乙》。"全元起《訓解》則曰《素問》,楊上善則纂而爲《太素》。由王冰至南宋史崧作《音釋》,欲以九卷配王氏之注,迺分其卷爲二十四,分其篇爲八十一。元至元間,並王注《素問》一十二卷,又並史崧《靈樞》之卷,以合《素問》。《素問》、《靈樞》統稱《内經》,即今以最古之《甲乙》校全氏《訓解》,則篇弟不同;以全氏《訓解》校楊氏《太素》、起玄注本,[②]則篇弟又不同。蓋自史崧以來,雖統名《内經》,早非黃帝之舊。後之學者,若張介賓,若吳崑,若馬蒔,若張志聰,義有可取,統宜究之,以紹述軒岐氏之絶學也。兹將全元起、楊上善二家卷目附後備考。

附全元起本卷目

按,全本宋代猶存,今據《新校正》所載卷目如左:

卷第一凡七篇。《平人氣象論》、《決死生論》、今《三部九候論》。《藏氣法時論》、今第六卷《脈要篇》末重出。《宣明五氣篇》、今《血氣形志篇》併在此篇末。《經合論》、今《離合真邪論》,第二卷重出,名《真邪》。《調經論》、

① "十"字疑當作"五"。
② "起"字疑當作"啓",指啓玄子王冰。

《四時刺逆從論》。連六卷,從"春氣在經脈"分在第一卷。

卷第二凡十一篇。《移精變氣論》、《玉版論要篇》、《診要經終論》、《八正神明論》、《真邪論》,重出。《標本病傳論》、《皮部論》,篇末有《經絡論》。《氣穴論》、《氣府論》、《骨空論》、自"灸寒熱之法"已下,在第六卷《刺齊篇》末。《繆刺論》。

卷第三凡六篇。《陰陽離合論》、《十二藏相使篇》、今《靈蘭秘典論》。《六節藏象論》、《陽明脈解篇》、《五藏舉痛論》、今《舉痛論》。《長刺節論》。

卷第四凡八篇。《生氣通天論》、《金匱真言論》、《陰陽別論》、《經脈別論》、《通評虛實論》、《太陰陽明論》、《逆調論》、《痿論》。

卷第五凡十篇。《五藏別論》、《湯液醪醴論》、《熱論》、《刺熱論》、《評熱病論》、《瘧論》、《腹中論》、《厥論》、《病能論》、《奇病論》。

卷第六凡十篇。《脈要精微論》、《玉機真藏論》、《刺禁論》、今《寶命全形論》。《刺瘧論》、《刺腰論》、《刺齊論》、今《刺要論》出於此篇。《刺禁論》、《刺志篇》、《鍼解篇》、《四時刺逆從論》。"春氣在經脈"至篇末,在第一卷。

卷第七闕。

卷第八凡九篇。《痹論》、《水熱穴論》、《四時病類論》、今《著至教論》在於此篇末。《從容別白黑》、今《示從容論》。《論過失》、今《疏五過論》。《方論得失明著》、今《徵四失論》。《陰陽類論》、《方盛衰論》、《方論解》。今《解精微論》。

卷第九凡十篇。《上古天真論》、《四氣調神大論》、《陰陽應象大論》、《五藏生成篇》、《異法方宜論》、《厥論》、今《氣厥論》併此。《欬論》、《風論》、《大奇論》、《脈解篇》。

凡八卷七十一篇。除《四時刺逆從》、《真邪》、《厥論》三篇複出,則爲六十八篇。

附黃帝內經太素本卷目

依《太素》篇目校勘今本及《新校正》本,俾諸本異同瞭如指掌，以爲治經之助。

第一卷_{原佚。}　攝生之一

飲食有節，起居有常度，不妄不作《素問·上古天真論》。以下並同。

上古聖人之教也，下皆爲之○身肌宗一○有至人者_{按，宋林億等}《新校》引此四條，黃氏以爲今本所無，下同。張本《類經》在攝生類，疑即本卷佚文。

○帝曰："余聞上古聖人，論理人形，列別藏府，端絡經脈，會通六合，各從其經氣穴所發，各有處名；谿谷屬骨，皆有分部；分部逆從，各有條理；四時陰陽，盡有經紀；外內之應，皆有表裏。其信然乎？"《素問·陰陽應象大論》。此條據《新校正》云，《太素》在"上古聖人之教也"上，則原爲《上古天真論》，應即本卷佚文。《類經》在藏象類，①蓋從今本耳。

第二卷_{卷末缺。}　攝生之二

順養《靈樞·師傳篇》。○《靈樞·九鍼論》。○《素問·四氣調神論》全。

六氣《靈樞·決氣篇》全。

九氣《素問·舉痛論》。

調食《靈樞·五味篇》全。○《素問·藏氣法時論》。○《靈·五味論》全。○《靈樞·九鍼論》。

壽限《靈樞·天年篇》。○《素問·上古天真論》。

第三卷　陰陽

□□□《素問·陰陽應象大論》。○卷首缺篇名。

調陰陽《素問·生氣通天論》全。

陰陽雜說《素問·金匱真言論》全。○《素問·陰陽別論》全。○《素問·痺論》。

第四卷_{佚。}　陰陽

第五卷　人合

□□□《靈樞·邪客篇》。○卷首缺篇名。

陰陽合《靈樞·陰陽繫日月篇》。○《素問·陰陽離合論》全。

---

①　"類"字原作"論"，據清道光宏道堂刻本《類經》及上下文意改。

四海合《靈樞·海論》全。

十二水《靈樞·經水篇》全。

第六卷　藏府之一

□□□□《靈樞·本神篇》全。○卷首缺篇名。

五藏命分《靈樞·本藏篇》。

藏府應候同上。

藏府氣液《靈樞·脈度篇》。○《靈樞·九鍼論》。○《素問·宣明五氣篇》。○《素問·五藏別論》。○《素問·太陰陽明論》全。○《素問·玉機真藏論》。

第七卷原佚。　藏府之二

在變動爲握《素問·陰陽應象大論》。以下並同。○脈生脾○在變動爲憂○中央生濕○濕生土○在變動爲噦○燥傷皮毛,熱勝燥○寒傷骨○陰陽之道路也《新校正》引此九條。《類經》在藏象類,疑即本卷佚文。

肖者濯濯《素問·靈蘭秘典論》。○神之處也《素問·六節藏象論》。下同。○爲陽中之少陰○爲陰中之太陰○此爲陰中之少陽《新校正》引此五條。《類經》在藏象類,疑即本卷佚文。

脾者,主爲衛,使之迎糧《靈樞·師傳篇》。○六府者,胃爲之海,廣胲、大頸、張胸同上。以上二條,《甲乙經》宋校所引。《類經》在藏象類,疑即本卷佚文也。

第八卷　經脈之一

□□□□《靈樞·經脈篇》。

經脈病解《素問·脈解篇》全。

陽明病解《素問·陽明脈解篇》全。

第九卷　經脈之二

經脈正別《靈樞·經別篇》全。

脈行同異《靈樞·邪客篇》。○《靈樞·動輸篇》全。

經絡別異《靈樞·經脈篇》。

十五絡脈同上。

經絡皮部《素問·皮部論》全。○《素問·經絡論》全。

第十卷　經脈之三

□□《素問·骨空論》。○卷首篇名缺。

帶脈《靈樞·經別篇》。○《素問·痿論》。

陰陽蹻脈《靈樞·脈度篇》。○《素問·繆刺論》。

任脈《靈樞·五音五味篇》。又附《素問·血氣形志篇》。

衝脈《靈樞·逆順肥瘦篇》。○《素問·舉痛論》。

陰陽維脈《素問·刺要痛論》。

經脈標本《靈樞·衛氣篇》全。

經脈根結《靈樞·根結篇》。

第十一卷

本輸《靈樞·本輸篇》全。

變輸《靈樞·順氣一日分爲四時篇》。○《素問·水熱穴論》。

府病合輸《靈樞·邪氣藏府病形篇》。

氣穴《素問·氣穴論》全。○《素問·水熱穴論》。○《靈樞·背腧篇》全。○《素問·血氣形志篇》。

氣府《素問·氣府論》全。

骨空《素問·骨空論》。○其從首至"使之跪"，又從"督脈起少腹"至"治督脈"重。第十卷首篇。

第十二卷　營衛氣

□□□《靈樞·營氣篇》全。○《靈樞·營衛生會篇》。○卷首篇名缺。

營衛氣行《靈樞·邪客篇》。○《靈樞·陰陽清濁篇》全。○《靈樞·五亂篇》全。

營五十周《靈樞·五十營篇》全。

衛五十周《靈樞·衛氣行篇》全。

第十三卷　身度

經筋《靈樞·經筋篇》。

骨度《靈樞·骨度篇》全。

腸度《靈樞·腸胃篇》。○《靈樞·平人絶穀篇》全。

脈度《靈樞·脈度篇》。

第十四卷　診候之一

□□□《素問·三部九候論》全。○卷首缺篇名。

四時脈形《素問·玉機真藏論》。

真藏脈形同上。

四時脈診《素問·玉機真藏論》。○《素問·脈要精微論》。

人迎脈口診《靈樞·禁服篇》全。○《靈樞·五色篇》。○《靈樞·根結篇》。○《素問·五藏別論》。○《靈樞·終始篇》。○《素問·病能論》。○《靈樞·論疾診尺篇》。

第十五卷　診候之二

色脈診《素問·移精變氣論》。○《素問·玉版論要論》全。《素問·五藏生成論》。

色脈尺診《靈樞·邪氣藏府病形篇》。

尺診《靈樞·論疾診尺篇》。

尺寸診《素問·平人氣象論》。

五藏脈診《素問·宣明五氣篇》。○《素問·平人氣象論》。《素問·脈要精微論》。○《靈樞·邪氣藏府病形篇》。○《素問·大奇論》全。

第十六卷原佚。診候之三①

滑則少氣《素問·脈要精微論》。下同。白欲如白璧之澤，不欲如堊○象心之太浮也《素問·經脈別論》。○《新校正》引此三條，《類經》在脈色類。《太素》診候之一、診候之二，俱不缺。疑此卷爲診候之三，今以附於此。

子誠別而已《素問·示從容論》。○是以名曰《診經》。同上。陰陽之類，經脈之道《素問·陰陽類論》。下同。○三陽爲經，二陽爲維，一陽爲游部○伏鼓不浮，上空志心○一陰獨至○二陰一陽，病在肺○陰陽皆絶，期在孟春三月之病，曰"陽殺"。陰陽交期在溓水以上二篇九條，《新校正》引。《類經》在疾病類，攷之《太素》，疑當爲本卷診

---

① "診候"二字原誤倒，據上下文意乙正。

候佚文。

病生於陽者，先治其外，後治其内《靈樞·五色篇》。下同。○當候關中○黑色出於庭○關上者咽喉也○關中者肺也以上五條，《甲乙經》宋校引。《類經》在脈色類，疑即本卷佚文。

第十七卷　證候之一

□□《素問·五藏生成篇》。○《靈樞·論疾診尺篇》。○卷首缺篇名。

第十八卷原佚。證候之二

五藏者，中之府也《素問·脈要精微論》。○行則僂跗同上。

所謂氣虛者《素問·通評虛實論》。以下並同。○尺滿而不應也○足溫則生，寒則死○脈懸小堅，病久可治

誦而頗能解，解而未能別，別而未能明，明而未能彰《素問·著至教論》。下同。○至教擬於二皇○列星辰與日月光○夫三陽太爲業○下爲漏病○腎且絕死，死暮日也

一上一下，寒厥到膝《素問·方盛衰論》，下同。○若伏空室爲陰陽之一○至陽絕陰，是爲少氣以上四篇，共十五條，均《新校正》引。《類經》俱在疾病類，疑即本卷佚文。

怒則上氣逆，胸中留積，血氣逆留《靈樞·五變篇》。○髋皮充肌同上。此二條，《甲乙經》宋校所引。《類經》在疾病類，疑爲本卷佚文。

第十九卷　設方一

知古今《素問·湯液醪醴論》。

知要道《靈樞·外揣篇》全。

知方地《素問·異法方宜論》全。

知形志所宜《素問·血氣形志篇》。○《靈樞·九鍼論》。

知祝由《素問·移精變氣論》。

知鍼石《素問·寶命全形篇》全。○《素問·刺禁論》。○《素問·鍼解篇》。○《素問·病能論》。

知湯藥《素問·湯液醪醴論》。

知官能《靈樞·官能篇》全。

第二十卷原佚。 設方二

爲萬民副《素問·疏五過論》。下同。○病深以甚也○始樂始苦○封君敗傷及諸侯王○氣内爲實

更名自巧《素問·徵四失論》。○愚心自功同上。以上二篇七條，《新校正》引。《類經》在論治類，此卷續設方，疑即論治之類，今以附此。

第二十一卷 九鍼之一

間者環已《素問·診要經終論》。○《素問新校正》引。

脈氣留於腹中，蓄積不行《靈樞·衛氣失常篇》。以上二條，《甲乙經》、《新校正》引。《類經》在鍼刺類，疑即本卷佚文。

第二十二卷 九鍼之二

刺法《靈樞·邪客篇》。○《靈樞·逆順肥瘦篇》。○《靈樞·根結篇》。

九鍼《靈樞·官鍼篇》。

三刺《靈樞·官鍼篇》。○《靈樞·終始篇》。

三變刺《靈樞·壽夭剛柔篇》。

五刺《靈樞·官鍼篇》。

五藏刺《靈樞·五邪篇》。

五節刺《靈樞·刺節真邪篇》。

五邪刺同上。

第二十三卷 九鍼之三

量繆刺《素問·繆刺論》全。

量氣刺《靈樞·行鍼篇》全。

量順刺《靈樞·逆順篇》全。

疽癰逆順刺《靈樞·玉版篇》。

量絡刺《靈樞·血絡篇》全。

雜刺《靈樞·四時氣篇》。

第二十四卷 補瀉

天忌《素問·八正神明論》。

本神論同上。

真邪補瀉《素問·調經論》。

虛實所生同上。

第二十五卷　傷寒

熱病決《素問·熱論》。

熱病説《素問·評熱病論》。○《靈樞·熱病篇》。

五藏熱病《素問·刺熱論》。

五藏痿《素問·痿論》全。

瘧解《素問·瘧論》。

三瘧同上。

十二瘧《素問·刺瘧論》。

第二十六卷　寒熱

寒熱厥《素問·厥論》。

經脈厥同上。○《素問·大奇論》。

寒熱相移《素問·氣厥論》全。○《素問·大奇論》。

厥頭痛《靈樞·厥病篇》。○《靈樞·雜病篇》。

厥心痛《靈樞·厥病篇》。○《靈樞·雜病篇》。○《靈樞·熱病篇》。

寒熱雜説《靈樞·寒熱病篇》全。

癰疽《靈樞·癰疽篇》全。○《素問·腹中論》。

蟲癰《靈樞·上膈篇》全。

寒熱瘰癧《靈樞·寒熱篇》全。

灸寒熱法《素問·骨空論》。

第二十七卷　邪論

七邪《靈樞·大惑論》全。

十二邪《靈樞·口問篇》全。

邪客《素問·舉痛論》。

邪中《靈樞·邪氣藏府病形篇》。

邪傳《靈樞·百病始生篇》。○《靈樞·九鍼論》。

第二十八卷　風

諸風數類《素問·風論》。

諸風狀論同上。

諸風雜論《靈樞·賊風篇》全。

九宮八風《靈樞·九宮八風篇》全。

三虛三實《靈樞·歲露篇》。

八正風候同上。

痹論《素問·痹論》。○《靈樞·周痹篇》全。○《素問·逆調論》。○《靈樞·厥病篇》。

第二十九卷　氣論

□□《靈樞·刺節真邪篇》。○卷首缺篇名。

津液《靈樞·五癃津液別篇》全。

水論同上。

脹論《靈樞·脹論》全。○《靈樞·水脹篇》全。○《素問·腹中論》。

風水論《素問·評熱病論》。○《素問·奇病論》。

欬論《素問·欬論》全。

第三十卷　雜病

□□□《素問·奇病論》。○卷首缺名。

溫暑病《素問·熱論》。

四時之變《靈樞·論疾診尺篇》。

息積病《素問·奇病論》。

伏梁病《素問·腹中論》。○《素問·奇病論》。○從“人有身體”至“環臍而痛”與《腹中論》同。

熱痛《素問·腹中論》。

痹癉消渴《素問·奇病論》。

膽癉同上。

頭齒痛《素問・奇病論》。○《靈樞・雜病篇》。

頷痛《靈樞・雜病篇》。

頂痛同上。

喉痺嗌乾《靈樞・熱病論》。○《靈樞・雜病篇》。

目痛《靈樞・熱病論》。○《靈樞・癲狂篇》。

耳聾《靈樞・厥病篇》。○《靈樞・雜病篇》。

衄血《靈樞・雜病篇》。

喜怒同上。

疹筋《素問・奇病論》。

血枯《素問・腹中論》。

熱煩《素問・逆調論》。

身寒同上。

肉爍同上。

臥息喘逆《素問・病能論》。○《素問・逆調論》。

少氣《靈樞・癲狂篇》。

氣逆滿《靈樞・雜病篇》。○《靈樞・熱病篇》。

療噦《靈樞・雜病篇》。

腰痛《素問・刺腰痛篇》。○《靈樞・雜病篇》。

髀疾《靈樞・厥病篇》。

膝痛《靈樞・雜病篇》。

痿厥同上。

癃溲《靈樞・熱病篇》。○《靈樞・厥病篇》。

如蠱如蛆病《靈樞・熱病篇》。

癲病《素問・奇病論》。○《靈樞・癲狂篇》。

驚狂《靈樞・癲狂篇》。

厥逆《靈樞・癲狂篇》。

厥死《素問・奇病論》。

陽厥《素問·病能論》。

風逆《靈樞·癲狂篇》。

風痙《靈樞·熱病篇》。

酒風《素問·病能論》。

經解同上。

身度《素問·通評虛實論》。

經絡虛實同上。

禁極虛同上。

順時同上。

刺瘧節度《素問·刺瘧論》。○《靈樞·雜病篇》。

刺腹滿數《靈樞·雜病篇》。○《素問·通評虛實論》。

刺霍亂數《素問·通評虛實論》。

刺癇驚數同上。

刺腋癰後同上。

病解同上。

久逆生病同上。

六府生病同上。

腸胃生病同上。

經輸所療同上。

外經三十七卷

補注：王先謙：錢大昭謂南雍本、閩本"七"作"九"，官本"九"作"七"。日本丹波元簡《素問解題》曰："《漢書·藝文志》《黃帝内經》十八卷、《外經》三十七卷，及扁鵲、白氏《内外經》之目。'内'、'外'猶《韓詩》内外傳、《春秋》内外傳、《莊子》内外篇、《韓非子》内外儲説，相對名之，無甚深意。而吳崑、王九達並曰五内陰陽謂之内。張介賓曰：'内者，生命之道。'楊珦曰：'内，深奧也。'方以智曰：'岐、黃曰《内經》，言身内也。'然則其《外經》者,載身外之事、其言不深奧者與?'經'字,孔安國訓爲'常',劉熙釋字經。[①] 按,漢時有緯書,因考經原取之於機縷,縱曰'經',橫曰'緯',荀悦《申鑒》曰'五典以經之,羣籍以緯之'是也。《禮記大全》嚴陵方氏曰:'經者,緯之對。經有一定之體,故爲常;緯則錯綜往來,故有變。'此説得之。"余謂黄帝書既經後人竄亂,久無真本可據,此《外經》當係史崧以來通行本中之一部。惟混淆日久,無從分別内、外矣。

扁鵲内經九卷　外經十二卷

補注:《隋志》:《黄帝八十一難》二卷。《崇文總目》:秦越人譔。《唐書·藝文志》亦有秦越人《八十一難經》二卷之目,然《史記·扁鵲傳》並無明文。楊玄操云:"《黄帝内經》二帙,其義幽賾,殆難究覽,越人乃採摘經内精要,凡八十一章,伸演其道。"紀天錫云:"秦越人將《黄帝素問》疑難之義八十一篇,重而明之曰《八十一難經》。"丁德用云:"《難經》,歷代傳之一人,至魏華陀乃燼其文於獄下。晋、宋間雖有仲景、叔和之書,然皆示其文而濫觴其説。吴太醫令吕廣重編此經,而文尚差迭。"《難經》本義,考之《史記正義》及諸家之説,則爲越人書。日本丹波元簡《難經解題》:"《八十一難》之名,昉見於張仲景《傷寒論自叙》,而梁阮孝緒《七録》有《黄帝衆難經》之目,'衆'乃八十一之謂。《帝王世紀》:'黄帝命雷公、岐伯論經脈,旁通問難八十一爲《難經》。'隋以上則附之於黄帝,唐而降則屬之於秦越人之所作。"王勃序:"《黄帝八十一難》,醫經之秘録也。昔者岐伯以授黄帝,黄帝歷九師以授伊尹,伊尹以授湯,湯歷六師以授太公,太公授文王,文王歷九師以授醫和,醫和歷六師以授秦越人,始定章句。歷九師以授華陀,華陀歷六師以授黄公,黄公以授曹夫

---

① "字經"二字,日本躋壽館刻本《素問解題》作"爲徑",於義較勝。

子。夫子諱元，字真道，自云京兆人。"《文獻通考》："吕、楊注
《八十一難經》五卷。晁氏曰秦越人撰。"余謂越人著《難經》，史
無根據。《史記·扁鵲傳》正義"秦越人與軒轅時扁鵲相類，仍
號之爲扁鵲"，是黄帝時一扁鵲，史公傳者又一扁鵲也。《神仙
綱鑑》："黄帝時扁鵲，鵲喙，脇有肉趐，扁伏，是謂扁鵲。"著《難
經》者，當屬黄帝時之扁鵲，非越人也。楊雄《解嘲》："吾亦笑子
病甚，不遇俞跗與扁鵲也。"俞跗、扁鵲皆黄帝時人，《内經》即
《難經》，謂之《扁鵲經》，猶隋、唐《志》稱《岐伯經》也。繫之黄
帝，丹波之説为優。

白氏内經三十八卷

外經三十六卷

旁經二十五卷①

補注："白氏"當作"伯氏"。王冰曰："《三墳》之經，俗久淪墜，
人少披習，字多傳寫誤。"《姓氏譜》："白姓，黄帝之後，與'伯'
通。"《愽雅》："白，愽陌切，與'伯'同，長也。一曰爵名，亦
姓。"《印藪》有白鸞氏，注：即伯字。《説文》："十十爲一百。
百，白也。十百爲一貫。貫，章也。"《後漢書·曹節傳》注：
"五百，字本为'伍佰'。"《續志》"五百"亦作"伍佰"，"伯"亦同
"陌"。《史記·酷吏傳》"置伯格長"，注言"阡陌村落，皆置長
也"。漢禮器碑側"文陽公百煇世平"，公伯，複姓，魯有公伯
寮，碑以"伯"爲"百"也。古以"伯"爲"百"，《穀梁傳》"百里
子"，《釋文》或作"伯"。《孟子》"百里奚"，《韓非子》作"伯里
奚"。《古孝經》"伯"作 ⬡，娠氏鼎"伯"亦作 ⬡，"伯鸞氏"作
⬠。古字簡略，白、百，陌、伯、佰通用，漢碑多有此例。《神仙
綱鑑》："天師既去，醫藥曠職，以鬼臾區爲醫正，雷公爲藥正，

---

① "經"字，清乾隆武英殿本《漢書·藝文志》作"篇"。

俞跗薦其弟少俞，能通周身穴道經絡。鬼臾區又舉所知伯高，專明四肢百骸。諸子各司其事，究極義理，人民自此得其正命。"今《靈樞·壽夭剛柔》、《陰陽二十五人》、《衛氣失常》、《逆順》、《五味》、《腸胃》、《平人絕穀》、《骨度》、《逆順》、《邪客》、《衛氣行》，凡十一篇，皆黃帝、伯高問答之詞。白氏三經疑即伯高所傳黃帝之書，今《靈樞》載其佚文，未知是否，姑存之。《著至教論》引《陰陽傳》，《示從容論》引《脈經》上下篇，《痿論》"筋痿"、"肉痿"、"骨痿"引《下經》，今皆無傳。則內、外、旁經，古有而今亡矣。

右醫經七家，二百一十六卷。

補注：《漢書·樓護傳》"護誦醫經、本草、方術數十萬言，長者咸愛重之"。以上七家，皆醫經之類也。今所傳者，僅《黃帝經》，而《難經》是否扁鵲，殊無左證。據《史記·倉公傳》"陽慶授黃帝扁鵲脈書"，"黃帝"、"扁鵲"兩舉成文，則《難經》當係黃帝時扁鵲所爲。又《難經》問答，強半本諸《靈》、《素》，而微有出入，則《內》、《難》之名，兩無差別。《白氏經》雖無傳，然"白"、"伯"古通。伯高之文，今《內經》中已有一十一篇，可爲白氏諸經之證。惟《內經》屢經竄易，舊本無傳。方技之家，久已被人輕賤，年湮代遠，將成絕學，再無有人焉起而整理之。吾恐醫道無徵，生民禍烈，人之類滅久矣，可不懼哉！

醫經者，原人血脈、

補注：《素問·痿論》："心主身之血脈。"《靈樞·九鍼篇》："人之所以生成者，血脈也。故爲之治鍼，必大其身而員其末，可以按脈勿陷，以致其氣，①令邪氣獨出。"《論疾診尺篇》："血脈

---

① "致"字原作"治"，據清光緒文成堂刻本《黃帝內經靈樞》及民國義生堂刻本張驥《史記扁鵲倉公傳補注》卷上"扁鵲曰血脈治也"句補注引《靈樞·九鍼篇》改。

者,多赤、多熱、多青、多痛、多黑、多久痺。多黑、多青、多赤皆見者,寒熱身痛。"《終始篇》:"久病者,邪入太深,必先調其左右,去其血脈。"蓋血脈即人體內輸送血液之管,有自心藏分布全身者,有自全身復歸心藏者。十二經絡由此而分統系,周身血液亦由此而循環流行,不能一刻停阻,阻則病,停則死。然行有晷度,有道路。生始出入,不可不於《內經》中求之。

經落、

補注:汪本作"落",古"絡"、"落"通。王先謙:官本作"落",餘作"絡"。經,十二經脈所通行處。《靈樞‧九鍼十二原論》:"二十七氣之所行爲經。"《經水篇》:"十二經脈外合於十二經水,內屬於五藏六府,受血而榮之。"《經脈篇》:"經脈者,所以行血氣而營陰陽,濡筋骨而利關節者也。"[①]絡,人體血管之旁支也,十二經各有別絡,脾又有大絡,並任、督二絡,故曰絡脈十五。《脈度篇》"橫者爲絡"。又絡脈常見,經脈不常見,故《經別篇》"十二經脈者,人之所以生,病之所以成;人之所以治,病之所以起"。而《經絡篇》曰"諸絡脈皆不能經大節之間,必行絕道而出入,復合於皮中,皆會見於外"者,此其所以異也。

骨髓、

補注:骨爲人體之幹,附著肌肉,保護內藏,主持軀殼,佐人身運動者也。《靈樞‧骨度篇》言人身之骨,其大小、廣狹、長短皆有度數。《素問‧痿論》:"腎主身之骨髓。"《移精變氣論》:"內至五藏骨髓,外傷空竅肌膚。"《解精微論》:"髓者,骨之充也。"《脈要精微論》:"骨者,髓之府。"《奇病論》:"髓者,以腦爲主。"《海論》:"腦爲髓之海,其輸上在於其蓋,下在風府。髓

---

① 該引文實出《靈樞‧本藏篇》。

海不足,則腦轉耳鳴,脛痠眩冒,目無所見,解㑊安臥。"《終始篇》:"形體淫泆,乃消腦髓,津液不化,脫其五味。"《經脈篇》:"人始生則先成精,精成則腦髓生。"《五癃津液別論》:"五穀之精液和合而爲膏者,内滲入於骨空,補益腦髓而下流於陰股。"《五藏別論》:"腦、髓、骨、脈、膽、女子胞,此六者存於陰而象於地。"又骨者,腎之合也。腎上通於腦髓。《診要經終論》:"春刺夏分,脈亂氣微,入淫骨髓。"《平人氣象論》:"藏真下於腎,腎藏骨髓之氣。"是腦、髓、骨三者,腎之大源而生人之大命也。

陰陽表裏,以起百病之本,

補注:《素問・金匱真言論》言:"人之陰陽,則外爲陽,内爲陰,陰陽、表裏、内外、雌雄,相輸應也。"《陰陽應象論》:"陰在内,陽之守也;陽在外,陰之使也。外内之應,皆有表裏。"《生氣通天論》:"陰者藏精而起亟,陽者衛外而爲固。"《靈樞・百病始生篇》統論百病之所由生。

死生之分,而用度箴、石、湯、火所施,

師古曰:"箴所以刺病也。石謂砭石,砭石即石箴也。古者攻病則有砭,今其術絕矣。箴音之林反。砭音彼廉反。"

補注:王念孫謂"所施"上當有"之"字,方與下句一例。《東方贊》引此有"之"字。① 余按箴、石、湯、火是四法。《素問・湯液醪醴論》:"必齊毒藥攻其内,鑱石箴艾治其外。"又曰:"鑱,石道也。"《異法方宜論》:"東方之民,其病爲癰瘍,其治宜砭石。"《通評虛實論》"所謂少鍼石者,非癰疽之謂也",注謂:"癰疽氣烈,内作大膿,不急寫之,則爛筋腐骨。"《靈樞・玉板篇》:"癰疽已成膿血,其惟砭石鈹鋒之所取。"又:"米疽,治之

---

① "東方贊"三字,清光緒王氏虛受堂刻本《漢書補注》作"《文選・東方朔畫贊》注"。

以鍼石。”又：“疽癰勿石，石之者死。”《左傳》臧孫曰“美疢不如惡石”，注：“石，砭石也。季世無復佳石，以鐵代之。”《史記·扁鵲傳》“鑱石撟引”，《索隱》謂石針也。《南史·王僧孺傳》：“全元起欲注《素問》，訪以砭石。僧孺答曰：‘古人以石爲針，必不用鐵。’”《寶命全形篇》：“砭石大小。”《新校正》引全元起云：“石有三名，一鍼石，二砭石，三鑱石。古來不能鑄鍼，用石爲鍼，故名鍼石，言工必砥礪鋒利，制其大小之形，與病相當。黃帝造九鍼以代鑱石。”《説文》有此“砭”字，[1]許慎云可以爲砭針。[2] 箴、鍼竝同。《九鍼篇》：“鍼有九名，各不同形：一鑱鍼，二員鍼，三鍉鍼，四鋒鍼，五披鍼，六員利鍼，七毫鍼，八長鍼，九大鍼。”不言以石，是鍼以取其經穴，淺深出内，補瀉迎隨，各有法度；石以刺其絡脈，去出其血，癰瘍多用之。後世瓷鋒刺血，即砭石之意。又“扁鵲使子陽厲鍼砥石”，是箴、石爲兩法，故曰鍼以取之，石以砭之也。《病能篇》：“癰氣之息者，宜以鍼開除去之；氣盛血聚者，宜石而寫之，所謂同病異治也。”《血氣形志篇》“病生於肉，治之以鍼石”，王冰注：“衛氣留滿，以鍼寫之；結聚膿血，石而破之。”尤爲箴、石兩法之證。《湯液醪醴論》：“必以稻米，炊之稻薪，稻米者完，稻薪者堅。”《移精變氣論》“中古治病，治之以湯液”，後世湯液本此。湯以蕩之也。張仲景曰：“治病當先以湯洗滌五藏六府，開通經脈。”李杲曰：“湯者，盪也，去大病用之。”湯方亦有稱“飲”者，《醫宗金鑑》葉仲堅云：“飲與湯稍有別，服有定數名

---

　　① “字”字原誤作“石”，據民國義生堂刻本《史記扁鵲倉公傳補注》卷上“鑱石撟引案扤毒熨”句補注改。

　　② 本句疑有脱文。民國義生堂刻本《史記扁鵲倉公傳補注》卷上“鑱石撟引案扤毒熨”句補注作：“許慎云：‘以石刺病也。’《東山經》‘高氏之山多針石’，郭璞云：‘可以爲砭針。’”

湯,時時不拘者名飲。"然要不離蕩滌意。火蒸熨,辟冷也。《血氣形志篇》:"病生於筋,治之以熨、引。"《玉機真藏論》:"痺不仁、腫痛,可湯熨及灸刺之。"《壽夭剛柔篇》載寒痺熨藥。《扁鵲傳》治尸厥"爲五分之熨"。《外臺》載岐伯曰:"灸風者,不得一頓滿一百。若不灸者,亦可以蒸藥熨之。"《異法方宜論》:"北方之民,其治宜灸焫。"華陀《中藏經》:"宜蒸熨而不蒸熨,使人冷氣潛伏,漸成痺厥;不當蒸熨而蒸熨,使人陽氣偏行,陰氣內聚。皮膚不痺勿蒸熨。"是湯以盪之,火以灸之。故曰箴、石、湯、火是四法。

調百藥齊和之所宜。

師古曰:"齊音才詣反,其下竝同。和音呼臥反。"

補注:官本作"呼",他本作"乎"。"齊"通作"劑"。《周禮·天官·食醫》注:"食有和齊藥之類。"《扁鵲傳》"八減之齊和煮之"。《後漢書·華陀傳》"處齊不過數種"。"劑"亦作"齊"。《素問·腹中論》:"一劑知,二劑已。"

至齊之德,猶慈石取鐵,以物相使。拙者失理,以瘉爲劇,以生爲死。

師古曰:"瘉與愈同。愈,差也。"

補注:雍本、閩本"德"作"得",作"以死爲生"。"慈石",《本經》名"玄石",《別錄》名"熁鐵石",《衍義》名"吸鍼石"。陳藏器曰:"慈石引鐵如慈母之招子,故名。"《鶡冠子》"良醫化之,拙醫敗之"。《史記·扁鵲傳》"良工取之,拙者疑殆"。"至德之齊",如《素問·移精變氣論》"治之要極,無失色脈,用之不惑,治之大則。去故就新,乃得真人"。"拙者失理",如"麤工兇兇,以爲可攻,故病未已,新病復起。逆從到行,標本不得,亡神失國"是也。

漢書藝文志方技補注卷下

五藏六府痹十二病方三十卷

師古曰：“痹，風濕之病，音必二反。”

補注：方佚。今按《素問·痹論》：“風、寒、濕三氣雜至，合而爲痹。其風氣勝者爲行痹，寒氣勝者爲痛痹，濕氣勝者爲著痹。其有五者何也？以冬遇此者爲骨痹，以春遇此者爲筋痹，以夏遇此者爲脈痹，以至陰遇此者爲肌痹，以秋遇此者爲皮痹。内舍五藏六府，何氣使然？五藏各有合，病久而不去，内舍於其合。故骨痹不已，復感於邪，内舍於腎；筋痹不已，復感於邪，内舍於肝；脈痹不已，復感於邪，内舍於心；肌痹不已，復感於邪，内舍於脾；皮痹不已，復感於邪，内舍於肺。所謂痹者，各以其時重感於風、寒、濕之氣也。凡痹之客五藏，肺痹者，煩滿喘而嘔；心痹者，脈不通，煩則心下鼓，暴上氣而喘，嗌乾善噫，厥氣上則恐；肝痹者，夜卧則驚，多飲數小便，上爲引如懷；腎痹者，善脹，尻以代踵，脊以代頭；脾痹者，四支懈墮，發欬嘔汁，上爲大塞；腸痹者，數引而出不得，中氣喘爭，時發飧泄；胞痹者，少腹、膀胱按之痛，若沃以湯，澀於小便，上爲清涕。”又：“淫氣喘息，痹聚在肺；淫氣憂思，痹聚在心；淫氣遺溺，痹聚在腎；淫氣乏竭，痹聚在肝；淫氣肌絶，痹聚在脾。諸痹不已，亦益内也。其風氣勝者，其人易已也。痹或痛，或不痛，或不仁，或寒，或熱，或燥，或濕，何也？痛者，寒氣多也，有寒故痛也。不痛不仁者，病久入深，榮衛之行濇，經絡時疏，故不通；皮膚不營，故爲不仁。其寒者，陽氣少陰氣多，與病相益，故寒。其熱者，陽氣多陰氣少，病氣勝，陽遭陰,故爲痺熱。其多汗而濡者,濕甚也;陽氣少陰氣盛,兩氣相感,故汗出而濡也。痺在於骨則重,在於脈則血凝而不流,在於筋則不伸,在於肉則不仁,在於皮則寒。具此五者,則不痛也。凡痺之類,逢寒則蟲,逢熱則縱。"《五藏生成篇》:"赤,脈之至,有積氣在中,時害於食,曰心痺。白,①脈之至,有積氣在心下支胠,曰肝痺,與疝同法。黄,脈之至,有積氣在腹中,有厥氣,曰厥疝,女子同法。黑,脈之至,有積氣在少腹與陰,曰腎痺。"《四時刺逆從論》:"厥陰有餘,病陰痺;不足,病生熱痺。少陰有餘,病皮痺、隱軫;不足,病肺痺。太陰有餘,病肉痺、寒中;不足,病脾痺。陽明有餘,病脈痺,身時熱;不足,病心痺。太陽有餘,病骨痺,身重;不足,病腎痺。少陽有餘,病筋痺,脅滿;不足,病肝痺。"即《痺論》"病久不已,内舍於其合"②,故不足也。《逆調論》:"太陽氣衰,腎脂枯不長;一水不能勝兩火,腎者,水也,而生於骨,腎不生則髓不滿,故寒至骨也。不能凍慄者,肝一陽也,心二陽也;腎,孤藏也,一水不能勝二火,故不能凍慄,病名曰骨痺,是人當攣節也。"《靈樞·刺疾真邪篇》:"虚邪搏於皮膚之間,其氣外發,腠理開,毫毛,③留而不去爲痺。"《壽天剛柔篇》:"病在陰者名曰痺。"《周痺篇》:"有衆痺,有周痺。衆痺各在其處,更發更正,更居更起,以右應左,以左應右,更發更休。周痺在於血脈之中,隨脈以上,隨脈以下,不能左右,各當其所。刺衆者,痛雖已止,必刺其處,勿令復起。刺周痺者,痛從上下者,先刺其下以過之,後刺其上以脱之;痛從下上者,④先刺其上以

---

①　"白"字,清光緒文成堂刻本《黄帝内經》作"青"。

②　"内"字原誤作"合",據上下文意改。

③　清光緒文成堂刻本《黄帝内經》"毛"後有"摇"字,於義較勝。

④　"下上"二字原誤倒,據清光緒文成堂刻本《黄帝内經靈樞》及上下文意乙正。

過之,後刺其下以脫之。"又"風、寒、濕氣,客於外分肉之間,迫切而爲沫。沫得熱則聚,聚則排分肉之分裂也,分裂則痛,痛則神歸之,神歸之則熱,熱則痛解,痛解則厥,厥則他痺發,發則如是",是謂周痺。注謂"周痺,經脈;衆痺,絡脈也"。《官鍼篇》"病氣暴發者,①取以員利鍼。病痺氣不去者,②取以毫鍼",古刺法也。《金匱·中風曆節篇》"風之爲病,當半身不遂,或但臂不遂者,此爲痺。諸肢節疼痛,身體尪羸,腳腫如脫,頭眩短氣,桂枝芍藥知母湯主之";《血痺篇》"血痺,外證身體不仁,如風痺之狀,黃耆桂枝五物湯主之",古湯方也。《巢氏病源》引養生方:"正倚壁,不息行氣,從頭至足止,愈疽、疝、大風、偏枯、諸風痺。"又:"正柱倚壁,不息行氣,從口趣令氣至頭始止,治疽、痺、大風、偏枯。"又:"踞坐伸右足,兩手抱兩膝頭,伸腰,以鼻内氣,自極,七息,展左足著外,除屈伸拜起、脛中疼痺。"又:"左右拱手兩臂,不息九通。治臂足痛、勞倦、風痺不隨。"又:"任臂,不息十二通,愈足濕痺不任行、腰脊痛痺。又正臥,疊兩手著背下,伸兩腳,不息十二通,愈濕痺不任行、腰脊痛痺。有偏患者,患左壓右足,患右壓左足。久行,手亦如足,用行滿十方止。又以手摩腹,從足至頭;正臥,蹺臂導引,以手持引足,住;任臂,閉氣不息十二通。以治濕痺不可任,腰脊痛。"又引《真誥》:"櫛頭理髮,欲得多過,通流血脈,散風濕。數易櫛,更番用之。"又:"以右踵拘左腳拇趾,除風痺;以左踵拘右拇趾,除厥痺;以兩手更引足跌置膝上,除體痺。"又:"偃臥,合兩膝頭,翻兩足,伸腰坐,口内氣,腹脹自極,七息,除痺痛、熱痛、兩脛不隨。"又:"踞坐,伸

---

① 清光緒文成堂刻本《黃帝内經靈樞》"病"後有"痺"字,於義較勝。
② 清光緒文成堂刻本《黃帝内經靈樞》"氣"後有"痛"字。

腰,以兩手引兩踵,以鼻內氣,自極,七息,布兩膝頭,除痺嘔引兩手。"①又:"偃臥,端展兩手足臂,以鼻內氣,自極,七息,搖足三十而止,除胸足寒、周身痺、厥逆。"又:"左右手夾據地,以仰引腰,五息止,去痿痺,利九竅。"又:"仰兩足指,引五息止。② 腰背痺、枯。"③又:"凡人常覺脊倔強而悶,仰面,努髆並向上,頭左右兩向捼之,左右三七,一住,待血行氣動定,然後更用。初緩後急,不得先急後緩。若無病人,常欲得旦起、午時、日沒三辰如用,辰別二七。除寒熱病,脊、腰、頸項痛,風痺。兩膝頸頭,以鼻內氣,自極,七息,除腰痺背痛,口內生瘡,牙齒風,頭眩盡除。"④此古導引法也。《外臺秘要》有風濕痺方四首:《千金》三,《古今錄驗》一。

五藏六府疝十六病方四十卷

師古曰:"疝,心腹氣病,音山諫反,又音删。"

補注:方佚。雍本、閩本"山諫反"下有"又音删"三字,汪本、官本均有。《素問·四時刺逆從論》:"厥陰滑則病狐風疝。少陰滑則病肺風疝。太陰滑則病脾風疝。陽明滑則病心風疝。太陽滑則病腎風疝。少陽滑則病肝風疝。"《平人氣象論》:"氣聚而痛,少腹宛熱作痛,出白,煩熱者,亦曰疝瘕。"⑤《大奇論》:"腎脈大急沈、肝脈大急沈皆爲疝。"又:"三陰急爲疝。心脈搏滑急爲心疝。肺脈沈搏爲肺疝。"《長刺節篇》:

---

① 人民衛生出版社 1993 年版丁光迪《諸病源候論養生方導引法研究》云,"引兩手"三字當在前句"布兩膝頭"前。

② 人民衛生出版社 1993 年版丁光迪《諸病源候論養生方導引法研究》云,"引"字當在後句"腰"字前。

③ "枯"前疑脫"偏"字。

④ 人民衛生出版社 1993 年版丁光迪《諸病源候論養生方導引法研究》云,"兩膝頸頭"至"腰痺背痛"十七字與上下文意不貫,當爲錯簡。

⑤ 該引文實出《素問·玉機真藏論》。

“病在少腹，腹痛不得大小便，病名曰疝，得之寒。刺少腹兩股間，刺腰踝骨間，刺而多之，盡炅疾已。”《至真要大論》：“太陰在泉，主勝，甚則爲疝。”《骨空論》：“任脈爲病，男子内結七疝，女子帶下瘕聚。督脈生病，從少腹上衝心而痛，不得前後，爲衝疝。”《經脈篇》：“足厥陰肝，丈夫癏疝，婦人少腹腫，肝所生病爲飱泄、狐疝。足厥陰之別，病爲卒疝。”《脈解篇》：“厥陰所謂癩疝者，婦人少腹腫。”《陰陽別論》：“三陽爲病，其傳爲癩疝。”《經筋篇》：“足陽明之筋，病癏疝，腹筋急。足太陰之筋，病陰器紐痛。足厥陰之筋，病陰器不用。”①《四時氣篇》：“小腹控睪，引腰脊，上衝心。”《本藏篇》：“腰尻不可以俛仰，爲狐疝。”《脈要精微論》：“心脈而急，病名心疝。”《邪氣藏府病形篇》：“心脈微滑爲心疝，肝脈滑甚爲癏疝，脾脈微大爲疝氣，腎脈滑甚爲癃㿉。”此《素問》以衝疝、狐疝、癩疝、厥疝、瘕疝、②癏疝、癃疝爲“七疝”也。《袖珍方》以厥疝、癥疝、寒疝、氣疝、盤疝、胕疝、狼疝爲七疝。丹溪、子和以寒疝、水疝、筋疝、血疝、氣疝、狐疝、癩疝爲七疝。馬蒔以心疝、肝疝、脾疝、肺疝、腎疝、狐疝、癩疝爲七疝。《巢氏病源》：“七疝者，厥疝、癥疝、寒疝、氣疝、盤疝、胕疝、狼疝，此名七疝也。厥逆心痛，足寒，諸飲食吐不下曰厥疝。腹中氣乍滿，心下盡痛，氣積如臂曰癥疝。寒飲食即脇下腹中盡痛曰寒疝。腹中乍滿乍減而痛曰氣疝。腹中痛在臍旁曰盤疝。腹中臍下有積聚曰胕疝。小腹與陰相引而痛，大行難曰狼疝。”又：“石疝、血疝、陰疝、妬疝、氣疝爲五疝。而范汪所録華陀太一決疑雙丸方，而不的顯五疝之名。尋此則皆由府藏虚弱，飲食不節，血

---

① 兩“陰氣”之“氣”，清光緒文成堂刻本《黄帝内經靈樞》皆作“器”，於義較勝。

② “瘕疝”二字原誤倒，據上下文意乙正。

氣不和,寒溫不調之所生也。"引養生方"挽兩足指,五息止,
引腹中氣。去疝瘕,利孔竅。坐,舒兩足,以兩手捉大拇指,
使足上頭下,極挽,五息止,引腹中氣,遍行身體。去疝瘕病,
利諸孔竅,往來易行,久行精爽,聰明脩長",此古導引法也。
《外臺秘要》:"七疝,心腹厥逆不得氣息,痛達背膂曰尸疝。
心下堅痛,不可手迫曰石疝。臍下堅痛,得寒冷食輒劇曰寒
疝。脅下堅痛大如手,痛時出見,不痛不見曰盤疝。臍下結
痛,女人月事不時曰血疝。少腹脹滿,引膀胱急痛曰脈疝。"
此止六疝,疑脱一。載七疝方三首:文仲小器一,《古今録驗》
一,《集驗》一。寒疝方一十三首:《廣濟》一,仲景五:一大烏
頭煎、二烏頭桂枝湯、三桂枝加烏頭湯、四當歸生薑湯、五柴
胡桂枝湯,見《傷寒》、《金匱》中;《小品》一,《集驗》四,《古今
録驗》二。寒心痛方三首:范汪一,《小品》一,《古今録驗》一。
卒疝方三首:《集驗》一,文仲一,張仲景一。寒疝不能食方四
首:深師二,范汪一,《集驗》一。寒疝積聚方四首:深師二,
《古今録驗》一,《集驗》一。心疝方四首,皆范汪。此古方也。

五藏六府癉十二病方四十卷

師古曰:"癉,黃病,音丁韓反。"

補注:方佚。疸與癉同。《素問·脈要精微論》:"癉成爲消
中。"《玉機真藏論》:"肝傳之脾,名曰脾風。發癉,腹中熱,煩
心出黃。"《平人氣象論》:"溺黃赤安臥者黃疸,已食如飢曰胃
疸,目黃者黃疸。"《通評虛實論》:"黃疸暴病,癲疾厥狂,久逆
之所生也。"《靈樞·經脈篇》:"腎所生病爲黃疸。"《舉痛論》:
"癉熱焦渴。"《論疾診尺篇》:"身痛而色微黃,齒垢、爪甲上
黃,黃疸也。安臥,小便黃赤,脈小而濇者,不嗜食。"《巢氏病
源》:"脾胃有熱,穀氣鬱蒸,卒然發黃曰急黃。脾胃有熱,汗
出浴水,水入汗孔曰黃汗。飲食過度,觸犯禁忌,致病發胃曰

犯黃。額上黑，微汗出，手足中熱，薄暮發，膀胱急，四支煩，小便自利曰勞黃。熱氣從骨髓流入腦，身體黃，頭腦痛，眉疼曰腦黃。陽氣伏，陰氣盛，熱毒加之曰陰黃。熱蒸在内，不得宣散，先心腹脹滿氣急，然後身面悉黃曰内黃。肉微黃而身不甚熱，頭痛心煩，不廢行立曰行黃。氣水飲停滯積聚成癖，而身發黃曰癖黃。身滿發黃，①舌下大脈起青黑色，舌㾪不能語曰㾪黃。先患風濕，復遇冷氣相搏，身痛發熱而體黃曰風黃。"又有黃疸、酒疸、穀疸、女勞疸、黑疸："黑疸之狀，小腹滿，身體盡黃，額上反黑，足下熱，大便黑。凡黃疸、酒疸、女勞疸，久久多變爲黑疸。又小腸有熱，流於胞内，大小便如蘗汁，名胞疸。風熱在於藏府，②與熱氣相搏，便發於黃曰風黃疸。身體疼，面目黃，小便不利曰濕疸。"《傷寒論》："太陽病，身黃脈沈結，少腹鞕，小腹不利者爲無血也。小便自利，其人如狂者，血證也。抵當湯主之。陽明中風，脈弦浮大而短氣，腹都滿，脇下及心痛，久按之氣不通，鼻乾不得汗，嗜臥。一身及面目悉黃，小便難，時時噦，耳前後腫，刺之小差。外不解，病過十日，脈續浮者，與柴胡湯。傷寒七八日，身黃如橘子色，小便不利，腹微滿，茵陳蒿湯主之。傷寒身黃發熱者，梔子柏皮湯主之。傷寒瘀熱在裏，身必發黃，麻黃連軺赤小豆湯主之。傷寒發汗已，身目爲黃，所以然者，以寒濕在裏不解故也。以爲不可下也，於寒濕中求之。濕家爲病，一身盡疼，發熱，身色如似薰黃，可與梔子豉湯。"《金匱》："穀癉爲病，寒熱不食，食即頭眩，心胸不安，久久發黃爲穀癉。茵陳蒿湯主之。酒黃癉，心中懊憹，或熱痛，梔子大黃湯主之。黃

---

① "滿"字，清光緒周學海校刻本《巢氏諸病源候總論》作"面"。

② "熱"字，清光緒周學海校刻本《巢氏諸病源候總論》作"濕"，於義較勝。

家日晡所潮熱，而反惡寒，爲女勞得之。膀胱急，少腹滿，身盡黃，額上黑，足下熱，因作黑癉。其腹脹如水狀，大便必黑，時溏，此女勞之病，非水也。腹滿者難治，硝礬散主之。”又：“黃癉病，五苓散主之。諸黃，豬膏髮煎主之。黃癉，腹滿，小便不利而赤，自汗出，此爲表和裏實，當下之，宜大黃硝石湯。黃癉病，小便色不變，欲自利，腹滿而喘，不可除熱，熱出必噦。噦者，小半夏湯主之。諸黃，腹痛而嘔，宜小柴胡湯。”《外臺秘要》諸黃方一十三首：仲景一，即豬膏髮煎；《删繁》三，崔氏二，《延年秘錄》一，《急救》二，《必效》二，《千金》二。急黃方六首：《廣濟》一，《必效》一，《延年秘錄》二，《千金》一，《近效》一。黃疸方十三首：仲景三：一麻黃醇酒湯、二茵陳五苓散、三五苓散；《肘後》一，范汪一，《集驗》一，《千金》二，崔氏二，《近效》二，《備急》一。黃疸遍身方一十一首：《廣濟》一，《肘後》二，《小品》一，《集驗》一，《删繁》一，《千金翼》一，崔氏一，《延年秘錄》一，《必效》一，《近效》一。癊黃方三首：《廣濟》一，《必效》二。黃疸小便不利及腹滿喘方二首，皆仲景：一大黃黃蘗梔子消石湯，二小半夏湯。黃汗方三首：仲景二：一黃耆芍藥桂酒湯，二桂枝黃耆湯；三不詳所出。女勞疸方四首：仲景一：消石礬石散；《千金翼》一，《近效》一，《必效》一。黑疸方三首：《肘後》一，深師一，《千金翼》一。酒疸方七首：仲景一，即梔豉枳實大黃湯；《肘後》一，深師一，《千金》三，《古今錄驗》一。穀疸方三首：范汪一，《集驗》一，《删繁》一。許仁則療諸黃方七首。雜黃疸方三首：《千金》一，《古今錄驗》二。可互參。

風寒熱十六病方二十六卷

補注：方佚。《素問·金匱真言》：“天有八風，地有五風。[①] 八

---

① “地”字，清光緒文成堂刻本《黃帝內經》作“經”。

風發邪，以爲經風，觸五藏，邪氣發病。五方之風生五病。”
《玉機真藏論》：“風者，百病之長。”《生氣通天論》：“風者，百
病之始。”《靈樞·百病始生篇》：“百病始生也，皆生於風。”
《九宮八風篇》：“八風皆從其虛之鄉來，乃能病人。”《歲露
論》：“邪風邪氣之中人也，不得以時。”《八正神明論》：“八正
者，所以候八風之虛邪，以時至者也。”《陰陽應象論》：“風勝
則動，邪風之至，疾如風雨。”《太陰陽明論》：“犯賊風虛邪，陽
受之。陽受之則入六府。入六府則身熱不時臥，上爲喘呼。”
《壽夭剛柔篇》：“病在陽者名曰風。”《評熱病論》：“汗出而身
熱者，風也。”《骨空論》：“風從外入，令人振寒，汗出頭痛，身
重惡寒，治其風府。”《熱病篇》：“風痙身反折，先取足太陽及
膕中及血絡。”《風論》：“以春甲乙傷於風者爲肝風，以夏丙丁
傷於風者爲心風，以季夏戊己傷於邪者爲脾風，以秋庚辛中
於邪者爲肝風，以冬壬癸中於邪者爲腎風。風中五藏六府之
俞，亦爲藏府之風。肺風之狀，多汗惡風，時欬短氣。心風之
狀，多汗惡風，焦絕，善怒，甚則言不可快。肝風之狀，多汗，
惡風，善悲，嗌乾善怒，時憎女子。脾風之狀，多汗惡風，身體
怠惰，四支不欲動，不嗜食。腎風之狀，多汗惡風，面㾮然浮
腫，脊痛不能正立，隱曲不利。胃風之狀，頸多汗惡風，食飲
不下，膈塞不通，腹善滿。首風之狀，頭面多汗惡風，當先一
日則病甚，頭痛不可以出内，至其風日則病少愈。漏風之狀，
或多汗，不可單衣，食則汗出，甚則身汗，喘息惡風，衣常濡，
口乾善渴，不能勞事。泄風之狀，多汗，汗出泄衣上，口中乾，
上漬其風，不能勞事，身體盡痛則寒。”《巢氏病源》：“肝中風，
但踞坐，不得低頭。若繞兩目連額，色微有青，唇面黃，急灸
肝俞百壯。脾中風，踞而腹滿，身通黃，吐鹹，急灸脾俞百壯。
腎中風，踞而腰痛，視脇左右，未有黃色如餅粢大者，急灸腎

俞百壯。① 肺中風，偃臥而胸滿短氣，冒悶汗出，視目下、鼻上下兩邊，下行至口，色白，灸肺俞百壯。"引養生方："正倚壁，不息行氣，頭至足止，愈大風、偏枯、諸風痺。踞、伸左腳，兩手抱右膝，生腰，以鼻內氣，自極，七息，展左足著外，②除難屈伸拜起，脛中疼。偃臥，合兩膝，布兩足，生腰，口內氣，振腹七息，除壯熱疼痛，兩脛不隨。"《金匱》："侯氏黑散，治大風，四肢煩重，心中惡寒不足者。風引湯，除熱癱癇。防己地黃湯，治病如狂狀，妄行，獨語不休，無寒熱，其脈浮。頭風摩散，治頭風、偏痛。"《外臺秘要》諸風方一十四首：深師四，《千金翼》八，《備急》一，《近效》一。卒中風方七首：千金二，崔氏二，《備急》二，《古今錄驗》一。四時中風方四首，皆《古今錄驗》。中風發熱方三首：深師二，范汪一。賊風方一十二首：深師七，《千金》四，《古今錄驗》一。歷節風方一十首，深師一，《千金》六，《延年》二，《古今錄驗》一。中風角弓反張方七首：《肘後》一，《小品》一，《千金方》三，《備急》一，《必效》一，《古今錄驗》一。風口噤方一十首：深師二，《千金》六，《備急》二。風口喎方九首：《廣濟》一，深師二，《千金》六。風失音不語方八首：《廣濟》一，深師二，《肘後》二，《千金》三。風不語方二首：《救急》一，《古今錄驗》一。風身體手足不隨方二首：《千金》一，《古今錄驗》一。風半身不隨方八首：《深師》一，《千金》三，《古今錄驗》四。癱瘓風方四首：《廣濟》二，文仲二，元侍郎。③ 風痺方三首：《千金》一，《古今錄驗》二。偏風方九首：《廣濟》二，《千金》二，《備急》一，《延年》四。風㹆退

---

① "腎"字原誤作"脾"，據清光緒周學海校刻本《巢氏諸病源候總論》及上下文意改。
② "左"字原誤作"外"，據清光緒周學海校刻本《巢氏諸病源候總論》及上下文意改。
③ 本句疑當作"文仲一，元侍郎一"，人民衛生出版社 1955 年影印明刻本《外臺秘要》錄文仲、元侍郎療癱瘓風方各一首。

方三首:《千金》二,《千金翼》一。風躄曳及攣蹙方二首:范汪一,《古今録驗》一。柔風方二首:深師一,《古今録驗》一。又有許仁則療諸風方七首、張文仲療諸中風方九首風也。[①]《素問·水熱穴論》:"人傷於寒而傳爲熱,寒盛生熱也。"《熱論》:"熱病者,皆傷寒之類也。人之傷於寒也,則爲病熱。傷寒一日,巨陽受之。巨陽者,諸陽之屬也,故爲諸陽主氣也。其脈連於風府,故頭痛、腰脊强。二日陽明受之,陽明主肉,其脈挾鼻絡於目,故身熱目痛而鼻乾,不得卧也。三日少陽受之,少陽主膽,其脈循脇絡於耳,故胸脇痛而耳聾。三陽經絡皆受其病,而未入於藏者,故可汗而已。四日太陰受之,太陰脈布胃中絡於嗌,故腹脹滿而嗌乾。五日少陰受之,少陰脈貫腎絡於肺,繫舌本,故口燥舌乾而渴。六日厥陰受之,厥陰脈循陰氣絡於肝,[②]故煩滿而囊縮。治之各通其藏脈,病日衰已矣。其兩感於寒者,一日巨陽與少陰俱病,則頭痛、口乾而煩滿。二日陽明與太陰俱病,則腹滿身熱,不欲食,譫語。三日少陽與厥陰俱病,則耳聾囊縮而厥,水漿不入,不知人。六日死。"仲景遵之爲《傷寒雜病論》,合十六卷一百一十三方,爲後世醫學者所宗,非僅僅爲傷寒立法也。《千金方》卷九有摩膏三首:一青膏,二黄膏,三白膏。發汗散十一首:一度瘴發汗青散,二五苓散,三崔文行解散,四六物青散,五青散,六發汗白薇散,七華陀赤散,八赤散,九烏頭赤散,十水解散,十一時病表裏大熱方。又發汗圓三首,一神丹圓,二麥奴圓,三水解圓。《外臺》所謂"江南諸師秘仲景要方不傳"者,此類是也。井研廖氏取此以爲《傷寒論》首卷,亦有據可從。熱亦感

---

① "也"前"風"字疑衍。

② "氣"字,清光緒文成堂刻本《黄帝内經》作"器",於義較勝。

證,熱、火、暑三氣同類。《天元紀大論》:"神在天爲熱,在地爲火。"《熱論》:"凡病傷寒而成温者,先夏至日者爲病温,後夏至日者爲病暑,暑當與汗皆出,勿止。"《刺志論》:"氣盛身寒,得之傷寒。氣虛身熱,得之傷暑。"《至真要大論》:"少陰司天爲熱化,少陽司天爲火化。"《陰陽應象論》:"水爲陰,火爲陽,陽勝則熱,陰勝則寒。重寒則熱,重熱則寒。寒則生熱,熱則生寒。"寒者熱之對,熱者寒之反,故曰"熱病者,皆傷寒之類也"。暑火熱方,皆可於仲景《傷寒》中求之。《内經·熱論》、《刺熱論》諸篇,《傷寒論》諸方,不具引。

泰始黄帝扁鵲俞柎方二十三卷

應劭曰:"黄帝時醫也。"師古曰:"柎音膚。"

補注:方佚。王應麟曰《扁鵲傳》"醫有俞柎",《周禮·疾醫》疏引《漢書·藝文志》同。《説苑》:"俞柎爲醫,搦腦髓,束肓莫,炊灼九竅而定經絡,死人復爲生人。""泰"、"太"同。《乾坤鑿度》:"太初者,氣之始也。太始者,形之始也。太素者,質之始也。"《白虎通》:"始起之天,先有太初,後有太始。形兆既成,名曰太素。"《子華子·陽城胥渠問》:"混沌之初,是名太初。實生三氣,上氣曰始,中氣曰元,下氣曰玄。玄資於元,元資於始,始資於初。"《蜀都賦》"神農是符,①盧跗是料",注:"扁鵲,盧人。跗,俞跗也。"《神仙通鑑》:"天師既去,醫藥曠職,以鬼臾區爲醫正,雷公爲藥正,居之靈蘭之室。俞跗薦其弟少俞,能通周身穴道。"《雲笈七籤·軒轅本紀》:"帝問少俞鍼注,乃制鍼灸明堂圖灸之法,②此鍼藥之始也。"今《靈樞·五變論》、《勇論》、《痛》、《五味》四篇皆黄帝、少俞問答之

---

① "符"字,中華書局1977年影印清胡克家刻本《文選》作"嘗",於義較勝。
② "鍼灸"之"灸",《四部叢刊》影印明刻本《雲笈七籤》作"經",於義較勝。

詞。度俞跗當有專篇，今失傳矣。柎讀若符，今虞韻。

五藏傷中十一病方三十一卷

補注：方佚。《素問·診要經終論》"中膈者皆爲傷中"，注謂藏府之氣皆爲所傷也。《痺論》："飲食自倍，腸胃乃傷。"《本病篇》："飲食勞倦即傷脾。"《靈樞·邪氣藏府病形篇》："憂愁恐懼則傷心。形寒飲冷則傷肺。有所墮墜，惡血留內；有所大怒，氣逆而不下，積於脇下則傷肝。有所擊仆，若醉入房，汗出當風則傷脾。有所用力舉重，若入房過度，汗出浴水則傷腎。"《四十九難》："憂愁思慮則傷心。形寒飲冷則傷肺。恚怒氣逆，上而不下則傷肝。飲食勞倦則傷脾。久坐濕地，強力入水則傷腎。正經自病也。"《金匱·藏府經絡篇》"五勞、七傷、六極"，《醫學入門》以陰寒、陰痿、裏急、精漏、精少、精清、小便數爲七傷。《醫鑑》以陰汗、精寒、精清、精少、囊下濕癢、小便澀數、夜夢陰人爲七傷。《巢氏病源》以陰寒、陰痿、裏急、精連、精少、陰下濕、精滑、小便數爲七傷，又以"大飽傷脾，大怒氣逆傷肝，強力舉重、久坐濕地傷腎，形寒飲冷傷肺，憂愁思慮傷心，風雨寒暑傷形"。《千金》"遠思強慮傷人，憂恚悲哀傷人，喜怒過差傷人，忿怒不解傷人，汲汲所欲傷人，戚戚所患傷人，寒溫失節傷人，恐懼不節傷人"，[①]爲七傷。"傷中"當統五勞、七傷言也。傷者宜補，《外臺》載《素女經》四時補益方七首："四時神藥名曰茯苓。春三月，更生丸，更生者，茯苓也。夏三月，補腎茯苓丸。秋三月，補腎茯苓丸。冬三月，垂命茯苓丸。四時之散名茯苓散。"又有五勞七

---

① 通行各本《備急千金要方》皆無"恐懼不節傷人"六字，《千金》自"遠思强慮"至"寒溫失節"已足"七傷"，此六字疑當在前"風雨寒暑傷形"句後，與"大飽傷脾"等適爲"七傷"。又"人"字，清光緒周學海校刻本《巢氏諸病源候總論》作"志"，於義較勝。

傷方一十首:《廣濟》一,崔氏五,《千金》一,《古今録驗》二。雜療五勞七傷方三首,皆出《古今録驗》。可參。

客疾五藏狂癲病方十七卷

補注:方佚。客,《素問》"六淫之客"王冰注:"邪氣內襲如客也。"蓋素有之元氣猶主,外來之邪氣猶客也。狂、癲之病,病本不同:狂病之來,狂妄以漸,而經久難已;癲病之至,忽僵仆,而時作時止。狂病常醒,多怒而暴;癲病常昏,多倦而靜。《宣明五氣篇》:"邪入於陽則狂,搏陽則巔疾。"《脈解》所謂"狂癲疾者,陽盡在上,而陰氣從下。下虛上實,故狂巔疾"。《邪氣藏府病形篇》:"心脈緩甚爲狂笑,微濇爲癲疾。"《調經論》:"血并於陰,氣并於陽,則爲發狂。"《陽明脈解篇》:"足陽明之脈,動甚則棄衣而走,登高而歌,或至不食數日,踰垣上屋。"《病能篇》:"有病怒狂者,生於陽也。奪其食則已,使之服以生鐵洛爲飲。夫生鐵洛者,下氣疾也。"《通天篇》:"陽重脱者易狂。"《本神篇》:"肝,悲哀動中則傷魂,魂傷則狂忘不精。"《通評虛實論》:"癲疾,脈搏大滑,久自已;脈小堅急,死不治。虛則可治,實則已。"①《奇病論》:"人生而有病癲疾者爲胎病,此得之在母腹中時,其母有所大驚,氣上而不下,精氣并居,故令子發爲癲疾也。"《癲狂篇》:"癲疾始生,先不樂,頭重痛,視舉目赤,甚作疾,已而煩心,候之於顏,取之手太陽、陽明、太陰,血變而止。癲疾始作,先反僵,因而脊痛,候之足太陽、陽明、太陰、手太陽,血變而止。癲疾始作而引口啼呼喘悸者,候之手陽明、太陽,左强者攻其右,右强者攻其左,血變而止。治癲疾者,常與之居,察其所當取之處。病至,視之有過者,瀉之,置其血於瓠壺之中,至其發時,血獨動

---

① "已"字,清光緒文成堂刻本《黃帝內經》作"死",於義較勝。

矣;不動,灸窮骨二十壯。窮骨,骶骨也。骨癲疾者,顑、齒諸俞、分肉皆滿,而骨居,汗出煩悗。嘔多沃沫,氣下泄,不治。筋癲疾者,身倦攣急大,刺項大經之大杼脈。嘔多沃沫,氣下泄者,不治。脈癲疾者,暴仆,四肢之脈,皆脹而縱。滿,盡刺之出血;不滿,灸之挾項太陽,灸帶脈於腰相去三寸,諸分肉本輸。嘔多沃沫,氣下泄者,不治。癲疾者,疾發如狂者,死不治。狂始生,先自悲也,喜忘、苦怒、善恐者,得之憂饑,治之取手太陰、陽明,血變而止;及取足太陰、陽明。狂始生,少臥不饑,自高賢也,自辯智也,自尊貴也,善罵,日夜不休,治之取手陽明、太陽、太陰、舌下少陰,視之盛者,皆取之;不盛,釋之也。狂言、驚、善笑、好歌樂、妄行不休者,得之大恐,治之取手陽明、太陽、太陰。狂,目妄見、耳妄聞、善呼者,少氣之所生也,治之取手太陽、太陰、陽明、足太陰,頭兩顑。狂者多食,善見鬼神,善笑而不發於外者,得之有所大喜,治之取太陰、太陽、陽明,後取手太陰、太陽、陽明。狂而新發,未應如此者,先取曲泉左右動脈,及盛者見血,有頃已;不已,以法取之,灸骨骶二十壯。”《長刺節論》:“病在諸陽脈,且寒且熱,諸分且寒且熱,名曰狂。刺之虛脈,視分盡熱,病已止。病初發,歲一發;不治,月一發;不治,月四五發,名曰癲病。刺諸分諸脈,其無寒者,以鍼調之,病已止。”《二十難》:“重陽者狂,重陰者癲。”《五十難》:“狂癲之始發,少臥而不饑,自高賢也,自辯智也,自倨貴也。妄笑,好歌樂,妄行不休是也。癲疾始發,意不樂,僵仆直視,其脈三部俱盛是也。”[1]《外臺秘要》選風狂方九首:《千金方》三,《翼方》一,《肘後》五。驚恐妄言方六首:深師四,《古今録驗》二。風癲方七首:《千金》

---

① 該引文實出《黄帝八十一難經》之第五十九難。

五,《古今録驗》一,侯氏一。五癲方三首,皆《古今録驗》方也。五癲,《巢氏病源》:一陽癲,二陰癲,三風癲,四濕癲,五馬癲。

金創瘲瘲方三十卷

服虔曰:"音瘲引之瘲。"師古曰:"小兒病也。瘲音充制反,瘲子用反。"

補注:方佚。王念孫曰:"顔注'瘲'音在前,'瘲'音在後,則'瘲瘲'當爲'瘲瘲',小兒瘲瘲病也。諸書皆'瘲瘲',無言'瘲瘲'者。"沈欽韓曰:"《靈樞》注:瘲瘲者,熱極生風。"《周禮·醫師》瘍醫"金瘍"注:"刃傷也。"《金匱》:"千般疢難,不越三條:一爲内所因,二爲外皮膚所中,三爲房室、金刃、蟲獸所傷。"《瘡癰篇》:"病金瘡,王不留行散主之。"《巢氏病源》:"被金刃所傷,其瘡多有變動,血出太多,其脈虚細者生,數實大者死;小者生,浮大者死。所傷在陽處者,去血四五斗,脈微緩而遲者生,急疾者死。"《千金翼》有金瘡方六十六首,《外臺秘要》金瘡預備膏散方三首:《肘後》二,深師一。金瘡方一十一首:《肘後》九,《近効》二。續筋骨方三首:《千金》一,《必効》一,《古今録驗》一。止痛方五首:范汪三,《千金》一,《古今録驗》一。生肌方四首:《廣濟》一,范汪二,《古今録驗》一。内補方二首:《千金》一,《古今録驗》一。瘲瘲病,男、婦、老、幼俱有,不獨小兒病也。"瘲"與"掣"同,音異,一作"瘛"。瘛者,筋脈拘急也。瘲者,筋脈弛張也。《素問·大奇論》:"心脈滿大,癇瘛筋攣。肝脈小急,癇瘛筋攣。"《氣交變論》:"歲土太過,雨濕流行。民病善瘛。"《六元正紀大論》:"少陽所至爲暴注,瞤瘛。"又:"火欝之發,民病嘔逆,瘛瘲。"《玉機真藏論》:"腎傳之心,病筋脈相引而急,病名曰瘛。"《五常政大論》:"陽明司天,燥氣下降,肝氣上從,民病脅痛,目赤,振掉,鼓慄。"《至真要大論》:"少陽司天,客勝則爲瘈瘲。"《靈樞·終始篇》"足太陽之脈,其終,戴眼,反折,瘈瘲",黃注:"瘈急瘲緩。"《邪氣篇》:"心脈急甚者瘈瘲,脾脈急甚爲瘈瘲,肝脈微濇爲瘈攣筋痹。"蓋諸熱瞀瘈,皆屬於火。火勝風搏,併於經絡。風性主動,風火相乘,是以熱瞀而瘈瘲。治宜祛風滌熱之劑,若妄加灼艾,或發表祛風,則禍不旋踵。

婦人嬰兒方十九卷

補注:方佚。沈欽韓曰:"《扁鵲傳》:過邯鄲,聞貴婦人,即爲帶下醫。來入咸陽,聞秦人愛小兒,即爲小兒醫。"《素問·上古天真論》:"女子二七而天癸至,任脈通,大衝脈盛,月事以時下,故有子。至于七七,任脈虛,大衝脈衰少,天癸竭,地道不通,形壞而無子矣。"《陰陽別論》:"二陽之病發心脾,有不得隱曲,爲女子不月。"《金匱》本之爲雜病方十八首:一小柴胡湯,二旋覆花湯,三膠薑湯,四抵當湯,五溫經湯,六土瓜根散,七礬石丸,八半夏瀉心湯,九甘麥大棗湯,十半夏厚朴湯,十一當歸芍藥散,十二小建中湯,十三紅藍花酒,十四大黃甘遂湯,十五腎氣丸,十六猪膏髮煎,十七蛇床子散,十八狼牙湯。《平人氣象論》"婦人手少陰動甚者,任子也",王冰注:"手少陰脈謂掌後陷者中,當小指動而應手者也。動脈大如豆,厥厥動搖。"《陰陽別論》"陰搏陽別,爲有子",王冰注:"陰謂尺中也,搏謂搏觸於手也。尺脈搏擊,與寸口殊別,陽氣挺然,則爲有妊之兆,何者?陰中有別陽故。"《腹中論》"何以知懷子之且生?身有病而無邪脈也",王冰注:"病謂經閉也。脈法曰:尺中之脈來而斷絕者,經閉也。月水不利,若尺中脈絶者,經閉也。今病經閉,脈反如常者,婦人妊娠之證。"《奇病論》:"人有重身,九月而瘖。岐伯曰:'胞之絡脈絶也。胞絡者,繫於腎,腎脈繫舌本,故不能言。無治也,當十月復,毋

損不足，益有餘，以成其疹。然後調之。'"《金匱》本之爲妊娠
方九首：一桂枝茯苓丸，二附子湯，三膠黃湯，四當歸芍藥散，
五薑參半夏丸，六歸貝苦參丸，七葵子茯苓散，八當歸散，九
白朮散。《金匱》："新產婦人有三病。新產血虛，多汗出，喜
中風，故令病痙；亡血復汗，寒多，故令鬱冒；亡津液胃燥，故
大便難。"爲方七首：一小柴胡湯，二枳實芍藥散，三下瘀血
湯，四陽旦湯，五竹葉湯，六竹皮大丸，七白頭翁甘草阿膠湯。
《通評虛實論》："乳子病熱，脈懸小者，手足溫則生，寒則死。
乳子病風熱，喘鳴肩息者，脈實大也，緩則生，急則死。"軒、岐
診小兒，未嘗不以脈爲要也。《宋·藝文志》有《師巫顱顖經》
二卷。《宋史·方技傳》：錢乙始以《顱顖經》著名。《郡齋讀
書記》有《錢氏小兒方》八卷，是爲兒科之祖。

湯液經法三十二卷

補注：佚。王應麟曰："《素問》有《湯液論》。《事物起原》：
'《湯液經》出伊尹。'"皇甫謐《甲乙經序》云："伊尹以亞聖之
才，撰用《神農本草》以爲《湯液》。"又曰："仲景論廣伊尹《湯
液》爲數十卷，用之多驗。"余按仲景《傷寒論敘》但云"撰用
《素問》、《八十一難》、《陰陽大論》、《胎臚藥錄》并《平脈辨
證》"爲書，不言《湯液》；又云"上古有神農、黃帝、岐伯、伯高、
雷公、少俞、少師、仲文，中世有長桑、扁鵲，漢有陽慶、倉公"，
不言伊尹。今王氏依據《甲乙》序文定《湯液》爲伊尹所著，殊
爲錯誤。余著《內經方釋》，序中已力辨之。《素問·湯液醪
醴論》："爲五穀湯液及醪醴奈何？岐伯曰：'必以稻米，炊之
稻薪。稻米者完，稻薪者堅。'"《移精變氣論》："中古之治，病
至而治之湯液。十日不已，治以草蘇草荄之枝。"其色見淺
者，湯液主治。張仲景曰："若欲治病，當先以湯洗滌五藏六
府。"《中藏經》："湯可以蕩滌臟腑，開通經絡，調品陰陽，祛分

邪惡，潤澤枯朽，悦養皮膚，益充氣力，扶助困竭，莫離於湯。”
《五常政大論》“行水漬之”注：“湯浸漬也。”《陰陽應象大論》：
“其有邪者，漬形以爲汗。”《玉機真藏論》：“脾風，可浴。”《金
匱》有礬石湯浸腳。今村謂：“皇國亦有湯漬法，見《榮花物
語》。又《倉公傳》及《傷寒論》有灌水法。《玉函經》：‘過經成
壞病，鍼藥所不能制。與水灌枯槁，陽氣微散，身寒温衣覆，
汗出表裏通利，其病即除。’華陀療婦人寒熱注病，用冷水灌
之。”《千金》、《外臺》治石發有冷水洗浴之法。《南史》載徐嗣
伯用灌水治房伯玉之病。”古來用湯用水泖有專書，今皆失
傳，此其大略也。詳見《内經藥瀹·藥制》中，並與上“湯火”
注互參。

神農黄帝食禁七卷

補注：佚。沈欽韓曰：“《本草經》：‘神農作赭鞭鈎鋤，從六陰
與太乙外，五岳四瀆，土地所生，皆鞭問之。一日遇七十毒。’
《御覽》七百二十一《帝王世紀》：‘使岐伯嘗味草木，典主醫
病，經方《本草》、《素問》之書咸出焉。’然《本草》即肇於神農，
而黄帝修之，《志》但言《食禁》，不足以盡之也。”葉德輝曰：
“康賴《醫心方》二十九引《本草食禁》‘正月，①一切肉不食者
吉。五月五日不食獐鹿及一切肉’，即此書也。疑古本附《本
草》後，故云‘本草食禁’。沈説非也。或據《醫師》以‘禁’爲
‘藥’，②亦非。”《千金要方》第二十六有《食治》一卷，謂“不明
藥忌，不能以除病”，因輯黄帝、少俞、伯高之説爲《序論》第
一，《果實》第二，《菜蔬》第三，《穀米》第四，《鳥獸》第五，《蟲
魚》附。此《食禁》七卷，即此類是也。

---

① “醫心”二字原誤倒，據清光緒王氏虛受堂刻本《漢書補注》乙正。
② 清光緒王氏虛受堂刻本《漢書補注》“以”前有“疏”字，於義較勝。

右經方十一家，二百七十四卷。

補注：《史記·扁鵲倉公傳》長桑君"取其禁方，盡與扁鵲"；公乘陽慶"使意去其故方，更悉以禁方予之"；"臣意欲受他精方"，精方即禁方，即經方。後漢時，李助譔《經方頌說》，皆無傳。今所存者，《内經》方一十三首、《傷寒》方一百一十三首，即經方之遺也。《漢書·百官志》：太醫藥丞主藥方。① 《郊祀志》"少君者，故深澤侯人，主方"，注："侯家人，主方藥也。"《史記·貨殖傳》："醫方諸食技術之人，焦神極能，爲重糈也。"《武帝紀》："齊人上書言神怪奇方者以萬數，然無驗者。"古方衆多，傳者尠矣。

經方者，本草石之寒温，量疾病之淺深，假藥味之滋，因氣感之宜，辯五苦、六辛，

補注：《山海經》"陽華之山，草多苦辛"，注："苦辛可以已癙。"《素問·腹中論》："石藥發瘨，芳草發狂。芳藥之氣美，石藥之氣悍。其氣急疾堅勁，非緩心和人，不可以服此二者。"《周禮·醫師》注："毒藥之苦辛者，細辛、苦參雖辛苦而無毒，但有毒者多辛苦。"② 五苦即苦温、苦熱、苦甘、苦辛、苦鹹也，六辛即辛温、辛酸、辛熱、辛甘、辛凉、辛寒也。《素問·至真要大論》："太陰司天，濕上甚而熱，③治以苦温。陽明司天，燥淫所勝，平以苦温。陽明在泉，燥淫於内，治以苦温。太陰在泉，濕淫所勝，平以苦熱。④ 太陰之勝，治以苦熱。⑤ 太陰之

---

① 《漢書》無《百官志》，此實出《續漢書》。

② 該引文實出賈氏《周禮疏》，非鄭《注》文。

③ 本句原作"土甚而熱濕"，據清光緒文成堂刻本《黄帝内經》及民國義生堂刻本張驥《内經藥瀹》改。

④ "熱"字原作"温"，據清光緒文成堂刻本《黄帝内經》及民國義生堂刻本《内經藥瀹》改。

⑤ "苦"字，清光緒文成堂刻本《黄帝内經》及民國義生堂刻本《内經藥瀹》皆作"鹹"。

復,治以苦熱。太陽之勝,治以苦熱。少陰司天,熱淫所勝,佐以苦甘。少陰在泉,熱淫於内,佐以甘苦。少陽同治。陽明之復,佐以苦甘。太陽司天,寒淫所勝,佐以苦甘。厥陰之復,佐以苦辛。① 少陰之復,佐以苦辛。少陽同治。太陽在泉,寒淫於内,佐以苦辛。少陰之勝,佐以苦鹹。少陽同治。"故苦有五也。"陽明之復,治以辛温。太陽之勝,佐以辛酸。太陽司天,寒淫所勝,平以辛熱。太陰之勝,佐以辛甘。太陰司天,濕土勝而爲熱,②佐以甘辛。陽明之勝,佐以辛甘。厥陰司天,風淫所勝,平以辛涼。厥陰在泉,風淫於内,治以辛涼。少陰之勝,治以辛寒。少陽同治"。故辛有六也。又張子和五苦、六辛之説:"五者,五臟也,臟者,裏也;六者,六腑也,腑者,表也。病在裏者,屬陰分,宜以苦寒之藥涌之、泄之;病在表者,屬陽分,宜以辛温之劑發之、汗之。此五苦、六辛之意也。"亦有理可從,論"五積六聚"亦然。

致水火之齊,以通閉解結,反之於平。

補注:"水火"注見上。閉者,痹塞不通,經所謂"内關外格"也。結有陰陽,《陰陽别論》:"結陽者腫四支,結陰者便血一升。再結,二升。三結,三升。"閉者通,結者解,復爲平人。

及失其宜者,

補注:朱一新曰:③""其'下有'所'字。"④

---

① "苦"字,清光緒文成堂刻本《黄帝内經》及民國義生堂刻本《内經藥瀹》皆作"甘"。

② "土"字疑當作"上"。

③ "新"字原誤作"辛",據清光緒王氏虚受堂刻本《漢書補注》改。

④ 清光緒王氏虚受堂刻本《漢書補注》"其"前有"汪本"二字。

以熱益熱，以寒增寒，精氣內傷，不見於外，是所獨失也。故諺曰："有病不治，常得中醫。"

補注：錢大昭曰："今吳人猶云'不服藥爲中醫'。"周壽昌曰：[①]"《周禮·醫師》賈疏全引此文，改易數語，不可通。"

方技者，皆生生之具，王官之一守也。大古有岐伯、俞拊，中世有扁鵲、秦和。

師古曰："和，秦醫官也。"[②]

補注：王官，醫官也。《國語》"上醫醫國，其次療人"，固醫官也。《周禮》醫師有疾醫、食醫、瘍醫，秦漢太醫令、丞，《漢書》"侍醫李柱國校方技"，皆王官之一也。史公傳扁鵲，不與日者、龜筴同類。班氏以下，列醫者於方技之門，視爲賤業。醫道日微，則生民之禍日烈，余屢慨乎言之也。別見《扁倉傳叙》。岐伯、俞跗、扁鵲、秦和均見上。

蓋論病以及國，原診以知政。

師古曰："診，視驗，謂視其脈及色候也。診音軫，又音丈刃反。"

補注：王應麟曰："《晉語》秦和'上醫醫國，其次療疾'。"《子華子·醫道篇》："以之治國家天下，無以易於此術也。"《左傳》秦和曰："今君至於淫以生疾，將不能圖恤社稷，禍孰大焉？"今考《內經》中屬於醫家專門切要之事，詳經絡，考部位，識病名，知針藥，不過三十餘篇。其通論治國醫人，則有四十餘篇，不一一引也。

---

① "昌"字原脱，據清光緒王氏虛受堂刻本《漢書補注》補。
② "官"字，清乾隆武英殿本《漢書·藝文志》作"名"。

漢興，有倉公。今其技術晻昧。

師古曰："'晻'與'暗'同。"

故論其書，以序方技爲四種。

補注：方技計醫經、經方、房中、神仙凡四種。二者無關於醫，付之蓋闕可也。

二十五史藝文經籍志考補萃編總目